O RIO

Leonencio Nossa
com fotos de Celso Junior

O RIO

uma viagem pela alma do Amazonas

FOTOS DE CELSO JUNIOR

EDITORA RECORD
RIO DE JANEIRO • SÃO PAULO

2011

PROJETO GRÁFICO E EDITORAÇÃO ELETRÔNICA DE MIOLO E ENCARTE
FA Editoração Editoração

CIP-BRASIL. CATALOGAÇÃO-NA-FONTE
SINDICATO NACIONAL DOS EDITORES DE LIVROS, RJ

Nossa, Leonencio
N785r O rio/Leonencio Nossa; fotos de Celso Junior. – Rio de Janeiro: Record, 2010.

ISBN 978-85-01-09526-8

1. Nossa, Leonencio – Viagens – Amazonas, Rio. 2. Amazonas, Rio – Descrições e viagens. 3. Fotografia – Amazonas, Rio. I. Celso Junior. II. Título.

10-2579 CDD: 918.11
CDU: 913(811)

Este livro foi revisado segundo o novo Acordo Ortográfico da Língua Portuguesa.

Direitos desta edição adquiridos pela
EDITORA RECORD LTDA.
Rua Argentina 171 – 20921-380 – Rio de Janeiro, RJ – Tel.: 2585-2000

Impresso no Brasil
2011

“Não sabia se simplesmente não podia vê-lo, ou se o
canal havia desaparecido sem que ele tivesse
percebido, se o rio se perdera num mundo afogado, ou
se o mundo se afogara num rio sem limites.”

William Faulkner

A Sydney Possuelo, que repassou mapas e livros.
Foi numa expedição dele, em 2002, que conheci o Solimões.

A Neri Vitor Eich, por ouvir dúvidas
e sugerir mudanças para melhorar a fluência do texto.

Sumário

1. No deserto | **15**

2. Natividad | **27**

3. Menina | **35**

4. O primeiro povoado | **39**

5. O mapa do encontro das águas | **43**

6. A cidade dos *qollas* | **46**

7. "Estes desenhos têm 5 mil anos" | **49**

8. Barulho | **55**

9. Os espiões roubaram o mapa do rio | **65**

10. Paco | **75**

11. "Antes, aqui dava bastante peixe" | **85**

12. "Não matem os bruxinhos" | **90**

13. O rio tem pai e mãe | **95**

14. Descobrir a vida depende da matemática | **101**

15. Sessenta e nove mil pessoas morreram | **104**

16. Os espantalhos parecem humanos | **107**

17. São 218 livros para duzentas pessoas | **109**

18. "Diga a meu pai que o espero no paraíso" | **111**

19. O porto | **115**

20. Uma casa flutuante | **121**

21. A menina não seguiu o caminho do rio | **124**

22. A casa de Eiffel encalhou como uma baleia | **128**

23. "Tudo é realidade" | **132**

24. O radialista | **138**

25. Belén no encontro das águas | **142**

26. O guerrilheiro atravessa o grande rio | **145**

27. Tríplice fronteira | **149**

28. Uma noite não é nada | **156**

29. Macacos com cara de gente | **162**

30. "Eu nasci em Bérgamo" | **166**

31. A firma de Coari | **171**

32. Aos trancos e barrancos | **179**

33. O encontro das águas | **184**

34. "A floresta vai secar" | **188**

35. "Mais importante não é estar certo, é a vida" | **196**

36. A menina no inverno | **202**

37. O boi em Parintins | **206**

38. A escola | **209**

39. Ele pretende apenas desenhar o mundo | **212**

40. Os ditadores | **218**

41. Quando os homens se afogam | **220**

42. Omar | **223**

43. Senti que tudo era passado | **226**

44. Meu nome é 50 | **230**

45. Deus é grande, mas o mato é maior | **235**

46. Melancolia | **237**

47. À noite, a mulher vira pássaro | **241**

48. O verde do deserto | **247**

49. A baleia no encontro das águas | **252**

50. É preciso fibra | **258**

51. O encontro das águas | **264**

52. Vivos e fantasmas moram no mesmo castelo | **267**

53. Belém | **271**

54. O sábio não lamenta os vivos nem os mortos | **277**

55. Tudo é água | **285**

56. A menina do trem | **298**

57. Marrocos | **302**

58. Maria Barriga | **307**

59. Mar abaixo | **311**

60. O deserto | **315**

61. Futebol | **322**

62 Quatro tempestades | **325**

63. Mar | **333**

64. Águas secas | **340**

Bibliografia | **346**

Apacheta, Wishka Wishka, Tayacconclori, Carhuasanta, Lloqueta, Challamayo ou Cchalla, Anchaca, Pachachaca, Hornillos, C'hillihua, Condorcuyo ou Orcuyo, Monigote, Paka Wayq'o, Anccok'áwa, Apurimac Mayu, Hatun Mayu, Cápac, Ene, Tambo, Ucayali, San Miguel, Tujupuru, Canela, Guyerma, Orellana ou Oregliane, São Francisco de Quito, Rio Rei, Rio Mar, Babel, das Mil Águas, Tunguráhua, Guêni, Amazonas, Solimões, Perigoso, Cunuris, Amazonas, Amazones ou Amazon, Arari, Arquínio, Onças, Amazonas, Grande, Icamiabas, Marañon, Marannon, Maragnon, Maragno ou Maranhão, Santo Antônio ou Santantonio, Filipe, Santa María del Mar Dulce, Mar Doce, Mar Branco, Paranatinga, Paranapetinga, Panarauaçu, Paranauaçu, Paraguaçu, Norte, Sul, Gurupá, Breves, Pará, Santa Rosa, Perigoso, Bem-te-vi, Gurijuba e Amazonas.

Escorrem as primeiras águas do rio Amazonas a partir de uma fonte subterrânea abastecida pela geleira do monte Quehuisha, a 5.179 metros de altitude, no sul do Peru. O filete desce azul a montanha entre pedras, junta-se a outros córregos da cordilheira dos Andes, deixa de ser riacho e fica verde ainda no deserto, torna-se barrento na selva, alarga-se antes da floresta da Colômbia, transborda no Brasil e termina, quase 7 mil quilômetros depois da nascente, no Atlântico.

Este livro é a síntese de uma série de viagens que o fotógrafo Celso Junior e eu fizemos para retratar o rio. O frio e o ar rarefeito são os primeiros obstáculos para quem se dispõe a fazer o percurso a partir das nascentes. Impossível se livrar da poeira e da queimadura — com o vento gelado, o sol parece não existir. Depois, na selva, o difícil é enfrentar o mormaço e a sonolência. O calor se torna quase insuportável ao longo do trajeto, que inclui afluentes, subafluentes, igarapés, furos, paranás e lagos dos dois hemisférios do planeta. É água que não acaba mais.

Remar, enfrentar precipícios e subir barrancos do rio não eram sonhos antigos. Nem sede de aventura.

Logo surge a dúvida sobre o melhor modelo de relato das viagens. Diante da magia e dos perigos do Amazonas, parece cômodo optar pela surrada metáfora do "rio da vida". Essa receita, aliás, nem sempre dá certo. Nos anos 1930, o escritor Emil Cohn, especialista em perfis de reis e ditadores, tentou retratar o lado humano de um rio em *O Nilo*, mas o biografado, um rio considerado sagrado, se revelou Deus. Tanto que quem nele se afogava, mesmo que não fosse um faraó, era embalsamado.

O Nilo recebe poucos afluentes. O Amazonas é sucessão de encontros de águas. São os dois maiores rios do mundo, mas a polêmica sobre qual deles é o maior não faz mais sentido. É impossível secar o Nilo do imaginário, ignorar séculos de convicção consolidada pelos cálculos dos antigos egípcios, pois eles desconheciam a América e o rio americano.

O Amazonas é a espinha dorsal de uma bacia de 6,8 milhões de quilômetros quadrados — a Europa sem a Rússia. A bacia do Congo chega a 3,7 milhões; a do Mississippi, a 3,3 milhões; e a do Nilo, a 2,8 milhões. Certo seria comparar o Amazonas a um oceano. Ele representa 16% do reservatório de água doce existente na superfície da Terra. A cada segundo, lança 214 milhões de litros no mar — duas horas desse fluxo seriam suficientes para abastecer a cidade de São Paulo ou a de Nova York por um ano.

Os gregos diziam que o nome define o destino da pessoa. Mas, nesse aspecto, é difícil comparar a um ser humano um rio como o Amazonas, que já teve e tem tantos nomes — um labirinto.

Um labirinto também para quem escreve. Descrever nossa convivência com os ribeirinhos tornou-se um recurso de narrativa. Mas descrever o universo dos seres ao longo do rio, congelar as imagens no olhar e pô-las em movimento nas palavras é algo tão difícil quanto atravessar desertos, florestas, desfiladeiros e a imensidão das matas alagadas.

1

No deserto

Pela janela do avião da LAP — Linhas Aéreas Peruanas —, se avistam as geleiras do Peru, país das nascentes do rio Amazonas. A cordilheira dos Andes separa as águas fluviais que vão para o Pacífico das que se dirigem para o Atlântico. Os cumes brancos das montanhas, pontos mais altos da América do Sul, contrastam com as serras e os vales marrons e secos. Olhando a paisagem de Arequipa, sem o verde presente na imagem mais comum e tradicional do rio — uma serpente cortando a floresta —, você, absorto, praticamente não sente a turbulência e o ronco dos motores.

Um documentário exibido no monitor instalado em frente às poltronas do avião mostra jogadores perdendo gols feitos que mesmo o pior perna de pau não perderia. É uma sequência de gols perdidos em campeonatos da América e da Europa.

"Vento de 15 quilômetros por hora, temperatura de 21 graus", informa o piloto, minutos antes do pouso. Depois de uma hora e 15 minutos de voo desde Lima, avista-se o monte Misti, imponente, com seus 5.825 metros. É um dos vulcões adormecidos de Arequipa.

O avião aterrissa na pista do Aeroporto Alfredo Rodríguez Ballon, piloto arequipenho morto num acidente aéreo na selva peruana nos anos

1930. Dois guias nos esperam. Vamos à cidade comprar mantimentos. Pelas ruas do Centro, ainda se veem residências de *sillar*, pedra clara que levou os espanhóis a chamarem Arequipa de "Cidade Branca". Foi do Chachani, pico de 6.075 metros, que os escravos retiraram essa pedra. Boa parte das montanhas é vulcânica. A última erupção do Chachani foi em 1600. A noite durou 12 dias e 12 noites.

Depois de fazer compras no Centro, começamos a subida, em uma picape, em direção às nascentes do rio. Na periferia da capital, as casas são de lajotas de barro, sem reboco. Os quintais e as ruas não têm árvores.

É sinuosa a estrada asfaltada que corta as montanhas e leva a Chivay, cidade mais próxima das nascentes. O monte Ampato, com seus 6.288 metros, é o mais alto do departamento de Arequipa. Nas margens da estrada, predominam pequenos cactos e pedras tomadas de limo. A 45 quilômetros do Centro, a altitude chega a 3.100 metros.

Há oratórios, cruzes, ovelhas e lhamas na beira da pista. Faz 15 graus. A cabeça começa a doer. Chega-se à zona das vicunhas, espécie de lhama dos Andes. Em maio, os andinos fazem a festa da vicunha. Os homens realizam um grande cerco e capturam dezenas desses animais. Depois do corte do pelo, as vicunhas são soltas. A lã é produto caro. O bicho é um dos símbolos nacionais. Sua carne é muito apreciada. Meio quilo pode sair por 100 dólares, mas os camponeses soltam as vicunhas por serem animais em processo de extinção.

Saímos do carro para ver o Misti e o Chachani. No povoado de Patahuasi, sete crianças jogam vôlei num terreno empoeirado. Na comunidade, não há agricultura. As famílias vivem do comércio da pele e da carne das alpacas, outro animal da família das lhamas. Os alpacateiros moram em casas baixas, de lajota, algumas cobertas com palha e outras com telhas de zinco.

Numa vendinha à beira da estrada, os guias sugerem um chá de coca para aliviar a dor de cabeça causada pela altitude. É uma receita comum na região. Faz 9 graus. No local, uma mulher vende também máscaras de personagens típicos da mitologia andina.

Retomamos a viagem. A 135 quilômetros do Centro de Arequipa se vê o Mismi, monte de 5.672 metros, do qual brota uma das nascentes do rio.* De um mirante à beira da estrada, a 4.910 metros, se veem as grandes montanhas da região — todas são vulcões extintos: o Hualca Hualca, de 6.025, o Sabancaya, de 5.976, o Ampato, o Misti, o Chachani e o Chucura, de 5.360 metros.

Nuvens escuras ocultam o cume do Mismi. *Vizcachas* — coelhos grandes — atravessam a estrada no início do anoitecer. Logo se veem as luzes de Chivay, no vale do rio Colca, mais abaixo, porém a mais de 3 mil metros de altitude. O Colca percorre uma cadeia de montanhas recortadas há milhares de anos pelos nativos para abrir áreas de plantação de coca, milho e batata. As luzes de Chivay estão a 170 quilômetros daqui, ou três horas de carro a partir de Arequipa.

Em Chivay, antes de seguir para a pousada, passamos no mercado para comprar gorros, luvas de lã e lanternas para enfrentar a montanha e chegar às nascentes.

Ysidora Yanque, 38 anos, vendedora de produtos de lã de lhama e alpaca, conta que aprendeu na escola que o rio nascia no Mismi. A família dela tem no caminho do monte uma propriedade onde cria animais. Ela é mãe de Leidy, uma simpática menina de 9 anos, e Yedi, um garoto de 13 anos.

— Sei um pouco de quéchua — diz Leidy.

De uns tempos para cá, a família vem falando menos a língua dos descendentes dos incas. Ysidora diz que as crianças não tentam aprender quéchua, preferem o espanhol e arranham no inglês, a língua dos turistas que chegam ao vale do Colca.

---

* O nome do monte é parecido com o do extinto vulcão Misti.

À noite, retornam a Chivay os camponeses com seus burros e carroças, depois de um dia na lavoura. Com uma máquina manual, Ysidora borda nos tecidos borboletas, colibris e condores. Pergunto a Leidy sobre os condores. Enquanto responde demoradamente que gosta desses pássaros, vai para trás da barraca, revira tecidos, mantas e peças de lã. Volta depois com uma blusa de lã. Na parte da frente, a imagem de um condor. A menina é do comércio, sabe encantar e vender. Cursando a 5ª série, ela acha que ainda neste ano a professora falará do rio e de sua nascente.

Na manhã seguinte, às 5h, deixamos a pousada para reiniciar a viagem em direção ao pé do Mismi, onde fica a Quebrada Carhuasanta, nascente do Amazonas, indicada nos anos 1970 pelo inglês Loren MacIntyre. No frio das ruas escuras de Chivay, vendedoras de pão andam com o rosto encoberto por mantas de lã. O termômetro da picape 4 x 4 marca 0 grau. Depois, a temperatura cai para 3, 4, 5 e até 6 graus negativos. No povoado de Tuti, a duas horas de Chivay, o termômetro volta a marcar 3 graus negativos. Tuti está na margem direita da estrada. A Igreja de Santa Cruz, de pedra, é rodeada por casas de um pavimento, sem reboco e com teto de zinco. O rio Colca tem pouca água, por causa do grande número de canais de irrigação.

Acima, as chácaras dos camponeses com suas verdes plantações de milho e batata. Surge Ran Ran, mais um povoado à beira da estrada. É como uma pequena Machu Picchu, com casas e templos em ruínas. À frente, um lago com patos selvagens. Avista-se, no paredão de montanhas à direita, uma queda-d'água congelada. A água é uma faixa branca no paredão. Um rebanho de alpacas pasta abaixo da Quebrada Aquenta. O sol aparece, dourando as montanhas. Contra o céu azul sem nuvens do deserto, o Falcão, ou aguilucho andino, pássaro amarronzado, menor que um condor, voa em círculos. Ao longo da estrada, perdizes e *vizcachas*.

Fora do carro, o vento gelado nos bate no pescoço, no rosto, na parte descoberta do antebraço. Daqui à Quebrada Carhuasanta, só a pé. Começamos a caminhada. Por falta de tempo, não passamos pelo processo de aclimatação, necessário quando se enfrenta altitudes acima de 2.800 metros. O ideal é passar uma semana na região antes de tentar alcançar as nascentes.

Só pedras, areia, cascalho e poeira no deserto cercado por montanhas brancas de neve e vermelhas. Depois de subir e descer um pequeno morro, deparamos com um pedregal. Há uma vegetação baixa, chamada *ichu*, capim que brota com as águas que vêm do paredão onde fica a nascente. Você pisa, e o pé afunda na água e no capim encharcado.

Aqui, só os dois guias não sentem a dor de cabeça causada pela altitude. É o *soroche*, o mal da montanha. A escassez de oxigênio causa uma permanente ânsia de vômito. O pulmão parece estar mais pesado, como se uma pedra estivesse crescendo dentro dele.

A impressão é de que todo o sangue subiu à cabeça. Uma sensação de inchaço e dor se alastra pelos braços e pernas. Você não sente fome, apenas tontura e dificuldade de coordenação motora. A visão se turva. A poeira no rosto ameniza o frio, protege a pele. Exposto aos ventos gelados e ao efeito do sol quase invisível, mas abrasador, você, aos poucos, perde a lucidez.

A cada três passos, o coração dispara, você entra em pânico, precisa parar para descansar. É incômodo ficar parado por muito tempo, mas, parando, o coração volta a se acalmar. Retomamos a caminhada. O mal-estar continua. Até os guias, acostumados à altitude, perdem força, cambaleiam. É bom ouvir o barulho das águas que brotam do paredão do Mismi. As pedras do caminho são escorregadias, há risco de queda no precipício. O terreno é íngreme. Na primeira nascente, a água está congelada, logo, não pode ser a origem do rio.

Mais à frente, uma cruz de madeira, com a data *2 IX de 2004*. Subindo mais 20 metros, ouve-se melhor o barulho da água. É preciso passar por mais pedras escorregadias. A cruz deve ter sido colocada por um camponês, diz um guia. Ele conta que outra, de bronze, fincada pela equipe de MacIntyre, foi retirada.

Aqui, todo camponês quer ter uma cruz de metal no telhado, material resistente, que não estraga como a madeira. Uma cruz no telhado serve para espantar o diabo, atraído pela palha que cobre as residências. Quem vive nas margens do rio precisa de amuletos. A vida à beira de um curso de água, que encanta por sua cor azul e transmite uma sensação de paz, é sempre um enfrentamento constante com os deuses e os demônios.

Estamos ao lado da cruz de madeira, no lugar exato apontado por MacIntyre como a origem do rio. Ela fica debaixo do paredão. É como se alguém tivesse feito um corte na montanha com uma faca, como se corta um bolo. Pelas fendas do paredão avermelhado saem as águas em duchas.

Abaixo, no chão, há gelo sobre pedras e vegetação. O capim e as flores andinas congelaram. Uma minúscula floresta branca de gelo. Nossas mãos, enrijecidas, mal conseguem escrever, clicar o botão da máquina fotográfica. Chinchillas — espécie de coelhos — atravessam as pequenas selvas congeladas, escalam as pedras, desaparecem no mato em volta.

Ao pé do paredão, a água forma um poço raso, que transborda e dá origem a um riacho em linha reta — o Carhuasanta, primeiro possível nome do rio, segundo MacIntyre. O rio segue pelo vale, formando com a vegetação das suas margens uma faixa verde através do deserto, lá embaixo. O córrego serpenteia por uma extensa área plana, o verde contrastando com os morros cinza. Um alongado oásis se forma no deserto.

Cerca de 500 metros abaixo, um rebanho de ovelhas aproveita o capim que nasceu com as primeiras águas do rio.

Na volta, não consigo segurar o vômito. Subir e descer os morros do deserto exige um esforço descomunal, um preparo de atleta. Faltou oxigênio para digerir duas barras de cereais.

A tarde é fria no deserto. Descemos as montanhas de volta a Chivay. A picape trepida na estrada cheia de pedras. Outra vez a vontade de vomitar, a dor de cabeça torna-se quase insuportável, a poeira irrita os olhos. O coração ainda bate acelerado. Um pernoite na cidade é fundamental para nos recuperarmos.

Mesmo com as dificuldades, decidimos ir, no dia seguinte, ao Apacheta, o rio que, segundo o polonês Jacek Palkiewicz, é a origem do Amazonas. Os dois guias contratam um arrieiro para fazermos o percurso em mulas.

À noite, jantamos um filé com batatas num pequeno restaurante. Contra o frio, portas e janelas estão fechadas. Belas mulheres servem a refeição. Como aperitivo, milho torrado com sal.

Outra uma manhã gelada em Chivay.

Havíamos marcado às 7h com os guias na pousada. Eles chegam duas horas atrasados. Os dois estão com os olhos vermelhos, as mãos trêmulas, agitados, falando rápido e atropelando as palavras. Um deles masca chiclete. Estão bastante alterados, a sensação que temos é a de que beberam ou se drogaram, ou as duas coisas.

Perguntamos se estão em condições de seguir viagem. Respondem que sim. A dúvida agora é nossa: não podemos enfrentar estradas íngremes com guias drogados, mas, por outro lado, se quisermos chegar ao fim da viagem, teremos que seguir em frente. Seguimos.

Quase três horas depois, chegamos ao local combinado com o arrieiro, no deserto do Altiplano. O arrieiro não está ali.

Na paisagem desértica, o guia que dirige a picape buzina, tentando encontrar o arrieiro.

— Merda de arrieiro — diz o guia, ignorando o fato de que o atrasado é ele.

"Merda de guia", pensamos nós.

Um sitiante do deserto, pastor de lhamas, diz que o arrieiro dormiu no seu sítio, mas tinha ido embora havia duas horas, com um cavalo e duas mulas.

Seguimos o caminho que o arrieiro havia tomado. Uma pastora de lhamas, no caminho, diz ter visto o arrieiro faz uma hora.

Pastores parecem surgir do nada no deserto. Aqui, na região sem vegetação e caminhos definidos, você nunca se aproxima das pessoas. Elas, na verdade, surgem do nada, irreais.

Depois de certo tempo, menos agitados, os guias passam a falar da civilização inca, mais avançada, segundo eles, que as de outros povos das Américas, que soube trabalhar o ouro e a prata, fez maravilhas na arquitetura, construiu pontes e elaborou calendários.

O que os guias não comentam é que, agora, essa civilização se resume a cartões-postais e crenças e costumes dos quéchuas, os descendentes dos incas. Sedimentos, lixos milenares, restos de plantações, de cemitérios, de fósseis e múmias se transformam em poeira ou são levados pelas águas do rio.

Um dos guias pergunta como se chamará este livro. Tentam recuperar nossa confiança agora que estão menos agitados.

— *O rio.*

— Só *O rio*?

— Você acha bom o título?

— Sim, muito direto.

Apesar de dizer que gosta, ele faz uma sugestão:

— *Aventura no Rio.* Como Rio de Janeiro.

É muito complicado visualizar os caminhos do deserto, sem contornos nítidos em meio a tanta poeira e rala vegetação. Os guias dizem, porém, que muitos são os caminhos neste deserto. Seja qual for o ponto de vista do viajante, o Mismi está sempre visível, é como se o monte se replicasse em múltiplos espelhos.

*

Um cientista disse certa vez que o rio nasce no cume do Mismi, pois a geleira do local se derrete e suas águas vão cair no Carhuasanta. Os hidrólogos não aceitam essa versão, pois uma nascente, para ser considerada fonte, deve ser perene.

Nunca houve consenso entre geógrafos e aventureiros em relação à nascente do rio. Em 1641, o padre espanhol Cristóbal de Acuña disse que as autoridades de Lima estavam erradas ao apontar como fonte do Amazonas a cordilheira de Huánuco. Na visão de Acuña, o rio nascia entre as montanhas de Guamá e Pulcã, perto de Quito. O jesuíta checo Samuel Fritz, que rascunhou o primeiro mapa específico do Amazonas, em 1707, afirmou que a origem era a laguna Lauricocha, nascente do Marañon, no norte do Peru.

Ainda no século XVIII, a tese de que o Ucayali, no sul peruano, era o principal formador do rio surgiu pela primeira vez. Em 1557, o Ucayali fora batizado com o nome de San Miguel pelo espanhol Juan Salinas.

Alfred Russel Wallace, o naturalista britânico que apresentou com Charles Darwin a Teoria da Evolução das Espécies, apostou no século XIX que o Marañon era a fonte. Em *Viagem pelos rios Amazonas e Negro*, de 1853, ele escreveu que era preciso colocar um "ponto final" no debate sobre a verdadeira origem do rio Amazonas.

A partir dos anos 1930, cientistas e exploradores ressuscitaram a polêmica ao afirmar que o Marañon era um afluente que desemboca no Ucayali, formando o Amazonas. Um certo S. J. Santos García disse, em 1935, que o rio nascia na laguna Vilafro, uma das fontes do Ucayali.

Se, nos primeiros tempos da colonização europeia, a corrida era pelo "Eldorado", o "homem dourado", a "cidade do ouro", o desafio no século XX passara a ser o de apontar a nascente mais distante da foz, a fonte do Amazonas.

O general peruano Gerardo Dianderas, em 1953, afirmou que o rio nascia com o nome Monigoto, no Cerro Huagra, perto de Caylloma. O francês Michel Perrin, no mesmo ano, concordou com a hipótese de

Dianderas de que o rio nascia no Cerro Huagra, mas afirmou que não era o Monigoto, e sim o Huarajo. Pela teoria de Perrin, o Amazonas nascia Huarajo, virava Apurimac, o rio sagrado dos incas, e depois ganhava o nome de Ucayali, até se encontrar com o Marañon.

Em 1968, o casal Helen e Frank Schreider repetiu as palavras de Santos García dizendo que o rio nascia na laguna Vilafro, com o nome de Santiago, a 11 quilômetros de Caylloma. No ano seguinte, os ingleses Nicholas Asheshov e John Ridgway sustentaram que o rio nascia no Cerro Minaspata, a 30 quilômetros de Caylloma.

O geógrafo peruano Carlos Penaherrera del Águila publicou em Lima, em 1969, *Geografia general del Peru*, indicando que o rio nascia com o nome de Carhuasanta, no Nevado Mismi. Em 1971, o fotógrafo inglês Loren MacIntyre e cartógrafos norte-americanos concordaram que o Carhuasanta era o primeiro nome do Amazonas, mas para eles o rio nascia a 20 quilômetros do local indicado por Águila.

O italiano Walter Bonatti, em 1978, insistiu na hipótese de que o Amazonas começava pelo Huarajo. O cineasta Jean Michel Cousteau, em 1982, disse que Águila e MacIntyre tinham razão ao destacarem o Carhuasanta como início do rio.

O checo Bohumir Jansky, em 1995, chegou a nomear uma laguna, a Bohemia, como origem do Carhuasanta e do rio.

No verão do ano seguinte, o polonês Jacek Palkiewicz, acompanhado por aventureiros russos, peruanos e italianos, apontou o Apacheta, no Nevado Quehuisha, a 10 quilômetros em linha reta do Carhuasanta, como início do Amazonas.

Palkiewicz, um senhor baixinho e simpático, é uma figura curiosa. Em seu site na internet, aparece ora ao lado de loiras enormes em um estúdio, ora em lugares inóspitos, como o deserto do Saara e as montanhas do Afeganistão, ora sorrindo em companhia de celebridades como o papa João Paulo II.

A Agência Nacional de Águas, do Brasil, e o Instituto Geológico, do Peru, após um trabalho de campo, endossaram, em 2007, a teoria de Palkiewicz e apontaram o Apacheta como a nascente.

Em 2008, uma equipe coordenada pelo professor Paulo Roberto Martini, do Instituto Nacional de Pesquisas Espaciais do Brasil, mostrou, por imagens de satélite, que o Amazonas tem 6.992,06 quilômetros de extensão, e o Nilo, 6.852,15 quilômetros — uma diferença de 139,91 quilômetros. Essa conclusão parte do princípio de que um rio começa no início de seu afluente mais distante da foz. Pesquisas anteriores afirmavam que o rio era 250 quilômetros menor que o Nilo. Foi a volta da teoria do padre João Daniel de que o Amazonas é o rio máximo, pois, do Apacheta ao Atlântico, sua extensão supera a do Nilo. Os pesquisadores davam razão ao major nacionalista Policarpo, do romance *Triste fim de Policarpo Quaresma*, de Lima Barreto, personagem calmo e delicado que conhecia o Brasil só por meio de livros e se agitava ao defender com paixão a superioridade do Amazonas sobre todos os demais rios.

Diferentemente de Policarpo Quaresma, Martini não amputou alguns quilômetros do Nilo para mostrar a grandeza e a superioridade do Amazonas. No estudo, o pesquisador mostrou que o Nilo é 157 quilômetros maior que o registrado até então pelo Atlas Geográfico Mundial.

Dúvidas geográficas acompanham o Amazonas até o oceano. Técnicos estudam a vazão do canal Norte, do canal Sul e do Canal de para definir qual é a principal saída do rio para o mar.

Os técnicos estudam a salinização das águas da foz para saber até onde chega a água doce, o que esclareceria o ponto exato do fim do rio. A dificuldade para se definir esse fim está no fato de que todos os anos o rio avança até um quilômetro e joga sedimentos no Atlântico.

Há 6 milhões de anos, dizem alguns cientistas, o rio corria no sentido contrário. A região da foz, o chamado Golfão Marajoara, era uma cadeia de montanhas e o Amazonas ia do Atlântico para o Pacífico.

Resolvemos fazer o percurso dos Andes em direção à foz porque pensávamos que seria mais fácil. Mas a água, quando tira o peso dos remos, impõe a condição de ela mesma indicar direções. Não puxa o barco para a trás, e sim o joga para a frente como quer.

2

Natividad

Um morador do deserto diz que o arrieiro passou por ele faz 20 minutos.

— Olha a merda das mulas do arrieiro — diz, entusiasmado, um dos guias, apontando o rastro de esterco deixado pelos animais.

Finalmente, encontramos o arrieiro, no caminho para Tuti. Ele conta que passou a noite na casa de um camponês e, como não aparecemos no horário, retornou.

O arrieiro Natividad Flores, de 55 anos, diz que está tarde para começar a viagem ao Apacheta. Só chegaríamos lá no final do dia.

— Tudo bem, vamos em frente. — É nossa resposta.

Depois de muito resistir, Natividad concorda em nos levar até o Apacheta. Ele ajeita as mulas. Combinamos com Natividad um local exato para começarmos a cavalgada. Iríamos de carro até lá, onde nos encontraríamos. Surge um problema. Falta gasolina no carro. Os guias devem ter gasto, à noite, toda a reserva.

Em vez de começarmos a viagem, temos de voltar a Tuti para encher o tanque do carro.

Pouco tempo depois, estamos no caminho rumo à nascente do Apacheta. O corpo duro, tanto tempo sem montar, precisa se adaptar ao animal.

Pergunto a Natividad o que representa o rio para ele.

— O rio é a vida, pois suas águas molham as plantas e saciam a sede dos animais e dos homens.

Foi resposta para gringo. Culpa da pergunta, de gringo. Um guia diz que Natividad sempre responde a mesma coisa a exploradores que o contratam. Participou da comitiva de MacIntyre, que apontou o Carhuasanta como a nascente do rio. A frustração desse primeiro diálogo mostra como são distantes nossas realidades.

É preciso vencer uma série de morros para chegar ao Apacheta. As mulas escolhem o lugar exato para colocar as patas. O terreno é escorregadio e pedregoso, qualquer descuido e, pronto, a queda no precipício. O animal é lento, mas mostra segurança na escolha do caminho.

Começa a descida de um despenhadeiro. O animal vai se desviando de pedras. Empaca uma, duas, três vezes. Quer a cada minuto comer o pouco verde que encontra no caminho íngreme.

Em voo rasante, passam um bando de perdizes e um falcão, ou *aguilucho.*

— O *aguilucho* é a quarta parte de um condor — diz Natividad.

Ele conta que é casado com Bartola, com quem tem quatro filhos. A família vive da criação de ovelhas e lhamas.

Pelo caminho, montes de pedras encaixadas umas às outras, aparentemente por mãos humanas. Natividad confirma. Ele informa que os montes de pedras são chamados de apachetas, mesmo nome da possível nascente do Amazonas.

O arrieiro explica que, nas cansativas caminhadas pelos Andes, os camponeses seguram uma pedra sobre o peito e a carregam por um certo trecho. Depois, colocam-na em cima de outras pedras, formando um *apacheta.* Assim que tira a pedra do peito, o caminhante tira também o cansaço, a dor da caminhada, e diz, repetidas vezes: "No monte, deixo uma pedra, deixo meu cansaço."

O rio Apacheta está visível ao longe. Um bando de *culquitos*, pequenos pássaros de som estridente, voa baixo.

Aos poucos, graças às explicações de Natividad, o deserto vai ganhando cores e novas formas.

O arrieiro chama a atenção para uma touceira de *yareta*, um musgo que cresce, em altitudes de 4 mil a 5 mil metros, até três milímetros por ano. Os camponeses secam a *yareta* e, depois, a usam como combustível na cozinha. A *liña*, um musgo mais amarelado, depois de seca, também é usada no preparo de alimentos e no aquecimento da casa.

Natividad para e colhe um pedaço de *liña* esverdeada, aqui chamada de *chachacoma*. Diz que o musgo é remédio para dor de estômago e cabeça, quem o mastiga sente alívio.

Quem observa com atenção o deserto percebe diferenças, contrastes, enxerga uma vegetação neste terreno aparentemente sem cor e sem vida, só poeira, areia e pedra. Demoramos muitos quilômetros para perceber, por exemplo, que há por toda parte minúsculas flores amarelas que os andinos chamam de *tolas*.

Depois de horas percorrendo o vale pedregoso, chegamos à parte baixa, o pampa, uma área plana, o chão por onde o rio começa a ganhar corpo. O Carhuasanta segue estreito e verde pelo deserto. As mulas se detêm para beber água — do Amazonas, que aqui não atinge um metro de largura nem 30 centímetros de profundidade.

O rio encharca a vegetação rasteira. Ao longo do seu trajeto, forma poças e pequenos lagos em suas margens. Natividad mostra os *bofedales*, áreas verdes alimentadas nesses lagos pelo rio com musgos e água. Os animais procuram os *bofedales*, as veredas do deserto.

Ao percorrer o deserto, experimento um turbilhão de sensações. É uma experiência fantástica, difícil de descrever. O fascínio do pampa andino e o frio do vento das montanhas despertam lembranças já meio apagadas na memória, confusas, mas que se tornam importantes neste momento. O simples fato de estar dentro desta paisagem, nesta montaria, remete a outras andanças a cavalo.

As mulas, a todo momento, se recusam a prosseguir, param à beira do caminho para pastar e beber água. Gostam de *chiluas* e *sasawi*, plantas do deserto. A *sasawi* é usada em casos de mal de altura. No cimo das cordilheiras, há também touceiras de *ichu*, ou *paja*, outra espécie de capim. Nessas touceiras, os camponeses depositam suas oferendas a Wamani, o deus da montanha dos quéchuas, em agradecimento pela água do rio. São restos de alpacas, plantas secas e fitas coloridas.

Nesta viagem, minha sensação é a mesma do guarda de *Lituma nos Andes*, de Vargas Llosa, que passa a conhecer de fato aquilo que, com base em conversas e leituras, pensava conhecer. Aqui estão as casas da cordilheira, com seus pequenos touros de argila nos telhados, bruxarias, serpentes imaginárias, condores, espíritos e feiticeiras. Oferendas são colocadas nos despenhadeiros e nos cumes de 4 mil metros, cobertos de neve, nas pedras das margens do Carhuasanta e nos pampas. É um povo para quem muitas vezes o céu está mais próximo que o chão gelado. São como escravos dos deuses — Unu, o das águas; Nina, do fogo; Waya, do ar; e Wamani, da montanha.

Seguimos o rio até uma ponte de pedras em forma de arco. O rio aqui tem um metro de largura. Mais abaixo, uma casa de pedras, com muros de pedras. O curral também é de pedras.

Natividad explica que a casa, fechada, pertence à família Mendoza, que vive de criar animais soltos nas montanhas.

Aqui, o Carhuasanta se divide em vários braços, se espalha pelo pampa.

Já adaptados às montarias, estamos mais relaxados. Os animais seguem pelos *bofedales* ao longo das margens do Carhuasanta, que vai em direção ao Apacheta.

Na luz boa do final da tarde, chegamos ao encontro do Carhuasanta com o Apacheta. Neste trecho, a margem direita do Carhuasanta fica um metro acima do leito. O Apacheta chega ao Carhuasanta em forma de "s", gelado, azul anil de longe, cristalino de perto.

Um amontoado de pedrinhas forma uma ilha bem na junção dos dois rios. A ilha tem 2 metros quadrados. Depois, os rios seguem juntos, formando um mesmo rio com o nome de Lloqueta. O novo curso começa dividido por extensa faixa de pedras. Alguns metros adiante, a faixa desaparece, e o Lloqueta segue pelo deserto sem divisões, com cinco metros de largura. De um lado e de outro, montanhas sem vegetação, secas. Em seguida, um córrego quase sem água se encontra com o Lloqueta. As águas batem em pedras do leito um pouco maiores, fazendo barulho.

Sem luvas, seria mais fácil escrever, fotografar, mas os dedos congelam.

Uns 20 metros abaixo, o Lloqueta apresenta um desnível, formando corredeiras entre pedras. A margem esquerda do rio tem um metro e meio de altura. A da direita, uns 40 centímetros.

Mais alguns quilômetros acima, avistamos o monte Quewisha. Numa área sem verde está a fonte do Amazonas apontada por Jacek Palkiewicz. O Apacheta brota do chão, borbulha. O rio desce a montanha por entre pedras, formando *bofedales* e pequenos lagos. A sombra do entardecer encobre boa parte das montanhas. Algumas ainda estão banhadas de uma luz dourada. Outras, mais ao longe, se mostram completamente azuis.

Na volta, encontramos um homem a cavalo. Ele para, nos cumprimenta. Trata-se de Guillermo Mendoza.

Mendoza, de 30 anos, diz que conhece o Apacheta pelo nome de Wishka Wishka. Ele está acompanhado de Chiugo, um vira-lata de pelo marrom. Com um sorriso aberto, Mendoza pergunta de onde somos. E se apresenta:

— Sou Guillermo Mendoza, moro mais acima, naquela casa de pedras que vocês devem ter passado, no Carhuasanta.

Mendoza desenha na minha caderneta de anotações um mapa do rio neste trecho, com todos os seus afluentes e nomes. Pelos desenhos dele, o rio nasce com o nome de Apacheta no monte Quewisha, desce a montanha como Wishka Wishka, recebe as águas de um córrego, à esquerda, chamado Taya Conccori, e segue, juntando-se com o Carhuasanta para formar o Lloqueta.

Mendoza cria alpacas, lhamas e ovelhas nas margens do Carhuasanta e no Mismi. Tem dois filhos. Os meninos estão, neste momento, em outra casa que ele possui na região.

— Meus filhos estão em aula, por isso estão agora na casa que tenho no povoado, depois dessas montanhas, mas sempre retornam para cá.

Pergunto qual a verdadeira nascente do Amazonas. Ele sorri de novo:

— A do rio que passa no quintal da minha casa.

Fala das ovelhas, alpacas e lhamas. O cavalo e o cachorro o ajudam a tomar conta da criação.

— O rio dá água para os animais. Tenho alpacas, lhamas e ovelhas, que dependem dos *bofedales.*

Mendoza, já no percurso de volta, subindo o Carhuasanta, fala de projetos.

— Penso em ser técnico veterinário. O curso na cidade dura três anos. Um ano de curso não é suficiente para aprender o que tenho de aprender. Nem dois anos. Precisa mesmo de três anos para aprender.

Ele sente necessidade do curso para usar o conhecimento no dia a dia como criador:

— Vejo alguns doutores que não sabem nada de alpacas e lhamas. Alguns sabem. Eu tenho consciência de tratar bem os animais. Tenho prática, aprendi aqui tudo que poderia saber. Mas o curso ensina coisas de outros lugares. Eu entendo tudo que está perto da minha propriedade, mas não posso entender tudo de lá só vivendo aqui.

Chiugo, o cão vira-lata, late em reação a uma revoada de pássaros.

— Agora preciso ir — diz Mendoza.

O sol vai-se pondo.

— Preciso prender os animais. Adeus! — Ele parte a galope.

Antes de desaparecer, ele se volta, ri e grita:

— A origem é o Mismi!

A sombra é mais rápida que as mulas, parece correr a jusante. Cai a noite. Estamos nos despenhadeiros, depois dos *bofedales*.

Você olha para trás e vê tudo escuro. A casa de Mendoza desapareceu. Desapareceram os *bofedales*, os animais, a montanha onde nasce o Apacheta. É noite. Os morros em volta desaparecem. O cimo nevado do Mismi, porém, continua totalmente visível. Na escuridão, só existe a montanha sagrada do império inca.

Outros pastores de lhamas, alpacas e ovelhas do altiplano peruano também acham que o rio nasce no Mismi. Esta visão se consolidou com o trabalho de MacIntyre. Para as pessoas da região, o Apacheta é apenas o primeiro afluente do rio. Elas dão mais importância à dimensão e ao significado da montanha.

A fonte de um rio é sempre uma mentira, diz o romancista moçambicano Mia Couto. Em *Um rio chamado Tempo, uma casa chamada Terra*, o personagem João Sabão conclui que, assim como não há um primeiro dia do mundo, não pode existir uma origem para o rio. "Cada homem define sua origem."

Fabrício Alves, pesquisador da Agência Nacional de Águas, é um dos técnicos envolvidos na identificação da origem do Amazonas. Ele diz que o Carhuasanta contribui com 150 litros por segundo para a formação do Lloqueta, 53% a menos que o Apacheta, que joga 230 litros por segundo. Fabrício é cuidadoso ao falar do ponto exato da nascente. Diz que é preciso analisar a vazão em todos os períodos e condições climáticas, como o degelo, que aumenta o fluxo de água.

— O Amazonas é um rio muito dinâmico. Se você fizer um cálculo, considerando um determinado curso de água como sendo a origem, pode ser que, no próximo ano, esse curso se movimente. Às vezes aumenta, ou diminui.

Quando chegamos a Chivay, já é quase meia-noite.

*

Antes de deixar a região das nascentes e do Chivay, seguimos de carro até Cruz del Condor, um local nas montanhas onde os condores podem ser vistos nas primeiras horas da manhã.

A estrada de Chivay à Cruz del Condor é estreita, empoeirada e pedregosa, sempre à beira de um despenhadeiro. Entramos em um túnel aberto na rocha. A poeira toma conta de tudo, é preciso acender os faróis da picape.

Pela estrada, passam camponeses com ovelhas e bois. Mais um túnel empoeirado, e surge Pinchollo, um pequeno povoado. A igreja se destaca no vale del Colca, onde os antigos incas faziam plantações. Hoje, são mais de 5 mil hectares de cultivos em áreas recortadas nas encostas.

Os condores começam a sair das grutas dos despenhadeiros. Um condor com asas brancas passa a três metros do chão, sem mover as asas. De uma ponta a outra, as duas asas parecem estar em linha reta. Outros condores, marrons, negros, sobrevoam as montanhas rochosas, o rio que passa embaixo, a cruz fincada no local.

3

Menina

O sol do fim do dia passa pelos arcos espanhóis de Arequipa, envolvendo em luz dourada a Plaza de Armas. É nessa cidade que vamos nos preparar para o reinício da viagem pelo rio.

Estamos no Museu Santuários Andinos. De Vargas Llosa, havia um texto sobre Juanita, menina que há mais de 500 anos foi imolada por sacerdotes incas em oferenda ao deus Wamani. O corpo conservado de Juanita também está no museu. Mumificado pelo gelo, foi encontrado em 1995 pelo arqueólogo norte-americano John Reihard no alto do Ampato. A seu lado, os incas deixaram mantas, sacolas de comida, chinelos e miniaturas de ouro e prata enfeitadas com tecidos e penas de pássaros andinos — para que, na outra vida, Juanita pudesse se proteger do frio, se alimentar e brincar.

Na urna em que está a múmia, a temperatura é de 20 graus negativos, e a umidade é de 90% a 95%, para evitar fungos e vírus.

Paola Vera, funcionária do museu, conta que, nos últimos anos, foram encontradas 14 múmias de crianças sacrificadas em épocas de terremotos, inundações e outras crises enfrentadas pelos incas. Crianças da nobreza, as mais belas, eram escolhidas.

Juanita tem rosto largo e cabelos negros. Do lado direito do crânio está a marca do instrumento de pedra usado pelo sacerdote que a imolou. Era no alto das montanhas que os sacerdotes matavam as crianças e ofereciam seus corpos aos deuses. Hoje, as oferendas dos camponeses são as alpacas e lhamas cujos restos encontramos no Mismi.

Na cidade, as pessoas não sabem indicar a casa onde nasceu o escritor Mario Vargas Llosa. A dona da loja de colchões chega a rir da pergunta. Aconselha-nos a perguntar ao guarda da esquina. Paola Vera, a atendente do Museu Santuários Andinos, diz, sem vacilar, que a casa fica na próxima esquina e aponta o prédio da atual sede do Banco de Reserva del Peru. Na década de 1990, o escritor se tornou um político ao se posicionar contra a estatização do sistema bancário do país.

Seria mesmo esta a casa onde ele nasceu? Por uma pequena abertura, um vigilante responde com um sonoro não. O guarda, tenso pela própria natureza da sua função, é possível que nem tenha prestado atenção à pergunta.

Do outro lado da rua, entramos em uma gráfica. O dono, Miguel Salas Rendón, dá sua versão:

— O lugar exato é uma incógnita. Seus pais passavam por aqui no ano em que ele nasceu. Estavam se transferindo para a Bolívia.

Rendón vai até a parte dos fundos da gráfica e, minutos depois, volta com um livro de histórias da "Cidade Branca". O livro *Arequipa: un siglo de imágens*, de Lessness Podestá Cuadros, apresenta fotos de 1936, ano do nascimento de Llosa.

Naquele ano, bondes elétricos passavam pela Plaza de Armas. A mesma praça é retratada numa fotografia de 1868, quando abrigou vítimas de um terremoto.

Numa consulta à internet num cibercafé, encontramos um trecho das memórias de Vargas Llosa em que ele afirma ter nascido na avenida

Parra, número 101, um sobrado de dois pavimentos. Um táxi nos deixa em frente ao portão de ferro do sobrado. Está trancado com corrente e cadeado. As janelas estão fechadas. A porta de vidro principal, também. Há uma luz no interior da casa, mas ninguém responde à campainha nem às palmas.

Ainda nessa noite, jantamos em um restaurante próximo ao convento Santa Catarina, uma das construções coloniais mais imponentes de Arequipa.

Na manhã seguinte, quando nos preparávamos para seguir viagem, Celso percebeu que a lente de sua câmera não estava mais na bagagem. Alguém teria entrado no quarto do hotel e levado o equipamento? Ou a lente fora esquecida no táxi? Em Arequipa, há mais de mil táxis, todos de um modelo pequeno, da marca Toyota, cor amarela.

Com um programa de computador, Celso consegue resgatar a imagem de uma parte do táxi que aparece em uma foto da fachada do sobrado da avenida Parra. Essa foto havia sido deletada justamente porque, nela, a visão do sobrado estava prejudicada pela imagem de parte do táxi. Na foto recuperada e bastante ampliada, aparecem duas letras — "om" — de um anúncio de identificação da empresa de táxi.

Fomos para a rua e vimos que alguns carros tinham a inscrição "taxiturismo.com". Só então percebemos que os táxis de todas as companhias ostentavam endereço da internet, ou seja, o ".com", e eram todos amarelos. A cidade se tornou maior com o sumiço da lente fotográfica.

Entramos em uma agência de viagens, perto do hotel, e perguntamos onde havia lojas de equipamentos fotográficos — imaginávamos que um eventual ladrão poderia ter vendido a lente numa dessas casas. Uma jovem funcionária da agência, María Revoredo, mostrou-se prestativa ao ponto de nos levar ao outro lado da cidade, na rua Siglo XXI, onde funcionam os mercados Terezita e Nuevo Mundo, que vendem produtos populares, usados ou roubados. No caminho, vimos uma Arequipa de muros pichados com frases contra o presidente peruano, Alan García, que pediam "revolución".

Nos corredores escuros dos mercados e suas pequenas lojas, procuramos a lente nas vitrines. Aqui, não há o esplendor da cidade colonial, a tranquilidade da Plaza de Armas, a elegância dos balcões e varandas dos grandes sobrados espanhóis, hoje ocupados por restaurantes, com vista para a catedral. Nos mercados negros, os cantadores de músicas peruanas são os mesmos que, no fim da tarde, cantarão para os turistas nos varandões no outro lado da cidade.

O cheiro da comida preparada nos mercados é bem mais forte que o aroma dos pratos típicos dos *maîtres* dos restaurantes mais frequentados do centro da cidade.

Uma camponesa, Sabina Kawana, passa com um carrinho de mão cheio de *tunas*, uma fruta muito apreciada no Peru. Dos espinhos da *tuna*, os antigos incas retiravam a *cochinila* — inseto que produz uma substância vermelha — para pintar roupas e lãs de alpacas e vicunhas. A manta vermelha e branca de Juanita — cores da bandeira peruana — foi pintada com *cochinila*. Sabina oferece uma fruta. O sabor, suave e não muito doce, lembra o de um kiwi. Pergunto se a manta em que carrega o filho, de 2 anos, foi pintada com a substância da fruta. Ela responde que não, a manta é feita de material sintético.

— Só os antigos pintavam as roupas com *tuna*.

A lente fotográfica não será mais encontrada. A viagem é interrompida. É um momento de frustração, mas a decisão de percorrer o rio persiste, a viagem apenas não será feita de forma contínua.

4

O primeiro povoado

Noite fria em Caylloma, dois anos depois. É um povoado com ruas de terra, muros e construções de pedra, ao norte das nascentes do Amazonas. As casas muito antigas parecem não ter moradores. Poucas luzes nas ruelas sem gente e sem árvores. É por aqui que tentaremos chegar à junção das águas que descem do Mismi e do Quehuisha e retomar a viagem, quase dois anos depois da primeira caminhada pelas nascentes do Amazonas.

Uma adolescente tímida serve sopa de carneiro aos tropeiros e caminhoneiros que jantam no único restaurante aberto na noite escura do povoado. Tomamos chá de coca e comemos frango com batatas. Cachorros empurram a porta do estabelecimento para se proteger do frio e conseguir restos de comida.

Perto dali está o Hostal Yenny, uma pousada, onde vamos pernoitar. A atendente, de cabeça baixa, mãos escondidas nas mantas que passam pelo pescoço e pelas costas, típica mulher silenciosa do Altiplano, mostra o quarto, com camas, cobertores e lençóis limpos. O banheiro é do lado de fora, coletivo. Ela cobra 3 soles (1 dólar) pelo pernoite.

As roupas de cama, de tão geladas, chegam a estar duras. O frio, porém, é o que menos incomoda. A dor de cabeça, causada pela altitude, não passa. Serão seis horas de dificuldades, sem condições de dormir.

De manhã, estamos como zumbis, com sono e ainda com dor de cabeça. E assim entramos na picape que alugamos para ir até o começo do rio.

Diferentemente das pessoas do Altiplano, o motorista Ronald Torres Pereira, o Bigote, 33 anos, é descontraído, ri muito e gosta de conversar. É natural da cidade de Pururu, que fica mais abaixo, quase ao pé da serra. Nós contratamos seus serviços em Cusco, onde trabalha. Ele nunca andara pela área das nascentes, mas não se intimidou:

— Eu levo vocês! — disse enquanto vestia um *chullo*, um gorro andino.

Neste mês de janeiro, época de chuvas, o deserto está verde. Nos lagos temporários, há bandos de patos selvagens. É grande a quantidade de animais e de córregos. No caminho em direção às nascentes — uma estrada de terra no deserto peruano interrompida aqui e ali por filetes e poças de água —, Bigote para a picape toda vez que passa por um montanhês.

— Papá, estou indo para o Apacheta, estou no caminho certo?

Ou por uma camponesa:

— Mamá, preciso chegar ao Apacheta. É por aqui?

E assim chegamos ao fim da estrada. Daqui para a frente, seguiremos a pé. Bigote fica nos esperando na picape. Um morador, Andrés Ylacho, 59 anos, nos ensina um *camino de herradura*, como são chamadas as pequenas estradas usadas no período da seca por criadores de lhamas para chegar às nascentes do rio.

Andrés, que mora na região, nos leva no rumo da junção do Carhuasanta com o Apacheta. Depois de caminharmos cerca de uma hora, encontramos a mulher dele, Natalia Huamani, 65 anos, sentada no alto de um morro, cuidando de animais. É uma típica mulher do Altiplano, quieta, imóvel, quase sem reações, silenciosa na presença de estranhos.

Deste morro se avistam os primeiros 20 quilômetros do rio. Nas palavras de Andrés, o Apacheta vira Wishka Wishka, depois Tayacconclori, que se encontra com o Carhuasanta, e esses se transformam no Lloqueta. Mais adiante, o Lloqueta passa a se chamar Cchalla e Anchaca. É neste ponto que está o povoado de Anchaca, o primeiro a partir das nascentes. É onde mora Andrés.

— Após passar pelo povoado, o rio é chamado de Pachachaca, Hornillos, Chillihua, Condorcuyo e Monigote. Depois, não sei mais — diz.

Depois, vem o Apurimac Mayu ("Rio do deus que fala") —, um dos nomes dados ao Amazonas nos Andes em língua quéchua. O rio ganha o nome de Apurimac exatamente no povoado de Angostura, a cerca de 80 quilômetros da nascente do Apacheta. Em Angostura, junta-se a outro Apurimac, que desce da Laguna de Vilafro, localizada a 4.725 metros de altitude, a 40 quilômetros de Caylloma.

Ainda no alto do morro, Andrés explica que as fazendas de criação de lhamas, alpacas, ovelhas e bois ao pé das montanhas na margem esquerda do rio são propriedades de vizinhos seus, moradores de Anchaca. Os *caserios* — uma pequena casa e um curral para os animais — são cercados de muros de pedras. Para marcar os limites das propriedades, os camponeses erguem montes de pedras de menos de um metro de altura, em linha uns com os outros, chamados *itos*.

O *caserio* mais próximo do monte Quehuisha, que se vê daqui, pertence a Agustín Maman, amigo de Andrés. Outro amigo dele, Constantino Llallacate, é dono de uma segunda fazenda.

Uma ponte com bases de pedra e piso de tábuas, sustentada por duas barras de metal, dá acesso ao conjunto de fazendas na margem esquerda. É a primeira ponte sobre o Amazonas para quem considera o Apacheta sua origem.

Com quatro metros de largura e 50 centímetros de profundidade, o rio serpenteia por um vale comprido, cercado de altas montanhas. Nas curvas, de 500 metros a 500 metros, o rio forma praias de areias escuras e pedras. Um pastor e um rebanho de mais de cem ovelhas e alpacas atravessam o rio.

Ao final do dia, estamos em Anchaca. Vivem no povoado apenas quatro famílias. Andrés e Natalia moram numa casa de dois ambientes. O casal não tem filhos. Julia Llacho, uma viúva, mora ao lado. A família mais numerosa é de Agustín Achacco e Valentina Chacalla, que têm sete filhos. Em outra casa vizinha, Salvador Achacco, irmão de Agustín, vive só.

Anchaca foi fundada a 300 metros do rio por um certo Basílio Yatio, no início do século XX. As casas de pedra, duas delas pintadas de verde, estão num largo, perto de uma igreja de pedra ainda em construção e de uma escola primária e um campo de futebol de terra batida.

5

O mapa do encontro das águas

Os *qollas*, homens e mulheres que habitaram esta região entre os anos 1200 e 1450, definiram como início do Paka Wayq'o — um dos nomes mais antigos do Amazonas — a confluência dele com outros dois rios, o Callumani e o Cerritambo, na região de Tres Cañones, 50 quilômetros abaixo da nascente do Apacheta.

Por causa da posição do sol ao fim do dia, há muitas sombras sobre as montanhas. Sobre uma colina que dá vista para o rio, a nação *kilke*, anterior à dos *qollas*, edificou o povoado de Taqrachullo, que servia de parada de descanso para quem vinha do Alto Bolívia. Ali ficava também um ponto de cobrança de impostos aos viajantes. Restos de cerâmica dos *qollas*, que ocuparam mais tarde o lugar, ainda estão perto das casas e dos templos de pedra. É uma cerâmica rústica, diferente da dos incas, reconhecida pelo acabamento.

A vila de Taqrachullo, rebatizada de María Fortaleza pelos espanhóis, foi construída entre os anos 1100 e 1200. Depois de séculos, com a decadência dos *qollas*, os incas ocuparam o lugar e reconstruíram as casas e os templos.

Em Taqrachullo, as portas das casas são trapezoidais, característica inca, todas viradas para o Amazonas, que corre em forma de um "s", no vale.

É na parte mais elevada do antigo povoado que está um raro e secreto mapa das águas formadoras do rio. A carta, de cerca de 50 metros quadrados, foi esculpida pelos *qollas* na parte plana de uma rocha, num local ao qual só governantes, guerreiros e sacerdotes tinham acesso. Pelo mapa, você entende como as águas das nascentes e das chuvas escorrem para poços feitos pelos antigos moradores e abastecem também um intrincado sistema de canais. A origem do rio, na visão dos *qollas*, está representada num canto do desenho.

Era em Taqrachullo que os incas celebravam seu único culto à água. É possível que a festa ocorresse em fevereiro, período mais intenso de chuvas. Animais eram sacrificados em oferenda ao deus da água. Outras festas importantes eram a da terra, em julho, e a dos céus, em agosto. Eram celebrações ao redor de um monólito, que, hoje, resiste ao tempo num pátio em frente às casas, na parte central do sítio arqueológico.

*

Descemos pelo outro lado da montanha, um trajeto que parece mais fácil para voltarmos ao local onde Bigote nos aguarda com a picape. A dor de cabeça e o cansaço aumentam. Logo que saímos da área arqueológica, surge do nada, numa área em que não esperávamos encontrar ninguém, um agricultor em uma plantação de batatas. Florencio Velasco, um quéchua de 47 anos, é o dono da plantação. Ele mostra o lugar onde mora — com a mulher, Paula, 48 anos, e cinco filhos —, de julho a setembro, para o plantio e a colheita. O lugar é uma gruta estreita, de pouco mais de dois metros de boca por dois de profundidade, forrada com capim. Para a mulher preparar a comida e para a família se aquecer à noite, Florencio instalou ali um pequeno fogão a lenha.

Da moradia, a vista é o rio, que passa sem curvas até contornar a montanha.

— E como o senhor e sua mulher fazem para namorar numa casa tão pequena?

— Que curioso! — diz, rindo, Florencio.

Em agosto, há uma festa importante. A família presta homenagem aos deuses que acredita que interferem no plantio e na colheita de batatas. Florencio e a mulher matam uma lhama e deixam o esqueleto intacto para ser oferecido aos céus. A carne é aproveitada numa sopa com batatas.

*

Florencio conta que é comum ver o gato andino — a que ele chama de tigre — na plantação e nas pedras próximas. O felino, de cerca de um metro de comprimento, só vive nestas margens do Apurimac. Está em processo de extinção.

— Basta andar um pouco para encontrá-lo. Mas o tigre só aparece quando tem pouca gente.

Em tom de brincadeira, pergunto se o gato andino não usa a gruta nos meses em que a família está fora, vivendo em um povoado da região.

— Quando não estou, a casa é dele — diz, rindo novamente.

6

A cidade dos *qollas*

São poucos os momentos em que se vê o sol nesta parte dos Andes. As montanhas, porém, estão iluminadas durante boa parte do dia. Seguimos pela estrada de terra que contorna os morros pela margem esquerda do rio. Na outra margem, há uma joia desconhecida do mundo antigo. A cidade de Mauk'allaqta, com casas circulares e mausoléus de nobres do império desaparecido dos *qollas*, se espalha pelas margens do Apurimac e pelos morros.

Para chegar à cidade, você precisa usar a ponte colgante, construída nos anos 1990, em estilo inca, pelo presidente Alberto Fujimori, que entrou para a história peruana como um dos mais corruptos e violentos, e usou a cultura inca no exercício do poder, como Hitler e Mussolini, que buscavam associações com a Grécia, o Egito e outras culturas antigas. A ponte tem 70 metros de extensão e um metro e meio de largura.

Os incas construíram três tipos de pontes. A colgante — como esta que dá acesso a Mauk'allaqta —, suspensa, feita de madeira e cordas; a flotante, com materiais que boiavam; e a *levadizo*, de troncos de árvores, que era retirada a qualquer ameaça de invasão inimiga. Ainda hoje, comunidades tradicionais fazem festejos anuais para lembrar a importância de uma ponte, símbolo da união de povos e tradições na cultura andina. Mulheres e homens recolhem uma boa quantidade de *hichus* — capins que brotam nos paredões do Apurimac — para enfeitar as pontes. A festa do Choka Sabado, o carnaval da beira do rio, é animada pelos personagens do Chuko, um homem que se veste de lhama, e da Soltera, a mulher dele.

Perto da ponte de Mauk'allaqta, mulheres lavam roupas na água gelada do Apurimac. Uma jovem pastora cuida de seis bois, sentada em uma pedra, às margens de um canal alimentado pelo rio. Da ponte à cidade, a distância é de um quilômetro, sempre pela margem do Apurimac. Um caminho inca, um Q'hapac Nan, leva você até o centro de Mauk'allaqta. Os incas construíram caminhos como este até pontos distantes do Equador, da Bolívia e da Argentina. Perto das águas, edificaram mais de cem casas de pedra, circulares e semicirculares. As construções, com uma porta e uma pequena janela, serviam de moradia e de armazenamento de alimentos. O núcleo habitacional está a 3.915 metros de altitude. Mauk'allaqta é dividida em cinco setores, alguns separados por muros de pedras.

No centro do sítio, os espanhóis ergueram o primeiro templo católico do Altiplano, logo depois da conquista do Peru. Numa parte mais elevada da cidade está a Plaza Pampa, com uma construção retangular maior, que servia para cerimônias religiosas. Nesta parte nobre, ainda estão de pé 18 construções, a maioria em formato circular.

Mais à frente, num pátio gramado, há uma *chullpa*, torre inca de cinco metros de altura no formato de um órgão sexual masculino. A *chullpa* servia de mausoléu aos curacas — os grandes chefes —, aos nobres, ou às outras pessoas de elevado status na sociedade *qolla*, como guerreiros e sacerdotes. Era uma espécie de pirâmide americana. Tinha o formato de um órgão sexual para simbolizar a fertilidade. A *chullpa* tem divisões internas, com túmulos separados. Homens e mulheres de posições sociais inferiores eram enterrados em buracos nas pedras e em urnas construídas no alto do morro, num terceiro piso. É nesta área mais elevada que está uma sequência de guaritas nas quais se entrincheiravam sentinelas encarregadas da vigilância do local.

É como se você andasse por uma cidade imaginada pelo escritor argentino Jorge Luis Borges, com características persas, árabes, universais. Mauk'allaqta está deserta, o visitante não encontrará, como no livro *O Aleph*, um cavaleiro do oriente, vencido e ensaguentado, em busca do rio da imortalidade. As ruínas e as margens do Apurimac, no entanto, ilustram a certeza de Borges de que, no curso do tempo, as montanhas se aplainam, o caminho de um rio é desviado e os impérios sofrem mutações e estragos.

Historiadores dizem que Mauk'allaqta foi abandonada pelos antigos moradores após a morte de um corregedor espanhol, responsável por garantir a arrecadação de tributos para a coroa. Após envenenar o representante do reino, os moradores teriam fugido, com medo da repressão.

7

"Estes desenhos têm 5 mil anos"

Da cidade de Mauk'allaqta se ouvem explosões de dinamite e se avistam caminhões e homens de uniformes e capacetes de cor laranja se movimentando ao longo da outra margem do Apurimac. São funcionários de uma empresa contratada pelo governo do departamento de Cusco para construir um canal de irrigação. As águas do rio começam a ser desviadas do seu leito original.

É uma obra que preocupa arqueólogos, ambientalistas e parte do governo da província de Espinar. No mesmo momento em que homens de uniforme colocam dinamite nas rochas da beira do Apurimac, Ivan Escalante, chefe do Departamento de Turismo de Espinar, aborda o encarregado da obra e reclama do desmoronamento de urnas funerárias pré-incaicas e do desaparecimento de pinturas rupestres.

— Estes desenhos têm 5 mil anos!

— Não estamos passando as máquinas nestas rochas — se defende Crisóstomo Lloclla.

— Mas da última vez que estive aqui as urnas estavam de pé — cobra Escalante.

O encarregado da obra não responde. Limita-se a encenar uma espécie de gesto de satisfação para o chefe do departamento: diz a um subordinado que é para evitar as máquinas perto das urnas. O subordinado ri. Escalante está desolado. Passa a fazer fotos da situação das urnas e das pinturas para reclamar com autoridades em Espinar e em Cusco.

Um dos desenhos de mais de 5 mil anos apontados por Escalante mostra um caçador com uma lança e dois guanacos — animal da família das lhamas que desapareceu há séculos. Ao longo das rochas há uma série de desenhos de cruzes e igrejas feitos por espanhóis sobre pinturas dos antigos ocupantes da terra.

Abaixo do canteiro de obras, o rio se estreita para cerca de 20 metros, espremido por paredões escuros, lisos e sem vegetação. Os camponeses chamam este trecho de Garganta del Diablo.

A construção do canal do Apurimac não é o problema que mais preocupa Ivan Escalante. O governo de Espinar, província de Cusco, começou uma campanha para impedir que o departamento de Arequipa construa uma represa nas nascentes do Amazonas, perto do povoado de Angostura. O projeto Majes Siguas, orçado em 400 milhões de dólares, que prevê o represamento de águas dos rios Apurimac, Siguas e Colca para construção de hidrelétricas, traria prejuízos diretos para 45 mil camponeses, que dependem das águas. A obra teria impacto imediato no frágil ecossistema do *cañon* (cânion) de Suykutambo, onde há corredeiras, reservas vegetais e sítios arqueológicos.

— Não há estudo de impacto ambiental. Todas as comunidades, povoados e cidades à beira do Apurimac serão atingidos e prejudicados — diz Escalante.

Ele explica que o rio, ao passar pela região, cria um microclima e um ecossistema únicos. Os *farallones*, que são os bosques dos *cañones*, dependem dessas águas. Há uma falsa crença de que os *farallones* são alimentados apenas pelas chuvas.

O governo de Arequipa anuncia que a represa possibilitará que a água chegue às casas de todos os habitantes do departamento. Em campanha contra o projeto, o jornal *El Sol*, editado em Cusco, denuncia que metade da água represada atenderá a mineradora Cerro Verde, 30% irão para irrigação e apenas 20% serão destinados ao consumo em moradias arequipenhas.

Ronald Arenas Cordova, gerente do projeto Majes Siguas, divulgou um relatório defendendo a construção da represa. Em 25 páginas, ele diz que o represamento das águas das nascentes do Amazonas tem por objetivo promover uma agricultura de exportação. Cordova prevê produção de cebola, uva e alho para a Colômbia; orégano e tomate para o Chile; cebola e alcachofra para o Brasil, os Estados Unidos e a Europa; e tomate e uva para a China e a Austrália. Não prevê o plantio de uma única batata destinada ao consumo dos moradores de Cusco ou Arequipa.

Tanto em um departamento quanto em outro, quase 50% das pessoas estão na faixa da pobreza e mais de 10% abaixo da linha da pobreza. Críticos do projeto dizem que empresários estrangeiros estão por trás da ideia de alterar o mapa das águas da bacia do Apurimac. O espelho de água previsto no projeto terá 4.050 hectares e 12 quilômetros de extensão.

*

Mais 80 quilômetros e chega-se à ponte Santo Domingo, a 160 quilômetros da nascente do Apacheta e a 10 quilômetros de Yauri, capital da província de Espinar, no departamento de Cusco. É onde o Apurimac se torna mais profundo. Em Santo Domingo, é indescritível a visão que se tem dos cumes nevados das montanhas.

*

Chegamos à Apachaqo, um sítio arqueológico a 3.800 metros de altitude, próximo ao Apurimac. Um templo foi erguido pelos espanhóis no centro do antigo povoado. Os conquistadores ainda fincaram uma cruz numa estrela de pedra, local de rituais dos primeiros moradores. É possível que o povoado tenha sido desocupado após uma epidemia.

Wilber Surco Arenas, um jovem de 26 anos que vive numa casa perto de Apachaqo, cuida das ruínas. Quando não está na plantação de batatas ou cuidando das lhamas e ovelhas da família, ele limpa o pátio e a igreja, retira o capim que nasce nas casas de pedra. Não recebe nada pelo serviço. Torce para que autoridades contratem pesquisadores e restauradores. Sonha com a chegada de turistas.

Apachaqo, com sua cruz e sua estrela, é o registro do tempo da vigência dos Concílios de Lima, do século XVI, quando representantes da Igreja Católica subiram os Andes para punir quem praticasse cultos a ídolos. A caça às bruxas das montanhas levou para as nascentes do Amazonas a figura do diabo, o mal extremo. Antes da chegada dos espanhóis, o mal era um complemento do bem nas casas cobertas de palha e nos *caminos de herradura*. Nem todos os padres defendiam o *Directorium inquisitorum*, o manual da inquisição. O clero rachou; a cultura andina foi alterada para sempre.

*

Com 4 metros de largura, o Apurimac segue esverdeado por um cânion. Em Coporaque, uma pequena cidade à beira do rio e a 3.800 metros de altitude, os espanhóis construíram a primeira travessia de pedra sobre o rio — a Machupuente, “ponte velha” na língua quéchua.

Numa casa de *sillar*, de dois quartos, na margem do rio, quase despencando pelo paredão, moram Cecílio Ccacyavilca Ala, de 34 anos, a mulher Yene Soledad, 25, e os filhos Américo, 6, Bryan, 4, e Lis Irene, 3. A família vive da pesca no rio e da revenda de peixes de pescadores da região.

Cecílio conta que a melhor época de pescar sutis e trutas, espécies típicas das corredeiras e águas de lugares altos, é o período de maio a dezembro, quando o rio está baixo. Ele costuma usar malhadeiras nas pescarias.

— Agora, nesta época de chuvas, não é bom para a pescaria — diz.

*

Fim de tarde. Em muitos telhados de Coporaque há dois touros de barro, quase sempre com flores, garrafas e fitas. Carmen del Pilar Cuyo Quispe, 24 anos, formada em antropologia pela Universidad Nacional de San Agustin, de Arequipa, conhece bem os costumes deste e de outros povoados ao longo do Apurimac. Um touro é a marca da conquista espanhola, a fertilidade, a abundância, a fartura. Dois touros, porém, expressam a cultura andina, a dualidade na visão dos nativos, o sincretismo.

— É o homem e a mulher, o frio e o calor, o escuro e o claro, o sol e a lua, o bem e o mal — explica Carmen, que nos acompanha na visita a Coporaque.

A jovem antropóloga também tem a sensação de que as geleiras dos cumes das montanhas das nascentes do rio diminuem a cada ano. A mudança no clima do planeta é mais que a alteração de um cenário. Em suas andanças pelas margens do Apurimac, Carmen percebeu que para os camponeses há uma hierarquia entre os diferentes tipos de montanhas, os deuses. Um nevado é uma divindade mais forte que um morro sem gelo.

Ela diz que nem todas as montanhas são *apus*, isto é, grandes divindades. A categoria *apu* inclui rios, que alimentam homens, animais e plantas, nevados e cumes de onde brota uma nascente ou mesmo um raio bastante luminoso. Já na categoria *huaca*, a das divindades menores, restritas ao culto local, estão montanhas sem neve. É muito difícil encontrar uma montanha *apu* ao lado de outra com o mesmo status, um detalhe irá diferenciá-las. Talvez esta seja uma explicação para o fato de os moradores das nascentes definirem como origem do Amazonas o Mismi, montanha mais elevada que o Quehuisha.

De tanto ouvir por aqui pastores dizerem que o rio nasce no Mismi, não tenho dúvida de que o Carhuasanta será sempre a nascente sagrada, uma lição dos antepassados que permanecerá na memória, uma convicção.

Carmen observa que há três níveis de grandes deuses. O *hanan pocha*, o dos nevados; o *qoy pocha*, o da mãe terra, do barro, da superfície; e o *uqu pocha*, o dos elementos que saem do chão.

— Um rio pode ser resultado de dois níveis, do *hanan pocha* e do *uqu pocha*, surge da montanha ou de dentro da terra. É o caso do Apurimac.

*

— Vamos continuar seguindo o rio, no rumo de Paruru? — pergunta Ronald.

Ele não gosta de ouvir que queremos refazer todo o trajeto até os Tres Cañones, saber como são as montanhas, as cidades e os povoados de incas, *qollas* e *kilkes* num dia de boa luz, com o sol iluminando ruínas e topos de morros.

8

Barulho

Ronald fala pouco. Pergunto se está com fome, pois saímos cedo da pousada em que estávamos em Yura, capital da província de Espinar, e não deu tempo para ele tomar a costumeira sopa de batatas com carne de carneiro.

Após refazer o caminho até os Tres Cañones, retomamos a viagem pelo rio, a jusante.

No alto dos montes, uma pastora com um rebanho de ovelhas caminha na imensidão da cadeia de montanhas. De onde ela saiu? Para onde vai? É difícil saber, pois a casa mais próxima está longe daqui.

Paramos em El Descanso, um povoado entre Cusco e Arequipa, para almoçar. O pequeno restaurante de beira de estrada oferece ovo frito, batata cozida, bife de boi e arroz. Uma adolescente tímida, de saia verde, nos atende. Ao sairmos do estabelecimento começa a chover granizo.

A chuva diminui a poeira da estrada que leva a Pillpinto, primeira cidade da beira do Amazonas a partir das nascentes. Chamam mesmo a atenção essas pastoras de ovelhas, esses tropeiros de mulas ou esses andarilhos apenas com um cajado na mão no alto das montanhas, cruzando um monte e outro, fazendo dos cumes rotas aparentemente tranquilas de ser percorridas. Um povo sempre nas alturas, elevado. As montanhas neste mês de janeiro estão mais verdes que na primeira vez que estivemos nas origens do rio. A vegetação que as encobre é baixa, rasteira, rala.

Diante da sinuosidade da via, da subida, dos precipícios que começam a surgir, é inevitável a constatação de que a estrada é muito perigosa.

— Há outras piores — responde Ronald, e silencia.

A velocidade do carro chega a 40 quilômetros por hora, no máximo.

Chegamos a Yanoca, no alto da montanha, um povoado movimentado, com muitas crianças nas ruelas e em frente às casas e estabelecimentos comerciais. Papamarca, mais à frente, é rústica, com ruas estreitas e construções cobertas de telhas coloniais. Ao sair do lugar, o viajante avista a primeira das quatro grandes lagoas da região, a Laguna Acopia, na parte baixa da cadeia de montanhas.

Um vilarejo com o mesmo nome está na margem da lagoa. De longe, parece uma aldeia suíça. Ao entrar no povoado, você vê um lugar com crianças e cachorros muito magros e sujos. Um menino volta do campo carregando uma enxada do seu tamanho. Uma menina retira um rebanho de ovelhas de um quintal. As ruelas são de terra. Quase não se enxergam os olhos dos meninos e meninas, cobertos de poeira levantada pelo vento ou por um e outro carro que passa e quebra a monotonia do lugar. E a lagoa, grandiosa, iluminada na tarde de sol, se assemelha a um governante gordo, rico, entediado.

Fim das lagoas. Outros povoados com crianças maltrapilhas e empoeiradas estão no caminho. Yanapampa, Pomacanchi, Marcaconga, Sangarara. Enfim, um trecho de asfalto, mas a pista não tem sinalização, nem barreiras de proteção junto aos precipícios.

— Existem precipícios mais perigosos — afirma o motorista. Não há, agora, mau humor na afirmação dele. À medida que nos aproximamos de Pillpinto e Paruro, a cidade onde nasceu, Ronald fica mais descontraído. Queria mesmo era chegar a Paruro. Acostumado a estas estradas sinuosas, não exalta o perigo, não se coloca como herói ou como alguém que dominou o medo ou que é uma vítima potencial.

Ele demonstra um certo prazer em andar por esta estrada, nesta espécie de montanha-russa, longe porém de ser um maníaco por perigo. Ronald é o tipo que optou ou foi criado para enfrentar os riscos com serenidade, como algo inseparável do dia a dia.

Aí vem Acomayo, a bela e galante cidade, como diz a inscrição num portal. É um lugar com casarões com balcões coloniais de cores quentes. Mais meninos e meninas comandando rebanhos. Neste fim de tarde, são muitas as crianças e adultos voltando para a casa após um dia de trabalho. Um garoto à frente de um pequeno rebanho de bois tem um semblante bastante sério. Usa boné e calça comprida.

Em Chaco, povoado seguinte, um velho com bengala anda bem no meio da estrada poeirenta. À frente dele, três meninas com sacos de gravetos nas costas. Uma outra menina com ovelhas, um garoto com lhamas, uma garota na cerca da plantação de batata. Ah, e um menino com uma bola brinca na beira da estrada.

Logo depois de Acos, povoado com casas de portas e janelas verdes e azuis, surge mais uma série de precipícios. Por volta das 17h, Ronald aponta para o rio lá embaixo. É o Apurimac. Pillpinto também pode ser vista do alto. As montanhas são tão elevadas que o rio, turvo, sinuoso, seria insignificante na paisagem se não fosse o eco do barulho de suas águas batendo nas pedras e paredões. Bromélias e agaves, cactos, cobrem parte das ribanceiras e paredões das margens.

Descemos pela estrada da montanha. Uma ponte metálica pintada de vermelho e com piso de madeira, de 54 metros de extensão, dá acesso a Pillpinto. Da ponte se vê o rio descendo as montanhas, formando corredeiras.

"O rio não é tua lixeira, não coloque lixo", diz a placa afixada na parede de um casarão colonial numa ruela que liga a Plaza de Armas à beira do Apurimac.

— Sou Emiliano Gutierrez Figueiroa, muito prazer, em que posso ajudá-los? — diz o homem de 65 anos, chapéu, cabelos e bigode brancos.

O agricultor, representante de uma das famílias que fundaram há mais de cem anos a cidade, conta que o rio nesta época está baixo. Nas próximas semanas, o Apurimac poderá fazer como das outras vezes, encobrir a ponte metálica.

À noite, chegamos a Accha, primeiro povoado depois de Pillpinto. Dali a Paruro não é mais possível ver o Apurimac, devido à escuridão. O barulho das águas, porém, dá a certeza da força do rio passando pelas montanhas. Um eco estrondoso. Aqui, é mais fácil entender o nome Apurimac: o deus que fala.

No romance *Palmeiras selvagens*, William Faulkner conta a história de condenados que, numa longa viagem, ficam quietos ao se aproximarem do Velho, como o escritor chama o Mississippi, para ouvir melhor o sussurro profundo, forte e poderoso do rio. "O Velho?", pergunta um dos condenados. "É", responde outro. "Ele não precisa contar prosa."

*

O silêncio na picape termina quando chegamos a Paruro, onde Ronald nasceu.

— Sou de Paruro! — diz o motorista, animado, ao entrar de carro no centro da cidade, às margens do rio Paruro, afluente do Apurimac.

Resolvemos passar a noite em Paruro e, pela manhã, subir a montanha para ver o rio. Fomos à Hospedaje Familiar tentar vagas. Uma menina magra e triste e dois velhos alcoolizados nos recepcionam. Há quartos, mas achamos melhor procurar outro ambiente. O jeito foi pernoitar no alojamento municipal, na parte mais alta da cidade. O lugar é cheio de ratos e baratas.

Pela manhã, o funcionário do alojamento abre a porta da biblioteca. Um dos livros nas estantes é *El hombre del Marañon*, escrito por José Mejía Baca, sobre a vida de Manuel Antonio Mesones Muro, um explorador do início do século XX da selva peruana. Muro gastou toda a sua fortuna para encontrar um caminho entre o Pacífico e o Atlântico. Ficou conhecido como "El loco Marañon", por insistir que era possível atravessar a selva, enfrentar as corredeiras dos rios que deságuam no Amazonas. Anos depois, o caminho percorrido por ele virou o trajeto da rodovia Transoceânica, projetada para ligar o Peru ao Brasil. O explorador incorporou a selva à sociedade nacional. Segundo cronistas, encontrou "um Peru exótico e inesgotável, desconhecido e ansioso de pátria".

*

Nossa decisão de refazer o caminho das montanhas foi acertada. Em dia claro deu para ver a força do rio descendo os montes. As montanhas neste trecho do Apurimac não são totalmente sem vegetação. Aqui não é mais a cordilheira dos Andes. Há arbustos nos cumes e penhascos, e manchas verdes nos despenhadeiros. A selva está começando.

Mulheres com cabelos soltos, sem os tradicionais chapéus dos Andes, também diferenciam esta região montanhosa da área das nascentes. Aqui, elas são mais descontraídas, aceitam conversar com pessoas que vêm de fora, demonstram curiosidade.

No distrito de Cusibamba, o rio passa asfixiado entre paredões. A ponte de Hurancalla foi construída justamente numa garganta do Apurimac. Da nascente até aqui, o rio não se alarga de forma contínua. É comprimido por uma montanha e outra em alguns pontos. Porém, é nos trechos mais estreitos que o Apurimac torna-se mais violento. O ponto estreito não significa que o volume de água seja menor. O rio não perde as águas que ganhou dos milhares de córregos que deságuam nele mais acima. O Apurimac, no estreito, é mais profundo. Debaixo da ponte, o rio atinge cerca de 7 metros de profundidade, dizem os ribeirinhos. É no trecho menos largo que o rio se expõe, revela sua fúria. Mais abaixo, ele se alarga e se acalma.

A próxima cidade é Colcha. Ainda no alto da montanha, encontramos a enfermeira Violeta Cardenas Fernandez, 33 anos, e seu filho, Adriano, 9 anos. Os dois fazem o trajeto de 6 quilômetros até a cidade a pé. Dentro da picape, Violeta conta que o menino estuda em Cusco, pois onde moram não há escolas de bom nível.

Ela trabalha no posto de saúde de Colcha. Recebe 800 soles por mês, cerca de 260 dólares. Conhece todos os problemas que atingem as crianças da beira do Apurimac. Fala da desnutrição, das doenças de pele e de estômago provocadas pela contaminação do rio em alguns trechos.

No Peru, os estudantes fazem o ensino fundamental em seis anos e o ensino médio em cinco anos.

— É difícil o estudante que termina o primário continuar os estudos. Faltam incentivos e educação de qualidade. O ensino aqui é muito fraco. Agora, nestas férias, o governo anunciou um curso de reforço para as crianças, mas as aulas ainda não começaram, pois não apareceram professores voluntários.

Violeta reclama do projeto da represa nas nascentes do Amazonas. Afirma que as autoridades de Cusco não informam às comunidades tradicionais sobre os problemas e as mudanças que podem ocorrer nas suas vidas com a alteração das rotas dos rios.

— Você conhece o *nutria*? É uma espécie de lobo marinho que dá nas águas do rio. O *nutria* e outras espécies estão ameaçadas com o represamento do Apurimac, que pode ter o volume de água reduzido. Não é só isso. Todos esses povoados à beira do rio enfrentarão problemas.

Mãe e filho ficam em Colcha.

*

Na Tienda de Abarrote El Chinito, uma pequena mercearia de produtos básicos, tomamos chá de limão e *apio*, uma erva do lugar, antes de nos aproximarmos do Apurimac, que passa por Colcha. Nessas mercearias, você não encontra nada do que procura, mas tudo que necessita para continuar uma viagem longa e difícil. Felícia Valero, 45 anos, dona do estabelecimento, mostra uma sacola de *zetas*, um fungo que dá nos despenhadeiros do rio, muito usado pelos camponeses nas refeições da manhã.

Aqui, o rio fica turvo no período de chuvas nos Andes, de outubro a abril. Na estação seca, de maio a setembro, a água é transparente e gelada. O Amazonas dos Andes, diferentemente do Amazonas da selva peruana e do Brasil, é um rio de corredeiras e cachoeiras. Os praticantes dos esportes radicais, como o rafting, a canoagem e o caiaque, consideram o Apurimac um dos melhores rios do mundo. Há saltos de água de até 200 metros, como o abismo de Acobamba.

As margens são tomadas por pedras de diferentes formatos e tamanhos. Celso faz fotos de duas crianças na porta de uma casa perto do rio. Julio Alfredo Ccalluco, 7 anos, e Romário Ccalluco, 3 anos, são irmãos, filhos de Tomaza Oviedo, que tem outros três filhos. A família leva uma vida difícil, mas a alegria estampada no rosto das crianças e da mulher e a descontração deles são contagiantes. Logo chega Silveria Incaqui, uma simpática senhora de quase 80 anos, amiga de Tomaza.

— Vocês querem milho cozido? Tenho lá em casa — pergunta-nos Silveria em quéchua.

Malu Ccalluco, 16 anos, filha de Tomaza, é a nossa intérprete.

— Quando regressam? — pergunta Silveria.

Digo que ainda vamos seguir o rio. Ela sorri:

— O Apurimac Mayu!

Ao ser fotografada, ela segura as pontas das duas tranças, sorri, muda de posição. Menos por vaidade e mais pela generosidade em receber e agradar pessoas que vieram de longe e seguirão o Apurimac Mayu, o rio do deus que fala, o Cápac Mayu, o rio principal dos *chancas*, povo antigo que habitou as terras da margem esquerda, mais abaixo, entre os séculos XI e XIII, até ser derrotado por exércitos incas.

*

Quilômetros abaixo das nascentes, o rio se separa da cordilheira dos Andes e chega aos primeiros povoados da selva peruana. No cânion do Apurimac, saltos, cachoeiras e correntezas desafiaram colonizadores espanhóis que subiam pelas montanhas em busca de ouro e prata. O império inca se estendia pelo deserto andino e pela floresta, a serra alta, *ceja de montaña*, como dizem os nativos, nas encostas da cordilheira. Nesses povoados andinos vive a maioria dos quéchuas, o povo que sofreu nas mãos dos colonizadores espanhóis, de limenhos e de guerrilheiros e militares.

O povo das montanhas e da beira do rio está retratado nas obras do antropólogo e romancista José María Arguedas, um dos autores mais lidos pelos universitários latino-americanos nos anos da utopia e da revolução, na década de 1960. Com o tempo, o clássico *Rios profundos*, história que fala de Ernesto, um jovem que percorre os povoados andinos das margens do Apurimac e do Pachachaca, foi esquecido.

Há alguns anos, Vargas Llosa disse que a obra de Arguedas é o retrato de uma "utopia arcaica" e a celebração do primitivo. Ao percorrer os Andes, avalio que as leituras de *Rios profundos* envelheceram, tanto a dos críticos quanto a de admiradores. A obra de Arguedas, no entanto, sobreviveu ao fim de termos como "direita" e "esquerda", pois a história do personagem-narrador, Ernesto — que tanto pode ser um *Che* quanto um jovem qualquer do continente —, está diante dos olhos dos viajantes a cada quilômetro percorrido nestas montanhas.

Nos caminhos para Lima, não faltam jovens peruanos cheios de sonhos e projetos de vida. Nos povoados das montanhas, não faltam cenas de violência e injustiça, descritas por Arguedas de forma intensa, com frases precisas.

É verdade que os artigos, os prefácios e as orelhas escritas ao longo dos anos para *Rios profundos* envelheceram, mas os personagens de Arguedas existem até hoje nas margens do Apurimac, o verdadeiro protagonista da obra, com suas águas azuis e tranquilas, suas margens "febris". O estranhamento, o confronto de mundos, os sentimentos e os defeitos humanos presentes no livro de Arguedas estão longe de representar marcos do passado da América Latina.

*

No distrito de Huanoquite, o Apurimac se junta ao rio Santo Tomás. O cânion do Apurimac se agiganta em Tincocc, a mais de 350 quilômetros da nascente, no encontro com o rio Mantaro. Mais 210 metros, e o cânion impressiona: são 3.907 metros de altura.

Perto do quilômetro 400 do rio, se chega ao quilômetro 107 da estrada Cusco-Tambobamba. Aqui, há um mirante de onde se tem uma vista completa do cânion. Pelo caminho, uma sucessão de construções da época dos incas, vestígios de muralhas e antigas pontes de pedra. O Pongo do Apurimac, um salto espetacular, está no quilômetro 445 do rio. A maior altitude do cânion, porém, fica a 495 quilômetros do Mismi, diante do Nevado Sacsarayoc, onde atinge 4.691 metros.

Foi em Cotabamba, nas margens do Apurimac, que, em 1532, terminou a guerra civil deflagrada pela disputa entre os meios-irmãos Atahualpa, que governava o império de Quito, e Huáscar, o de Cusco. O exército de Atahualpa prendeu Huáscar e reunificou o império inca, dividido pelo pai, Huayna Cápac, que havia entregue metade do território a cada filho. Huáscar foi morto por Atahualpa, que acabou enforcado por Francisco Pizarro, o conquistador do Peru.

Por volta do quilômetro 600, começa de fato a selva amazônica. Surgem as localidades de Espíritu Pampa, Villa Virgen, Monterrico, Palmapampa, Santa Rosa e Luisiana. Os povoados de San Francisco del Río Apurimac — na província de La Mar, departamento de Ayacucho, na margem esquerda — e Kimbiri — em La Convención, Cusco, na direita —, frente a frente, a 680 quilômetros da nascente, marcam o fim definitivo dos Andes e o início da selva amazônica. É a grande selva, o reino dos mortos, segundo a tradição quéchua, por onde seguem os rios profundos de Arguedas e dos Andes.

9

Os espiões roubaram o mapa do rio

Os livros dizem que a água do Amazonas é barrenta, a chamada água branca, por causa das erosões, desmoronamentos e constantes chuvas numa parte dos Andes. Em volume de sedimentos, o Amazonas só perde para o Ganges, na Índia e no Paquistão, e para o Amarelo, na China. Mas o Amazonas atravessa todo o deserto da cordilheira com águas muito transparentes, azuis ou verdes. Os tributários, que nascem nos Andes, sim, são barrentos e lançam no Amazonas grande quantidade de sedimentos.

Mesmo depois dos Andes, na selva alta, por onde desce com os nomes de Apurimac, Ene e Tambo, o rio ainda não está turvo — na estação da seca. No trecho em que é chamado de Ucayali, adquire aos poucos uma coloração amarelada, até ficar barrento, como o conhecemos na sua última extensão, quando corta a floresta brasileira.

Se a cor servisse para identificar a origem do rio, as nascentes indicadas por MacIntyre e Palkiewicz não valeriam, e o rio nasceria mesmo a partir do Marañon, no norte, como diz a tradição dos conquistadores espanhóis. O Marañon, de 1.400 quilômetros, é um afluente de água barrenta ou branca.

Os três maiores tributários do Amazonas também são de águas brancas. O Madeira, com 3.352 quilômetros, o Juruá, com 3.283 quilômetros, e o Purus, com 3.211 quilômetros, contribuem para a tonalidade final do rio. O Madeira é o segundo maior tributário de um rio no mundo, só ficando atrás do Missouri, que tem 373 quilômetros a mais e deságua no Mississipi.

Nenhuma outra bacia do planeta conta com três afluentes de mais de 3 mil quilômetros cada um. Vale ressaltar que o Madeira representa 20,1% do total da bacia amazônica. Em seguida, vem o Tocantins, com 11%; o Negro e o Branco, juntos com 10%; o Xingu, com 7,3%; o Tapajós, com 7,1%; o Purus, com 5,5%; e o Marañon, com 5,2%. Todos esses números estão no livro *Un ecosistema inesperado, la Amazonia revelada por la pesca*, trabalho dos pesquisadores Ronaldo Barthem e Michael Goulding, referência para muitos dados sobre o rio citados neste capítulo.

Essa cor barrenta permite uma transparência de no máximo 20 centímetros. Os rios de águas pretas e os de águas claras, outros dois tipos que existem na Amazônia, têm mais transparência. O Tapajós, por exemplo, de água clara, permite visualizar até 5 metros.

*

O padre português João Daniel, que viveu 16 anos na Amazônia, no século XVIII, foi um dos primeiros a traçar um perfil do rio. Preso pelo marquês de Pombal, ele teria aproveitado quase duas décadas de cárcere para escrever o detalhado *Tesouro descoberto no máximo rio Amazonas.*

Quando terminou a página 766 do livro, em 1776, o padre morreu. Nos cinco tomos escritos, trazidos ao Brasil por dom João VI para evitar que caíssem nas mãos de Napoleão Bonaparte, o padre apresenta um mosaico de gente, bichos e plantas.

Foi ele que iniciou a polêmica sobre qual é o maior rio do mundo. "Se Júlio César prometia ceder o império a quem lhe mostrasse a fonte do grande Nilo, qual seria o prêmio a quem lhe apontasse a fonte do máximo Amazonas em cuja comparação aquele se avaliaria pigmeu?"

O navegador português Duarte Pacheco teria colocado os pés na região da foz do Amazonas em 1498, dois anos antes da descoberta oficial do Brasil. No começo de 1500, mais precisamente no dia 25 de março, a frota do navegador espanhol Vicente Yánez Pinzón chegou à foz, na altura da ilha Marinatãbalo, atual Marajó, no estado do Pará. Pinzón foi o primeiro europeu a navegar, segundo registros, pelas águas do Amazonas.

Comandante da caravela *Nina* na expedição de Colombo à América, em 1492, Pinzón teria acreditado que estava na embocadura do rio Ganges e, depois, batizou o rio de Santa María del Mar Dulce, o primeiro nome dado por um europeu ao Amazonas. Os espanhóis eram, pelo Tratado de Tordesilhas, os primeiros "donos" do rio e de toda a bacia amazônica.

Foi outro integrante da viagem de Colombo, Juan de La Cosa, comandante da caravela *Santa María*, que pela primeira vez colocou a América e o Amazonas num mapa-múndi. Ele desenhou, no segundo semestre de 1500, um planisfério sobre duas peças de couro, com um total de 183 centímetros de comprimento e 96 centímetros de largura, baseando-se em informações coletadas por ele e por outros navegadores, espanhóis e portugueses.

O rio é identificado no mapa de Cosa como S. Mª — referência ao Santa María del Mar Dulce, nome dado por Pinzón. No planisfério de Cosa, o Amazonas deságua no g.º de S. M.ª (golfo de Santa Maria), na Tierra Llana, no litoral raso, território que corresponde hoje à Ilha de Marajó. Deuses africanos, personagens bíblicos, caravelas, naus, rosas dos ventos e figuras mitológicas ilustram o mapa. O desenho foi feito por Cosa possivelmente a pedido de Isabel e Fernando, os reis católicos de Castela e Aragão que unificaram a Espanha, expulsaram os mouros e financiaram a expansão marítima.

Juan de la Cosa morreu em consequência de uma flecha envenenada, numa viagem à Colômbia em 1510. Numa época de espionagens e conflitos entre espanhóis e portugueses pelo controle das novas terras descobertas, o mapa acabou sendo roubado. Só reapareceria em 1832, quando o barão de Walckenaer, da Holanda, o comprou em uma livraria de Paris. Duas décadas depois da morte do barão, o governo espanhol adquiriu o mapa, atualmente exposto no Museu Naval de Madri.

Em 1502, o Amazonas volta a ser retratado num mapa chamado de *Planisfério de Cantino*. O diplomata Alberto Cantino, espião do duque de Ferrara, Hércules D'Este, subornou com 12 ducados de ouro um cartógrafo de Lisboa para copiar um mapa com informações de uma expedição portuguesa de Gaspar Corte-Real, à América em 1501. Com 105 centímetros por 220 centímetros, o mapa é ilustrado com desenhos de três papagaios, mostra também o São Francisco e apresenta a costa brasileira com detalhes inéditos. Em 1592, o mapa passou para as mãos do papa Clemente VIII, que o transferiu para o Palácio de Módena, onde ficou durante três séculos. O mapa foi redescoberto em 1859, nos fundos de uma salsicharia da cidade italiana.

Com as viagens seguintes de exploradores europeus ao continente americano, os mapas ganham mais detalhes. É o caso do *Grande planisferio*, feito em 1529 pelo cartógrafo Girolamo da Verrazzano. Nesse mapa, ele chama a região da foz do Amazonas de "Baia di Santantonio". O mapa está exposto num corredor do Museu do Vaticano. Girolamo era irmão do navegador Giovanni da Verrazzano, primeiro europeu a explorar a costa atlântica dos Estados Unidos. Giovanni teria sido morto um ano antes da conclusão do mapa, na América Central, por nativos ou adversários espanhóis. É possível que tenha sido ele a fonte das descrições feitas por seu irmão sobre o planisfério, que foi parar nas mãos dos papas.

Em 1541, os cartógrafos Martin Waldseemüller e Lorenz Fries publicam em Estrasburgo um mapa da "Terra Nova" em que o Amazonas é chamado de Rio Grande, mas que, no documento, é apenas um pequeno risco que não chega a cortar a região, ilustrada com figuras de canibais e um cachorro gigante.

Naqueles primeiros tempos de ocupação europeia, ficou conhecida a expressão de espanto dos exploradores ao constatarem que, apesar da imensidão do curso, não se tratava de um mar. E a exclamação "Mar não" teria originado os nomes Marañon ou Maranhão, em espanhol e português.

O Marañon está registrado no mapa *Le Nouveau Monde descovvert et illvstre de nostre temps*, publicado em Paris por André Thevet, em 1581. Lá, os rios Maragno (outra versão de Marañon) e Plata são os dois únicos cursos da América do Sul desenhados na *Carta marina nuova tavola*, do editor veneziano Girolano Ruscelli, impresso duas décadas antes do mapa de Thevet.

O padre João Daniel afirma em sua obra *Tesouro descoberto no máximo rio Amazonas* que a palavra Marañon é uma referência ao excesso de maranhas — matos, pântanos e lagos — que representavam obstáculos à navegação: "Tudo eram maranhas e mais maranhas."

As dúvidas e confusões cartográficas eram tantas que o frei Samuel Fritz desenhou várias versões de seu mapa específico sobre o rio. A carta *El gran Río Marañon*, feita por Fritz em 1707, foi usada pela França para reivindicar um território próximo à foz do Amazonas. O barão do Rio Branco, porém, usou uma versão do mapa, de 1695, para dizer que a área, hoje parte do estado do Amapá, pertencia ao Brasil.

Rio da Canela foi outro nome dado pelos europeus ao Amazonas. Em 1541, o governador de Quito, Gonzalo Pizarro, irmão do conquistador do Peru, Francisco Pizarro, fez uma expedição à selva para encontrar canelas. A viagem foi um fracasso. Não havia quantidade suficiente dessas árvores para garantir a viabilidade da exploração. Pizarro resolveu voltar a Quito. Um capitão que o acompanhava, Francisco de Orellana, continuou a viagem numa embarcação a vela e a remo com 57 homens.

Pizarro, tempos depois, escreveria carta ao rei Carlos V para contar "la traición del tuerto Orellana", que entrou para a história como o primeiro a explorar o Amazonas — do Peru à foz. O "zarolho" teria descumprido um acordo de retornar a um ponto da selva e continuado a viagem por conta própria.

O frei dominicano Gaspar de Carvajal, que acompanhou Orellana até o Atlântico, faria a defesa do capitão num minucioso relatório de viagem enviado ao rei. Este documento é o que introduz o mito das amazonas no continente americano e dá o nome atual ao rio. Está desaparecido o original do manuscrito, que tem um título digno da extensão do Amazonas — *Relación que escribió Fr. Gaspar de Carvajal, fraile de la orden de Santo Domingo de Guzmán, del nuevo descubrimiento del famoso Río Grande que descubrió por muy gran ventura el capitán Francisco de Orellana, desde su nacimiento hasta salir a la mar, con cinquenta y siete hombres que trajo consigo y se echó a su ventura por el dicho río, y por el nombre del capitán que le descubrió se llamó el río de Orellana.*

Na foz do rio Nhamundá, afluente do Amazonas, a expedição de Orellana teria sofrido ataque das Icamiabas, ou Coniupuiaras, as mitológicas mulheres guerreiras moradoras de um trecho onde hoje estão as cidades de Parintins, no Amazonas, e Óbidos, no Pará.

O historiador espanhol Gonzalo Fernández de Oviedo y Valdés publicou trechos que seriam do manuscrito de Carvajal no livro *Historia general y natural de las indias, islas y tierra firme del Mar Oceano*, publicado pela primeira vez em 1559. Oviedo disse que, num encontro com Orellana em 1542, em Santo Domingo, o explorador lhe mostrou o original, com a descrição das mulheres guerreiras.

Uma segunda versão do documento, mais completa, apareceu no arquivo do Duque de T'Serclaes. O historiador chileno José Toribio Medina incluiu o manuscrito na edição de sua obra *Historia del descubrimiento del Río Amazonas*, publicado em Sevilha em 1894. As páginas 25 e 26 desse documento, guardado na Biblioteca Nacional da Espanha, descrevem as amazonas.

Heródoto, considerado o primeiro historiador, escreveu que os gregos derrotaram um exército de amazonas, que depois se refugiaram nas estepes da Ásia ocidental, num vasto território hoje pertencente à Rússia e à Ucrânia. O povo sármata, segundo o historiador, seria descendente dessas guerreiras. No final dos anos 1990, a arqueóloga norte-americana Jeannine Davis-Kimball, da Universidade de Berkeley, na Califórnia, encontrou túmulos perto da cidade de Pokrovka, no sul da Rússia, com cadáveres de mulheres e flechas e espadas. Essas guerreiras viveram, nos cálculos da arqueóloga, há 2.500 anos na região entre o mar Negro e o mar Cáspio.

Ao reproduzir na América o mito das amazonas, os espanhóis, segundo o abade Raynal, autor de *O estabelecimento dos portugueses no Brasil*, davam grandiosidade grega a suas conquistas. Há uma versão, bastante difundida no Peru, de que a palavra "amazonas" significaria, em alguma língua nativa, "arrebenta canoa".

Etimologicamente, a palavra amazonas significa "sem seios" — "A-Mazós". Também poderia ser a junção das palavras gregas "ama" (união) e "zona" (cinto), as guerreiras "unidas por um cinto". O pesquisador Franz Kroüter Pereira, em *Painel de lendas & mitos da Amazônia*, registrou que o nome do rio estaria associado ao vocábulo indígena *amassunu*, que significa "águas que retumbam" ou "ruído de águas".

Levaria muito tempo para que o nome Amazonas aparecesse nos mapas. Muitas cartas chegam a usar três nomes para o rio. É o caso da *Americae sive novi orbis*, de Abraham Ortelius, de 1595, que anota Amazones, Oregliane e Maragnon.

Aos poucos, o rio aumentava de tamanho e importância no mundo dos cartógrafos. Em 1720, o *Atlas histórico* do geógrafo Henry Abraham

Châtelain, editado em sete volumes em Amsterdã, transforma o rio numa nação, separada do Peru e do Brasil. A *Carte de la terre ferme, du Perou, du Bresil et du pays des amazones* mostra um rio com uma série de braços se alastrando pela América do Sul.

Os nativos em algumas regiões chamavam o rio de Paranauaçu, Paraguaçu, Paranapetinga e Mar Branco. Todos esses nomes nativos mudam a cada trecho. Os nomes dados pelos brancos ao *Hatun Mayu*, "grande rio" na língua quéchua, mudam até hoje.

*

Há quem divida o rio em seis partes: o estuário, o baixo Amazonas, a Amazônia Central, a Tríplice Fronteira (Brasil, Peru e Colômbia), a Amazônia Peruana e os Andes.

Os brasileiros que entendem que o rio começa em Tabatinga o classificam em Alto Solimões, Baixo Solimões, Alto Amazonas, Médio Amazonas, Baixo Amazonas e Foz. Os moradores do departamento de Loreto, onde está a cidade de Iquitos, têm uma classificação mais sintética, Amazonas Peruano e Amazonas Brasileiro.

O que o distingue de outros rios é sua extensão, diz Benedito Pinto Ferreira Braga, diretor da Agência Nacional de Águas do Brasil (ANA).

— Toda a área onde está o trecho brasileiro do rio era mar, nos períodos geológicos muito antigos. A região da bacia amazônica é muito plana, a diferença de nível entre Manaus e Belém é insignificante. É como se fosse um mar. O rio corre numa velocidade muito baixa.

A declividade baixa, numa área de planícies extensas, deixa o rio sem força para formar um canal reto. O rio meandra, fica à deriva pela selva, sinuoso. Tão grandioso, não tem energia para seguir em linha reta.

— Olhando a Amazônia por cima parece que é tudo água, porque o rio anda em meandros, em baixa declividade. Além disso, o rio tem as cheias que fazem o extravasamento durante seis meses e, depois, num período de seca, as águas voltam para o leito principal. É uma característica do ponto de vista pluviográfico. O rio nasce nos Andes, uma pequena corrente, vai, desce e recebe afluentes.

Daí surge a bacia hidrográfica, como chamam os especialistas. Todas as águas que descem para o Amazonas pertencem à bacia dele, todos os afluentes. A bacia é delimitada por áreas mais altas, de onde as águas das chuvas convergem para essa região, explica Benedito Braga.

— Além da água de degelo, que representa pequena parcela, tem a chuva que cai sobre a Amazônia, chove muito. Esses olhos-d'água e nascentes acontecem na parte mais alta da bacia hidrográfica, em razão da água da chuva que se infiltra e caminha subterraneamente. Toda essa contribuição vai para o rio. Quando chove, há o escoamento por superfície. Quando para a chuva, o rio continua, porque por baixo da terra a água da chuva também se infiltra. E essa água também vai para o rio, é o que se chama de escoamento de base, a água da chuva que entra por baixo. Muitas vezes nas cabeceiras, a água infiltrada fica guardadinha ali, formando depois um olho-d'água, um riacho.

Ele mostra no grande mapa da América do Sul na parede de seu escritório, em Brasília, a bacia do Amazonas.

— Aqui é uma região muito plana. De um lado você tem o Chaco, o Pantanal, um conjunto de montanhas. A água que cai dessa linha para lá é a bacia amazônica, e dessa linha para cá, a bacia do Paraguai.

Aponta para a região mais alta, os Andes. Uma parte das águas das montanhas segue para o Pacífico, outra para o Amazonas.

Fabrício Alves, também da Agência Nacional de Águas, do Brasil, explica que a bacia é uma unidade bem definida, independente.

— As águas tendem a escoar por uma determinada saída. A bacia amazônica não tem interligação, do ponto de vista hidrológico, com nenhuma outra bacia. A água escoa para um determinado ponto. Agora, quando se fala de todas as características socioambientais, políticas e econômicas a gente sabe que isso não é uma realidade, pois uma bacia pode estar compreendida entre dois municípios, estados. Todas as relações culturais e econômicas vão além dos limites de uma bacia.

10

Paco

Dois meses depois de percorrer as nascentes, partimos para Atalaya, a primeira cidade do Amazonas na selva. Não há voos diretos de Lima para lá. Temos de pegar um ônibus até Sotipo, lugar mais próximo de Atalaya.

A empresa de ônibus Leon de Huánuco, que faz o trecho Lima-Sotipo, só tem passagens para o dia seguinte. Vamos a um hotel perto do terminal da empresa para passar a noite. É o motorista do táxi que nos indica o hotel, um estabelecimento simples no bairro Miraflores.

Como demoramos um pouco na recepção antes de subir para o quarto, o taxista diz que vai ao banheiro. Na verdade, quer dar um tempo, esperar que nos retiremos para pedir à dona do hotel a "comissão" que ela costuma pagar aos taxistas que lhe trazem hóspedes. Só que, nesses casos, quem paga essa propina, incluída antecipadamente na diária, são os clientes. Por isso — para que não presenciemos a negociação —, o motorista finge que vai ao banheiro. Mas, ao acertarmos o preço do pernoite, exigimos um desconto, e ela concorda.

O televisor no quarto exibe programas de emissoras latino-americanas dirigidos à comunidade latina que vive nos Estados Unidos. Os anúncios mostram o interesse do comércio e de prestadores de serviço por um público que não está em condições de deixar os Estados Unidos, onde muitos vivem na ilegalidade. Num dos anúncios, o advogado Filho Leite assegura que faz divórcio "consensual" e "amigável" em apenas 20 dias. Para resolver o problema, o imigrante não precisa ir ao Brasil ou outro país de origem assinar papel, cumprir formalidades. Depois, vem a propaganda do Brazcobanco, o "banco de bolso do brasileiro". Um anúncio de outro banco pergunta: "Você entra em fila para mandar dinheiro para o Brasil?" E insinua que tem a solução: "Não precisa!"

Na noite do dia seguinte, estamos na periferia de Lima. É aqui, num terminal da empresa de ônibus Leon de Huánuco, que há embarque para Sotipo. Na cidade do Peru, não há uma estação rodoviária concentrando todas as empresas. Cada uma fica em um ponto diferente da cidade e tem seu próprio terminal, geralmente um galpão sujo, com muita gente espremida entre caixas e caixas de cargas.

O ônibus para Sotipo está lotado. O pessoal leva caixas com pintinhos, sacos de alimentos e eletrodomésticos. As cortinas e poltronas do veículo estão rasgadas, o alto-falante toca uns boleros.

Amanhece. Ao longo da estrada em caracol nas montanhas surgem pequenas cidades. Não estamos mais nos Andes e ainda não chegamos à selva. Florida, La Merced, San Domingo. Lambretas nas ruas estreitas, estudantes de uniformes, pontes de ferro, casas com teto de zinco.

Após dez horas de viagem, estamos em Sotipo, cidade com casas de um e dois pavimentos, que se estende pelas margens do rio Perené, no fundo de um vale. O Perené tem águas turvas, é um rio raso e sinuoso, tributário do Ene — um dos nomes do Amazonas.

Ao passarmos em frente a uma escola de Sotipo, chama nossa atenção o esforço de dezenas de crianças que se contorcem para passar entre as grades do portão e chegar à rua e ao carrinho de uma mulher que vende doces.

Aqui, contratamos por 80 *soles* (cerca de 27 dólares) uma corrida de táxi até Puerto Ocopa, onde esperamos encontrar barcos para Atalaya. O motorista Cristián José Quispe, ao volante de um velho automóvel importado, diz que não sabe se há.

Na estrada poeirenta, uma blitz da polícia. O guarda e o motorista se cumprimentam como velhos conhecidos. O policial olha os documentos, vê que estão vencidos, mas nos deixa passar. Alguns quilômetros à frente, o motorista reclama dizendo que, na volta, o guarda acabará lhe cobrando propina.

Mais adiante, um quartel do exército peruano cercado por um muro com as inscrições "La guerra es hoy" e "Estamos en guerra".

Estamos em 2008, mas o cenário lembra a temática dos anos 1960, de uma América Latina sacudida por golpes de Estado, revoluções e contrarrevoluções, num quadro de miséria e contrastes sociais. Naqueles tempos, outros jovens brasileiros, por motivos diferentes, faziam trajetos semelhantes nesta região.

O mormaço, a polícia perturbando, a poeira e o peso da bagagem nos fazem recuar um pouco no tempo. É como diz Oliveira, personagem de *O jogo da amarelinha*, do argentino Julio Cortázar: "A impressão que se tem é que se está caminhando sobre velhas pegadas. Estudantes aplicados, estamos usando argumentos já repetidos mil vezes e nada interessantes."

O jogo é um romance que entrega ao leitor a responsabilidade de escolher o início do texto. O leitor define onde começar e qual é o final da história. É, como diz o título, um jogo, aquele jogo infantil em que se pulam quadrados até chegar ao "céu". Cada capítulo do livro é como se fosse um quadrado do jogo infantil. O leitor escolhe o passado, o presente e o futuro das personagens. As divisões de uma narrativa em princípio, meio e fim são apenas recursos de dramaturgia, nada mais.

Aqui é a selva peruana. Andarilhos já fizeram este percurso, alguns ergueram catedrais com clichês, outros se preocuparam com a América Latina verdadeira.

O futuro chegou, mas os ideais não se transformaram totalmente em realidade. Um índio foi eleito no Peru, outro na Bolívia, líderes populares desafiam e vencem pelo voto as velhas elites no Equador e no Paraguai, palavras de ordem socialistas são agora publicidade do governo da Venezuela, e governantes da Argentina falam contra o "império" dos Estados Unidos.

A América Latina pode estar melhor agora, sem o tacão das ditaduras e os dogmas da revolução pela violência e do neoliberalismo, mas quem percorre hoje esses países percebe que ainda falta ao hemisfério atravessar o rio da retórica.

É época de colheita de bananas nas margens altas dos rios Mazamari e Tziariari. Numa parada por problema no carro, um morador do povoado de Tziariari reclama que a banana é vendida a um preço que não paga o trabalho do plantio e da colheita. Agricultores informam que de Puerto Chata, um pouco adiante de Puerto Ocopa, partem lanchas para Atalaya.

Mormaço amazônico, cansaço. Estamos em Puerto Chata, uma sequência de casebres de madeira e palha dependurados e grudados como carrapatos num barranco do rio Perené. Choveu na noite anterior. As ruelas que separam as casas estão tomadas por lama e poças d'água.

O motorista recebe os 80 *soles*, nos deixa em frente aos casebres e toma o caminho de volta para Sotipo. Temos de encontrar o embarcadouro de onde partem as lanchas. Existirá mesmo esse local? Caminhando na lama, nossas mochilas e botas pesam mais. Puerto Chata parece uma aldeia fantasma. Vem a sensação de que estamos perdidos, isolados, sem rumo no meio do nada. Não sabemos em qual direção devemos seguir. De um lado, uma fileira de casebres; de outro, uma montanha. Não se vê um morador a quem pedir informação. De repente, surge de um dos becos um homem sorridente, carregando às costas um peixe de quase um metro. Sem interromper a caminhada, ele diz:

— Vamos para minha casa!

E continua andando.

Ficamos surpresos com o inesperado convite. Um estranho, que já está lá na frente, nos chama para a sua casa. Ao menos é um caminho a ser seguido neste lugar do qual achávamos não existir saídas.

— E aí? — pergunto a Celso.

— E aí? — ele repete a pergunta.

Fomos.

A casa do morador só tem três cômodos: uma cozinha, um quarto e uma grande varanda de frente para o rio.

— É um prazer, me chamo Francisco Sanz Sanz, mais conhecido por Paco, que é um peixe da região e como chamam em castelhano um Francisco. São aventureiros?

— Mais ou menos.

— Visitam Puerto Chata?

— Na verdade, precisamos chegar a Atalaya.

— Não se preocupem, amanhã partirei para Atalaya. Tenho um bote de passageiros.

Veremos depois que ele pilota um barco com capacidade para 40 passageiros e que a grande varanda é um restaurante frequentado por *ashanincas* que cruzam o rio, pescadores e pequenos negociantes de madeira. Agora entendemos que o convite dele — "Vamos para minha casa!" — não era apenas um gesto de hospitalidade.

Filomena Saboya, mulher de Paco, prepara na frigideira postas de *doncella* — o peixe que o marido carregava, sem espinhas e de carne macia. Como acompanhamento, arroz e banana verde bem frita.

— Chamam *doncella* porque cresce só até o tamanho de uma donzela — diz Paco.

Sentado num banco de madeira na mesa da varanda, ele reclama das madeireiras. Aponta para a balsa, lá embaixo, no rio, que transporta caminhões carregados de cedros e caobas da margem direita para a esquerda.

— Pagam uma miséria para os *ashanincas.*

Cada caminhão carrega 34 toras de até um metro de diâmetro. Os madeireiros pagam aos índios 2,5 dólares por tora de caoba, madeira dura e nobre.

Paco conta que fundou Puerto Chata e que a primeira casa construída foi a dele. Antes, só havia a passagem da balsa.

— O que vão fazer em Atalaya?

— Na verdade, estamos seguindo para mais adiante. O objetivo é chegar ao Brasil pelo rio Amazonas.

— Tenho uma proposta. Em Atalaya, posso arrumar um barco de motor de pouca potência e levá-los até Pucallpa. São quatro dias e quatro noites de viagem.

O banheiro da casa fica do outro lado da estradinha que corta o povoado. É uma casinha de madeira bem no alto de um morro. Os degraus na subida do barranco são escorregadios. Um vaso sanitário feito de madeira está em cima do assoalho da fossa.

Chove em Puerto Chata. O vento preocupa os moradores. A última ventania levou as folhas de palmeiras que cobriam as casas. Paco pega um machado e o crava na ponta de uma viga de madeira do guarda-corpo da varanda, no sentido contrário ao vento. Ele diz que com isso a natureza vai se acalmar.

— É para cortar o vento, o espírito da selva — explica Paco.

Mas, por via das dúvidas, acrescenta:

— É, tem de se acreditar em algo. Senão, o que fazer?

O vento fica mais fraco.

Dois jovens *ashanincas* chegam para almoçar. O povo *ashaninca* virou escravo nos seringais peruanos no final do século XIX e início do XX, época de ouro da borracha.

— Brasileiro matou muito *ashaninca* — comenta Paco.

Os *ashanincas* têm uma relação de respeito e temor com os rios Ene e Tambo — nomes que o Amazonas recebe no início da selva. Os índios acreditam que os rios são abrigos de seres mágicos, os *coshoscos* — ou *kíatzis* —, que vivem nas partes mais profundas.

— São pessoas como nós, mas que conhecem bem mais os rios que a gente — diz Paco, filho de uma índia *ashaninca.* — Do rio tem que ter temor.

Quando o rio está muito turvo, os *ashanincas* dizem que os *kíatzis* preparam *massato*, a bebida fermentada de mandioca.

Paco diz que a época atual é de festa. Um dos *ashanincas* que almoçam na casa, Camacho Miguel Villa Lobos, balança a cabeça afirmativamente, mas se mantém calado. Os índios são desconfiados.

— Esse Paco fala demais — reclama Camacho.

Paco, em voz baixa, diz que é natural a introspecção dos índios.

— Eles ainda se assombram com os branquinhos que aparecem. Têm medo da volta dos terroristas do Sendero Luminoso, que andavam por aqui.

O grupo guerrilheiro dominou as selvas das margens do Ene e do Tambo na década de 1980. Os *ashanincas* sofreram nas mãos da guerrilha e do governo. Guerrilheiros mataram índios, soldados mataram índios. E os dois lados, aproveitando o desejo de vingança dos nativos, os utilizaram para caçar o inimigo.

Paco diz que o povoado que criou desaparecerá daqui a dois anos, quando vence o acordo que fez com os *ashanincas*, donos das terras.

Pelo acordo, os moradores pagam uma taxa mensal aos índios por casa construída. Os índios não querem mais renovar o trato. Os moradores decidiram construir novas casas em Puerto Prado, na junção do Ene com o Perené.

— Se vocês não me encontrarem lá quando retornarem ao Peru, certamente vão encontrar uma cruz com meu nome.

Escurece. Das redes, amarradas na varanda, acompanhamos Paco, Filomena e alguns amigos jogarem cartas numa mesa iluminada por um lampião. Temos a impressão de que conhecemos essas pessoas há anos.

Noite de frio intenso. Nosso agasalho é apenas a roupa do corpo. Com o vento cortante que vem do rio, não conseguimos dormir. De manhã, a dona da casa pergunta por que passamos a noite sem usar as duas colchas limpas oferecidas por ela. As duas colchas estão ali, bem perto, em cima de um tonel.

*

Manhã de sol na beira do Perené. Chegamos cedo para garantir lugar no bote de passageiros que partirá para Atalaya. *El señor de puellos* tem capacidade para quarenta pessoas sentadas em área coberta.

Às 9h, o barco já está com 70 passageiros. Cada um pagou 50 *soles* pela passagem e pelo direito de transportar a quantidade que precisar de bagagem. Não há coletes salva-vidas para todos. Homens colocam pedaços de tábuas atravessados na longa proa do barco para servirem de bancos para mulheres e crianças que chegaram em cima da hora. A proa não tem cobertura contra o sol.

Vendedores de gelatina, laranja e água negociam com os passageiros. Um menino aparece com vagens de ervilhas gigantes, de 60 centímetros de comprimento, chamadas de *pacais*. Homens chegam com sacos de milho e arroz e cachos de banana. O bote está bem pesado. Os passageiros se acotovelam. Uma mulher reclama:

— A gente parece animal de carga.

Desse jeito não é possível partir. Uma canoa sem cobertura encosta. Um dos homens que trabalham no barco dá a ordem:

— Os varões entram na canoa!

Uma confusão. Uma parte dos homens muda para a canoa, outra reclama. Mais gente chega com cargas nas costas. A canoa segue rio abaixo com 34 homens. O bote, com Paco no comando, parte com cinquenta passageiros.

O rio Perené tem corredeiras. O bote e a canoa seguem com dificuldades, lentamente, sobrecarregados. Mais à frente, as embarcações param num posto policial na margem do rio. É a oportunidade de as mulheres reclamarem da superlotação. O militar ouve sem dizer nada.

— Esta é a boca do Ene... — diz uma moça, apontando para um rio com águas esverdeadas que se junta neste trecho com o Tambo, da mesma coloração. O Ene e o Tambo, sempre é bom lembrar, são alguns dos nomes dados ao Amazonas.

A canoa com os 34 homens está parada numa praia da junção do Ene com o Tambo. Faz sol, é grande a claridade no rio. O bote para na praia. Os 34 homens entram na embarcação, a canoa volta vazia para Puerto Chata, apenas com o piloto e a moça que apontou a boca do Ene.

— Eles pagaram passagem, têm direito de entrar — diz uma passageira numa discussão com outra. Agora, com mais de 80 pessoas, *El señor de puellos* segue para Atalaya. Uma parte dos homens fora tirada do bote apenas para facilitar a passagem pelo posto policial.

As margens do Tambo são formadas por pedrinhas claras, lisas e arredondadas. As montanhas de um lado e de outro são altas, cobertas por vegetação nativa. Horas depois, surgem mais bancos de areia formados pelo verão, com a baixa do rio. Em outros trechos, embaúbas, a madeira mole, ocas e tomadas por formigas. As pedras das margens ficam mais escuras e maiores.

Ventos jogam água nos passageiros do bote, que está bem rebaixado. O casco se arrasta num trecho pedregoso e raso do rio. É preciso passar, mais adiante, por redemoinhos e trechos encachoeirados, chamados de cataratas.

El señor de puellos é um típico bote apurimenho, a motor, construído para rios de muita corrente; é o caso do Amazonas da região das nascentes até Atalaya, no trecho em que se chama Lloqueta, Apurimac, Ene e Tambo. O bote tem 26 metros de comprimento, 1,40 metro de largura, 2,20 metros de boca e 1,20 metro de altura. É uma embarcação veloz, com capacidade para transportar até 15 toneladas.

Abaixo, onde o rio se chama Ucayali, a embarcação predominante é o bote ucayalino, com boca de 4 metros. O bote é mais curto, tem de 15 metros a 18 metros de comprimento, 1,20 metro de largura e 1,50 metro de altura. Transporta 12 toneladas. É um barco lento, próprio para rios com menos corrente.

11

"Antes, aqui dava bastante peixe"

Chegamos a Atalaya, na margem esquerda do Tambo. Aqui passaremos a noite e amanhã seguiremos numa canoa para Pucallpa. Das nascentes até aqui são aproximadamente 1.850 quilômetros de distância fluvial.

Na extensa praia de pedras claras, há dezenas de triciclos motorizados para levar viajantes ao centro da cidade. O rio é como uma grande rodovia — a única —, a saída e a entrada da cidade. As casas estão de costas para o rio.

As ruas do centro são calçadas e têm nomes de rios. No cruzamento da Ene com a Urubamba há um semáforo, o único desta cidadezinha. Atalaya conta com empresas que fazem voos em pequenos aviões para Pucallpa. Por 250 *soles* se viaja durante uma hora até a outra cidade e se pode ver a sinuosidade do rio.

Entrando pelas ruas, cortando becos, você encontra, na esquina da Iquitos com a Purus, o comércio de Dores Lozano, uma peruana de 50 anos e com expressão séria. Uma placa do lado de fora informa que ali são vendidos livros, revistas, refrigerantes e mel. Mas o que movimenta mais o comércio de Dores é o serviço de radioamador.

— Presto serviço para quem necessita — diz ela, numa conversa no balcão. De minuto em minuto, Dores sai para falar pelo rádio. As pessoas, sentadas em bancos, esperam contato com parentes ou amigos distantes, que moram na selva.

Há livros e revistas nas prateleiras: *Antivirus mental; Una fascinante viaje a la felicidad; Psicologia del niño; Educación sexual para adolescentes; Los sueños y el psicanalisis; Jugos que curan*; *Remedios naturales; Las mil y una noches; Manual de la depresión.* Também são vendidos livros de poesias. Ver em forma de revista popular *El hermoso legado de Pablo Neruda — 20 poemas de amor y una canción desesperada* alegraria, imagino, o poeta chileno, que morreu em 1973, logo após o golpe do general Augusto Pinochet. A imagem de um casal em uma cena de sexo ilustra a capa da revista.

Enquanto esperam, os clientes de Dores podem folhear as publicações.

— Aqui as pessoas carecem de trabalho, de condições melhores de vida e de conhecimento. Esses livros todos ajudam quem não tem escola nem condições de se aprimorar, gente que vive isolada nas cabeceiras do rio. O povo tem de crescer. Por isso, resolvi encher a loja de livros e revistas.

Nem todos os clientes, porém, estão interessados em poesia e em manuais de autoajuda, observa. Ultimamente, ela tem conversado com as pessoas sobre um assunto que a preocupa: a contaminação do rio Mantano.

— É um afluente do Ene. As minas de Huncayo estão despejando resíduos tóxicos no Mantano — conta Dores, que além de comerciante é técnica em enfermagem.

Ela volta para o rádio.

— Mantenha na espera. Na espera. Câmbio. Câmbio.

Dores não aceita, num primeiro momento, ser fotografada falando ao rádio.

— Não tenho licença para operar. Este trabalho é voluntário, é social, cobro o necessário para manter o comércio. Não posso sair na foto.

*

Paco aluga uma pequena canoa de Astênio Zegarra, um comerciante de Atalaya que morou alguns anos no Brasil. Improvisa na embarcação uma cobertura de lona para suportarmos o sol na descida do Tambo até a confluência do Urubamba, onde se forma o Ucayali, na rota de Pucallpa. Paco contrata José, 38 anos, filho de Astênio, para ir conosco como responsável pelo motor e pelo leme.

A *Zegarra*, nome também da canoa, é movida por um motor de baixa potência — apenas 10 HPs. A embarcação tem 1,1 metro de largura, 11 metros de comprimento e 70 centímetros de altura. É de *tornillo*, madeira muito usada no Alto Ucayali pelos construtores de embarcações. A parte inferior da canoa é azul, a superior é verde com listras e bordas, e a proa é vermelha.

É nesta canoa que vamos descer o rio e chegar a Pucallpa, provavelmente em quatro dias. Antes, é preciso comprar comida para a viagem. Paco faz a lista.

2 quilos de açúcar
3 quilos de arroz
1 pacote de sal
6 refrigerantes grandes
20 litros de água
1 réstia de cebola
2 cabeças de alho

1 vidro de café solúvel

300 pães

2 vidros de azeite

3 quilos de macarrão

1 caixa de fósforos

A compra é feita numa mercearia próxima ao hotel. Odores e cores das ervas, frutas e verduras à venda tomam dominam o ambiente.

Às 13h, deixamos a praia de Atalaya. Crianças tomam banho perto dos barcos ancorados. O sol está forte. Venta muito.

Na margem esquerda do rio, um incêndio destrói parte da vegetação. Adiante, o Urubamba, o rio sagrado dos incas, deságua no Tambo. Daí para a frente, os dois rios formam o Ucayali.

Três embarcações, *Arca de Noé*, *Chávez* e *Chico loco II* estão ancoradas na praia da ponta de pedras. A água está menos turva que nas proximidades de Atalaya. O Ucayali começa esverdeado.

Uma serraria, também na margem esquerda, joga os restos de madeira no rio. Um barco de uma companhia de gás sobe o Ucayali carregando tubulações de ferro.

Mais abaixo, uma mancha colorida destaca-se na vegetação da margem direita. É a *oropel*, uma árvore de folhas bem vermelhas.

— É um ouro que não é ouro. Como madeira não vale nada nas serrarias, mas para a vista vale muito. Daí é ouro, ouro para as vistas — diz Paco.

Três pescadores jogam a malha no rio.

— Aqui é lugar de muita *bocachita* — diz Paco, referindo-se a um peixe pequeno e arredondado.

Julio Huánuco Ramírez, Liner Campos e Zózimo Aman Huánuco são pescadores profissionais. Vivem da pesca da *bocachita*, das palometas e das *chipiras*.

— Antes, aqui dava bastante peixe. Agora, pouco — diz Ramírez. Acrescenta que o número de pescadores aumentou na região e que o rio está mais sujo.

Duas horas de navegação e o Ucayali já tem cerca de 500 metros de largura.

Um bando de *chiguacos*, pássaros amarelos e negros, se abriga na vegetação da margem esquerda do rio. Patos negros se esgueiram por entre os galhos que estão para fora da água. Fogem do barulho do motor da canoa. É início de tarde. Em cima de uma tora que boia próximo à margem, três meninos *ashanincas* retalham com facão uma arraia.

Um casal e uma criança tomam banho no rio. No alto Ucayali é costume as famílias estarem juntas na refeição, no trabalho e no banho. Conhecemos Frederico Campos, a mulher Mava e a filha Melina, de poucos meses.

Frederico explica que entre junho e agosto a água fica mais cristalina. Em setembro, começa a se modificar, tornando-se mais turva. Maio é o melhor mês para pescar, quando o rio baixa e os peixes saem das pedras. O período de pesca vai até setembro.

Daqui a pouco anoitece. Vamos parar o barco em um sítio do rio Cuenga, onde pescadores costumam passar temporadas.

Quando chegamos ao sítio, acima de uma ribanceira, um grupo de jovens joga futebol. Aqui, vivem temporariamente cinco famílias, num total de 40 pessoas. Com o fim do período de pesca, os pescadores e suas famílias voltam para os povoados da região.

12

"Não matem os bruxinhos"

Na viagem pelo rio, Paco conta a história de sua família. Uma briga sangrenta entre dois clãs em Cantão, sul da China, no final do século XIX, forçou o jovem Fan San Chang, avô de Paco, a embarcar num navio rumo à América do Sul. Seus parentes foram assassinados. Em 1886, o menino Fan San, único sobrevivente da chacina, e dezenas de "chinos" foram comprados por traficantes e levados para Lima.

A leva de "chinos" seguiu para a fazenda de um espanhol, em Puerto Supe, cerca de 200 quilômetros ao norte da capital. Ali, centenas de negros e índios trabalhavam em condições quase escravas. Os "chinos" se juntaram a esses miseráveis no trabalho duro nas plantações de cana-de-açúcar, batata e arroz.

No dia a dia da lavoura, Fan San era protegido pelos demais "chinos", que o tratavam como o filho de um senhor nobre do Cantão. Os conterrâneos lhe davam de comer e beber e o defendiam da violência do capataz.

Um dia, o padre da fazenda batizou os "chinos".

— Fan San não é nome. Você precisa de um nome católico. Eu te batizo com o nome de Francisco Sanz.

Pouco depois, ele se tornaria um homem livre.

— Tu já me pagaste tudo o que eu gastei contigo — disse o dono da fazenda. — Se quiseres, posso te dar um terreno na propriedade.

Fan San, agora Francisco Sanz, não aceitou. Preferiu a liberdade. Foi embora, com a barba comprida e um "sombrero" chinês.

Chamou a atenção de Sanz um anúncio do governo peruano que procurava um empreendedor para colonizar Puerto Bermudez, na selva. Ele seria o administrador do telégrafo e incentivaria famílias a se instalarem na região. Lá, Fan San plantou arroz e criou gado.

Agora dono de uma propriedade na margem do afluente do Ucayali, Fan San se casou com a jovem Lucen, filha de uma família mestiça de negros e espanhóis. O sogro de Fan San era espanhol, e a sogra, negra. O xintoísmo de Fan San se misturou ao catolicismo de Lucen. O casal teve um filho, José Francisco Sanz, que, ao chegar à idade adulta, se alistou no Exército peruano. Na adolescência, José Francisco foi brigar contra a Colômbia na guerra por Letícia, cidade na beira do Amazonas que acabou sob domínio colombiano.

É o mesmo conflito de que fala Gabriel García Márquez na autobiografia *Viver para contar.* Os colombianos, incentivados pelo governo, doaram joias de suas famílias para financiar a guerra. "Essa era a minha vida em 1932, quando foi anunciado que as tropas do Peru, que vivia debaixo do regime militar do general Luis Miguel Sánchez Cerro, tinham tomado o desguarnecido povoado de Letícia, nas margens do rio Amazonas, no extremo sul da Colômbia. A notícia retumbou no país inteiro", escreve Márquez, num trecho que sugere ser Letícia a lendária Macondo, aldeia de 20 casas de barro e taquara construídas à margem de um rio de águas diáfanas, no livro *Cem anos de solidão.*

Depois da guerra, José Francisco Sanz voltou para a casa dos pais. Ali, conheceu Maria Rosa, uma índia *ashaninca* que recebeu o sobrenome Sanz. A família de José Francisco aceitou o namoro dos dois, mas impôs uma condição: a índia teria de ir para Lima aprender boas maneiras, um mínimo da língua castelhana e as artes de costurar e cozinhar. Voltou anos depois, pronta para casar com o filho de Fan San. Ela tinha 16 anos, e ele, 24.

Com o tempo, a pequena casa de madeira de Fan San, coberta com folhas de palmeiras, foi-se ampliando. Passou a ter dois pisos, 40 metros de comprimento e 12 de largura. Em volta da propriedade, havia 300 sítios de pequenos agricultores que mantinham negócios com a fazenda. Cerca de 150 pessoas trabalhavam diretamente para Fan San, que assim reconstruiu na margem do afluente do Amazonas o feudo que sua família possuíra em Cantão.

A criação de gado também prosperou. O fazendeiro conta agora com 300 cabeças.

A 28 de dezembro de 1944, nasceu o filho de José Francisco e Maria Rosa. No almanaque católico, era o Dia dos Santos Inocentes. Por isso, a irmã de José Francisco, Cármen Sanz Lucen, sugeriu que o menino se chamasse Inocêncio ou Inocente. O pai não aprovou a ideia. No Peru, o Dia dos Santos Inocentes é dia de mentira e de bobos, como o 1º de abril no Brasil.

— Não quero que meu filho tenha nome de tonto, de bobo. Vai-se chamar Francisco Sanz, como o pai e o avô.

Por fim, ficou Francisco Ricardo Sanz Sanz. Paco explica que o sobrenome foi repetido "para lembrar a mãe".

Fan San teve seis filhos. A maioria foi para Lima, estudar e virar doutor.

*

Paco conta que passou a infância com 15 "bruxinhos" criados por seu pai ao longo do Amazonas e dos afluentes. Toda vez que ia ao seringal ou passava pelas margens do rio Pichis, que banhava as terras da fazenda, Fan San fazia um apelo aos *ashanincas*:

— Não matem os bruxinhos. Se nascer algum, tragam para mim.

O povo *ashaninca*, assim como outros índios da bacia amazônica, costuma sacrificar meninos ou meninas que nascem com qualquer deficiência. Eles chamam essas crianças de bruxinhos.

— Bastava a criança olhar diferente, para um adulto sentenciá-la à morte — conta Paco.

A fazenda virou um paraíso de bruxinhos. Ali, eles eram mantidos intocáveis por ordem de Fan San. A tradição de matar bruxinhos era mantida somente fora dos domínios da casa-grande. Os *ashanincas* respeitavam esse limite. Na fazenda, alguns bruxinhos podiam não ter utilidade prática, mas todos eram respeitados pelos que viviam na propriedade e levavam uma vida normal de criança da selva, ainda que não tivessem pai ou mãe e causassem certo medo aos índios que faziam os serviços domésticos.

O barqueiro Paco conta um sonho que quase se tornou realidade. Quis implantar um mundo autônomo às margens do Amazonas. Ali, viveriam índios que ainda comiam gente e índios mansos, caboclos que perderam terras para petroleiras, homens que foram abandonados por mulheres e filhos, pescadores que, com medo dos espíritos dos kítzis, decidiram nunca mais pescar e os pobres em geral das comunidades da selva. Um serviço desenvolvido pela comunidade, com barcos motorizados e mulas, apanharia todos os meses os bruxinhos nascidos nas aldeias do grande rio e de seus afluentes, mesmo as mais afastadas e isoladas. Haveria dia e hora certos para recolher os pequenos "espíritos". Nenhum pai, mãe ou chefe de tribo se preocuparia ao ver crescer um bruxinho. O serviço seria infalível e não deixaria de apanhar as crianças no dia e na hora previamente combinados.

Na comunidade autônoma sonhada por Paco, os bruxinhos viveriam como qualquer criança num espaço amplo e arejado.

— Eu não seria um rei, mas um chefe máximo, um presidente, um coordenador. Toda a comunidade viveria bem. As casas seriam limpas, bem limpas. Cada família seria obrigada a plantar mandioca em um hectare de terra, 100 metros por 100 metros. Com a mandioca, não haveria fome. Também seriam plantadas outras lavouras; milho e batata. No verão, as margens do rio seriam cobertas de plantações de arroz e de mamão papaia. As crianças teriam religião, mas não precisariam ir à missa do padre nem ao culto do pastor evangélico. Os homens poderiam trocar de mulher, e as mulheres poderiam trocar de marido, se assim todos concordassem. A "*Comunidade das raças amazônicas*", como seria chamada a área, livre dos governos do Peru e do Brasil, concederia um documento de identidade também para os índios sem contato com a civilização. Não precisaria ter nome nem sobrenome de brancos.

Certo dia, Paco foi à casa de um curandeiro na beira do Amazonas. O homem lhe preparou uma porção forte de ayahuasca, o alucinógeno amazônico. Após tomar a beberagem, Paco teve a sensação de que sua camisa estava toda vermelha e pensou que estava botando sangue pela boca. Era só alucinação. Visualizou um velho que vestia roupas sujas e gastas.

— Quem é você? — perguntou Paco ao velho.

O velho apenas apontou para ele.

— Quem é você? — insistiu Paco.

Novamente, o velho apontou para Paco.

O velho era ele, Paco. O barqueiro concluiu que, se criasse a "Comunidade das raças amazônicas", nas margens do rio, morreria velho, num lugar afastado, maltrapilho e esquecido.

Desistiu do sonho.

*

Durante nossa viagem, José Zegarra, rapaz que Paco contratara para dividir com ele a operação do motor e do leme da canoa, está sempre irritado. Em nenhum momento Paco assumiu a sua parte no serviço. Prefere conversar, contar suas histórias, olhar o rio, às vezes deitado na proa com os braços por trás da cabeça.

13

O rio tem pai e mãe

Em uma duna na margem direita do rio, encontramos um grupo de *shipibos*, povo que se desloca do interior da floresta para a beira do Ucayali no início do verão. Os adultos têm estatura média de um metro e meio. A maioria veste roupas rasgadas.

No passado remoto, praticamente todos os amazônidas eram nômades. Ocupavam a terra enquanto ela era fértil. Com a exaustão da fauna e da flora, jogavam coisas e filhos nas costas e buscavam outro chão para trabalhar e viver. Nunca eram donos, mas sempre inquilinos da terra.

É a partir de junho que homens, mulheres e crianças *shipibos* deixam suas malocas de inverno e se mudam para acampamentos nas areias claras do rio. Com folhas de palmeiras e galhos, improvisam cabanas onde vão morar por seis meses. Só voltam para casa quando as águas começam a subir novamente, início do período a que chamam inverno.

O chefe do acampamento, Laulate Vasquez Ruiz, um senhor de uns 50 anos, nos pergunta se temos remédio para crianças. Conta que muitos meninos e meninas das famílias aqui acampadas estão passando mal, com dor de barriga e diarreia. A fisionomia das crianças não é nada boa.

Ele diz que o rio foi contaminado pelas companhias exploradoras de petróleo. Em outros tempos, crianças não passavam mal no verão amazônico.

— Botam petróleo nas cabeceiras e trazem enfermidades. Agora, contaminado. Antes, nunca contaminado. Há um ano, o gás matou muito peixe no Tambo, no Ene e no Urubamba.

Nunca um grupo de *shipibos* deixa de levar para onde for uma sacola com crânios de macacos. Quando uma criança está passando mal ou simplesmente assustada e com os olhos arregalados, o adulto pega um crânio de macaco e passa por todo o corpo do menino ou da menina. Hoje, diz Laulate, nem os crânios de macaco resolvem o problema das crianças. Os crânios servem também como adorno para os *shipibos.*

Laulate apresenta a família: a mulher, Lúcia; o pai, Hilário Panduco; a enteada dele e filha de Lúcia, Nora Lozano; a filha Blanca Ruiz; o marido de Blanca, Maximo Ochavano; a sobrinha Kelly e o marido dela, Victor. Também apresenta os netos pequenos: Allinson, Waldir, Laulate, Roudau, Ronald e Yon.

Lúcia rala bananas-da-terra para usar na sopa de peixe e no mingau das crianças. Assim que chegamos, ela nos oferece *massato*, uma forte bebida fermentada de mandioca conhecida também como *atassati.*

Nas terras perto das margens fertilizadas com os sedimentos deixados pelas águas do rio, os *shipibos* plantam milho, banana, arroz e uma série de raízes, como inhame e mandioca. O alimento principal é banana com peixe. As roças são colhidas quando as águas começam a entrar no acampamento e a se aproximar da lavoura.

Os meninos e meninas passam o dia nas dunas e na água, debaixo do sol e das raras chuvas de verão. Ali, aprendem a nadar e a pescar. Quando maiorzinhos, aprendem sozinhos ou com ajuda de crianças mais velhas os primeiros segredos da vida sexual. Os pais não interferem nesse processo.

Quando da primeira menstruação, as garotas ficam isoladas por um mês numa casinha toda fechada com folhas de palmeiras. Nem as mães entram na casinha, totalmente escura. Por um buraco, servem os pratos de comida para as filhas. A primeira menstruação é considerada um período arriscado, pois é nesses dias que as jovens podem engravidar. Por isso, são proibidas de ter contato com o mundo exterior.

Ao final do isolamento da jovem, a comunidade assa mais peixes, faz mais ensopados de mandioca e banana, prepara potes de *massato*. A festa se prolonga por dias. Para os *shipibos*, é época de danças e cantos antigos.

O sorridente Hilário Panduco, o homem mais velho do grupo, carrega marcas de costumes extintos. Ele faz questão de mostrar a cabeça alongada, quase triangular, a boca e o nariz bem acentuados para diante. É de perfil que essas características ficam ainda mais acentuadas.

Quando ele nasceu, seus pais colocaram, por alguns meses, duas tábuas, uma na testa e outra na nuca, para dar à cabeça a forma alongada. Era uma prática bastante adotada até a chegada dos padres espanhóis. Esses religiosos advertiram os *shipibos* de que as crianças com cabeças triangulares não pensavam direito.

— Não reduzam o cérebro, criança não pensa bem, para o estudo não rende — lembra Hilário, que, com o novo conceito estabelecido pelos missionários, enfrentou uma transição difícil de costumes. O que era belo tornara-se sinônimo de incapacidade mental.

Esse costume dos índios de mudar a forma da cabeça chamou a atenção de antigos viajantes, na Amazônia do século XIX. O francês Paul Marcoy, no livro *Viagem pelo rio Amazonas*, escreve que, na cidade brasileira de São Paulo de Olivença, região habitada pelos *omáguas*, o costume de achatar a cabeça das crianças era antigo: "A mãe do recém-nascido, depois de acolchoar-lhe a testa com algodão, a comprimia entre pedaços de madeira, aumentando a pressão até que a criança, na idade em que aprendia a falar, já tinha a cabeça alongada, semelhante à mitra de um bispo." Naquela época, o costume já estava sendo abandonado pelos povos tradicionais.

Panduco comenta que outro costume — relacionado à vida conjugal — ainda é comum no grupo. Quando um *shipibo* descobre que a mulher teve relação com outro índio, tem o direito de tirar, com um objeto cortante, uma lasca da carne da cabeça do outro. Este, de forma tranquila, se agacha, e o marido corta-lhe a tira de carne da cabeça. E fica tudo bem entre eles.

— Quantas marcas o senhor tem na cabeça?

— Quatro — responde com orgulho, sorriso aberto, fazendo questão de mostrar as quatro cicatrizes na cabeça.

Entre *shipibos*, o casamento é sempre arranjado. Os pais da menina escolhem o rapaz para casar com a filha. A menina aceita a escolha.

Panduco afirma que o rio nasce das águas das chuvas, não nasce da pedra como dizem pescadores que vêm de lugares distantes.

— O rio tem um pai e uma mãe.

Uacumama e Yacuruna são um casal de serpentes gigantes que vivem dentro do rio. Sirena é a princesa, filha deles. Essas serpentes saem das águas à meia-noite, hora em que os *shipibos* estão dentro das malocas.

Muitas são as histórias de pescadores levados pelas serpentes para morar com elas na parte mais profunda do rio.

— Quando elas vão embora, as águas também vão. O rio seca, o rio acaba.

Já ocorreu, diz Panduco, de as serpentes desaparecerem de alguns afluentes do rio. Esses cursos de água sumiram, secaram. Hoje, é possível atravessá-los sem molhar os pés.

As telas de algodão e a cerâmica das mulheres *shipibos* são bem conhecidas nas margens do Ucayali. Tanto nos potes de barro quanto nas telas elas desenham figuras geométricas e linhas que representam o céu, as serpentes, os mapas dos rios da selva ou mesmo uma alucinação de ayahuasca. A constelação do Cruzeiro do Sul — a Sapuen Notapa — também é desenhada nos vasos.

As estrelas, dizem os mais velhos, são lâmpadas que vão de um lado a outro em canoas pelo rio do céu. Quem manda no grande rio é uma outra grande serpente que vive no céu.

Após horas com os *shipibos*, retomamos a viagem. O bote *Zegarra* volta a descer o rio.

*

No livro *Paraíso perdido*, Euclides da Cunha relata que os "sipibos" do Ucayali estavam, naquele momento, início do século XX, acuados pelos caucheiros, exploradores da borracha: "A civilização, barbaramente armada de rifles fulminantes, assedia completamente ali a barbaria encontrada. Os peruanos pelo ocidente e pelo sul; os brasileiros em todo o quadrante de NE (nordeste); no de SE (sudeste), trancando o vale do (rio) Madre de Dios, os bolivianos."

Euclides afirma que o avanço da civilização é irreversível e que os *shipibos* desapareceriam, mas, hoje, tantos anos depois, eles estão vivos, nas margens do rio, embora o cerco continue.

O escritor considera a região do Ucayali um deserto. Mas o deserto de Euclides não é terra sem vida e sim uma terra sem lei. O deserto se torna deserto, na obra do escritor, com a chegada dos brancos. Euclides descreve o "deserto" do Ucayali como uma área em que os homens "civilizados" de Arequipa se sentem inteiramente livres das regras sociais e passam a praticar a barbárie.

Euclides da Cunha definia o deserto como um lugar em processo de extinção, incluindo neste conceito tanto a selva peruana quanto a caatinga nordestina — onde o Exército brasileiro exterminou os seguidores do líder sertanejo Antônio Conselheiro. Todos os tipos humanos do deserto — beatos e jagunços, por exemplo — estavam fadados a desaparecer, segundo Euclides, com os fluxos migratórios e o avanço da "civilização".

O deserto torna-se ainda mais deserto. Mas a história recente mostra a resistência dos sertanejos brasileiros e dos *shipibos* peruanos à "modernidade" e às alterações da geografia humana.

O deserto — ou o sertão — de Euclides é uma espécie de válvula de escape da barbárie, onde, de tempos em tempos, peruanos e brasileiros exercitam sua face criminosa. A violência não é coisa só do passado. As decapitações registradas por Euclides no final do século XIX, nos desertos por onde andou, se repetiram nas últimas décadas do século XX, em novas operações militares ou nos conflitos de terra. Fora os casos dos massacres de guerrilheiros e camponeses por militares brasileiros nas matas do Araguaia, nos anos da ditadura, na década de 1970.

O peso do deserto não está apenas na alma brasileira. Beatriz Sarlo, memorialista do regime militar que subjugou a Argentina de 1976 a 1983, considera o deserto uma das origens da cultura do seu país. Em *Escritos sobre a literatura argentina*, ela cita um verso de Esteban Echeverría — "El desierto, incomensurable, abierto" — para falar de um espaço ocupado por homens de uma cultura desprezada pelos colonizadores. Sarlo lembra a decisão da Espanha de não reconhecer os índios como seres humanos, comenta o vazio físico do deserto e observa que os intelectuais argentinos no século XX, como Jorge Luis Borges, expressaram sensações de quem vive no deserto, longe da Europa, no mundo de gaúchos e bárbaros. Ela diz que Borges e outros intelectuais, ao traduzirem obras europeias, revelavam a ânsia de preencher espaços vazios da existência — ou do deserto. Borges e outros escritores argentinos tinham consciência, ao mesmo tempo, de que a Argentina era esse deserto, e o recriavam constantemente.

O deserto brasileiro — ou o sertão — não é a mesma coisa. É mais um contraponto, um refúgio de quem se sente asfixiado nas cidades, seja o assassino ou o intelectual que idealiza o outro. Guimarães Rosa, por exemplo, fez dos jagunços instrumentos de seu diálogo com os pensadores europeus sobre a existência.

14

Descobrir a vida depende da matemática

O Ucayali está largo e mais raso. De longe, avistamos um grupo de 15 homens, bem no meio do rio, com água pela cintura, enfrentando a correnteza e arrastando uma grande tora que se desprendeu de uma jangada formada por outras 239. Os homens são liderados por Marden Vileacorta, de 36 anos. A tora tem 4 metros de comprimento e 1,5 metro de diâmetro.

Nessa época de verão, os homens aproveitam para cortar madeira, reunir as grandes toras no formato de uma jangada e transportá-las pelo rio para revendê-las na cidade mais próxima. É uma atividade ilegal.

O grupo de Vileacorta vai na jangada até Pucallpa. É em cima dessa embarcação que Luzmila, uma jovem de 18 anos descendente de índios, a única mulher adulta do grupo, faz a comida para os homens. Com um bebê de colo, Persi, e uma garota de 3 anos, Susi, Luzmila prepara frangos num fogão a lenha instalado em cima das toras. O marido dela, Roger, é um dos 15 homens contratados para levar as toras.

É em cima das toras que o grupo pesca, come, dorme. À noite, a jangada fica amarrada a uma árvore na margem do rio. No verão, os jangadeiros só viajam de dia, porque, à noite, é difícil evitar troncos, galhos e bancos de areia. Em época de cheia, viajam de dia e de noite, pois não há perigo de as toras encalharem.

Não há cobertura na jangada para aliviar o sol na cabeça dos adultos e das duas crianças. E elas choram.

Cada tora será vendida por 1.500 *soles*, cerca de 500 dólares em 2008. Até Pucallpa serão oito dias de viagem.

Nenhuma das balsas de toras que encontramos rio abaixo é maior que a embarcação descrita pelo francês Júlio Verne no romance *A jangada*. Verne nunca esteve na Amazônia, mas descreve o rio e seus afluentes com tal verossimilhança que é como se aqui tivesse vivido.

Verne se baseou numa história real para escrever *A jangada*. O livro conta a história do fazendeiro João Garral, de Iquitos, que, após um pedido da família, decide levar a mulher, os dois filhos, um futuro genro, índios e negros até Belém numa balsa gigante.

No romance, a embarcação é construída numa praia da confluência do Nanay com o Amazonas, em Iquitos. A jangada conta com jardins, choças para índios e criados negros, armazéns e uma ampla casa. Padre Passanha, que acompanha a família na aventura, ganha uma casa própria e uma capela na jangada.

Lá pelas tantas, Verne prevê que os índios desaparecerão. É o que chama de reverso do futuro. Nessa perspectiva, ele fala também dos árabes e prevê que, "talvez", um dia, eles fossem aniquilados pelos franceses. Até agora, mais de um século depois, nem índios nem árabes desapareceram, e o mundo árabe se expande. Os índios, embora tenham sofrido um holocausto na Amazônia, resistem, e sua população no Brasil está aumentando.

Durante o percurso da jangada, Garral é chantageado por um certo Torres, que sabe um segredo do seu passado e, para não revelá-lo, exige sua filha em casamento. Garral é, na verdade, João da Costa, que havia se refugiado em Iquitos, na margem do Amazonas, depois de ter sido acusado de matar soldados e roubar diamantes no Arraial do Tijuco — hoje Diamantina —, em Minas Gerais. O chantagista acaba morto num duelo com Bento, filho de Garral. João da Costa é preso e condenado à forca. A única alternativa de Garral para evitar que a sentença seja executada é decifrar um criptograma que estava em poder de Torres.

A aflição do personagem dura dias. O juiz de Manaus tenta entender a mensagem que revelaria o verdadeiro autor dos crimes. Decifrar o criptograma exige a associação de vários números e letras. Na visão de Verne, que fascinou gerações de adolescentes e adultos com seus livros de aventuras, descobrir o caminho correto da vida depende de um esforço e uma compreensão matemática. No livro, Garral consegue decifrar o enigma e é absolvido.

*

Pelo caminho de águas, encontramos botos vermelhos, aqui chamados de delfins e, em outros países, de golfinhos. São animais que estão desaparecendo da água doce do mundo, segundo especialistas e grupos de defesa da vida. Recentemente, cientistas londrinos divulgaram a informação de que a espécie branca que existia no Yangtsé, na China, foi extinta pela poluição e projetos de infraestrutura. No trecho paquistanês do rio Indo, uma espécie cega de golfinho resiste a investidas de agricultores que usam a água do rio sem critérios em suas plantações e lançam nela pesticidas. Um outro tipo de boto cego, o golfinho-do-ganges, que vive na Índia e em Bangladesh, enfrenta o problema das barragens e dos projetos de irrigação.

Mais adiante, encontramos uma canoa com dois pescadores — Leôncio Flores e seu filho Juliano. Eles mostram um peixe, o *baselín*, que teve a cabeça cortada por um boto. Contam que uma boa pescaria, com uma rede de 300 metros de comprimento e 1,5 metro de largura, rende até 60 quilos de *baselín*.

15

Sessenta e nove mil pessoas morreram

José Zegarra, responsável pelo motor e pelo leme, é um homem calado. Não que seja tímido. Basta puxar conversa com ele para se ter um bom papo. Durante a viagem, prefere ficar em silêncio, ao contrário de Paco.

O braço direito de Zegarra é alongado, desproporcional ao corpo. Imagino que o braço possa ter sido alongado pelo movimento de acionar o leme durante anos e lhe pergunto se foi isso mesmo que aconteceu.

Ele conta sua história.

Em junho de 1984, quando era soldado do Exército peruano, fez parte de uma patrulha de 12 homens do povoado de Padre Abad que seguia para Tingo María, na chamada zona vermelha da selva, onde era constante a atuação de guerrilheiros do grupo maoísta Sendero Luminoso.

Uma tarde, por volta das cinco, Zegarra está no último carro de um comboio de três veículos, num caminho estreito e sinuoso, na montanha, quando um dos colegas grita:

— Granada! Todos ao chão!

Oito companheiros dele morrem na hora. Os militares dos outros carros retornam rapidamente. Minutos depois, guerrilheiros do Sendero camuflados na mata abrem fogo de armas automáticas e lançam outra granada. Um tiro de fuzil acerta o braço direito do soldado Zegarra. A bala ataca os nervos, o braço "seca".

Horas depois, outro carro de uma base militar de Pucallpa recolhe os cadáveres e os feridos.

Criado pelo professor de filosofia Abimael Gusmán nos anos 1960, o Sendero contou com a adesão de estudantes e professores. Os senderistas se propunham a mudar a realidade do país pela luta armada, a partir de bases na área rural seguindo os princípios do líder chinês Mao Tse-tung. Outros grupos guerrilheiros atuaram no Peru, como o Tupac Amaru, divergente do Sendero.

A Comissão da Verdade e Reconciliação, criada em 2001, logo após a queda do presidente Alberto Fujimori, calculou que 69 mil pessoas morreram na guerra entre o Sendero, as Forças Armadas, o Tupac Amaru, as polícias e os grupos paramilitares de combate às guerrilhas. Parte dos mortos era de camponeses, envolvidos ou não. Capturados em 1992, Gusmán e a mulher, Elena Iparraguirre, foram condenados à prisão perpétua.

Zegarra passou três meses num hospital de Lima. Deixou o Exército, ganhou 40 mil *soles* de indenização e comprou em Atalaya, à beira do rio, uma casa de quatro quartos, sala e cozinha, onde passou a morar com a mulher e os dois filhos e a trabalhar com o pai, Astênio, no serviço de transportes em embarcações alugadas.

— O Sendero chegava às casas, cadastrava as pessoas, recrutava os jovens, fazia reuniões, explicava seu modo de vida. Alguns se convenciam e seguiam o grupo.

Zegarra diz que os senderistas propunham sempre uma troca de ideias e experiências, mas na verdade já tinham suas decisões tomadas. O que existia, na visão do ex-soldado, não era uma troca, não era um diálogo entre os idealistas e as pessoas simples, e sim uma representação, um teatro.

— Participei dessas reuniões. Eles diziam que a gente precisava dar dinheiro e comida ao grupo. Se a pessoa não desse, não durava muito tempo.

Zegarra conta que muitos de seus amigos entraram para a guerrilha. Em 2004, o governo anistiou alguns envolvidos no movimento.

— Eram os terroristas cansados daquela vida e que queriam se integrar à sociedade. Hoje, tenho amigos terroristas arrependidos, como o Chayco, o Jesus, o Jorge.

Zegarra lembra que a relação com vizinhos e amigos passou a ser muito estranha após a queda da guerrilha. No passado mais distante, Zegarra, Chayco, Jesus e Jorge jogavam bola, nadavam no rio, chegaram a frequentar uma escola. Depois, veio o Sendero, uns foram para a guerrilha, outros para o Exército. Após a anistia, todos voltaram a viver em Atalaya, às margens do rio. Zegarra lembra que houve, então, entre esses antigos amigos, um período de estranhamento e até ódio mortal. Mais recentemente, porém, o problema foi superado.

— De um lado e de outro, a gente fez o que não estava nos nossos planos. Não tinha o caminho certo. Hoje, a gente olha um para o outro e realmente não sente mais ódio, não é isso o que a gente sente.

16

Os espantalhos parecem humanos

Pela manhã, o sol vermelho tinge a linha do horizonte, a canoa passa por um arrozal plantado no barranco da margem direita do rio. Quatro espantalhos balançando ao vento protegem a plantação. Paramos a canoa.

Os espantalhos não têm pés, braços nem cabeças, são simplesmente peças de roupas penduradas em cordas amarradas em varas sobre o arrozal: um vestido verde, uma blusa costurada a uma saia verde, uma blusa laranja costurada a uma calça rosa e uma blusa bege sobre uma calça verde. Aqui, no baixo Ucayali esses espantalhos são chamados de pilatos.

Quem olha de longe tem a impressão de que aqueles *espanta pájaros* são humanos. É o balanço do vento que cria essa ilusão.

Além dos espantalhos, o dono da roça, Adan Fernandez, estendeu em frente à plantação uma rede de pesca para capturar os passarinhos que se atreverem a comer no arrozal.

— Os *chibillos*, passarinhos negros, são bem ousados — comenta Fernandez, um homem alto e magro, de cabelos grisalhos e encaracolados, calça e camisa brancas compridas.

Ele reclama ainda dos *pihuicchos* e *chichirichis*, periquitos que costumam se alimentar nos arrozais e milharais.

Fernandez e a mulher, Mirsa Sanchez, se dizem satisfeitos com o "trabalho" dos pilatos.

Paco, o piloto da canoa, entra na conversa e decide explicar o motivo da nossa viagem:

— Eles são brasileiros, escrevem um livro com mais de 500 páginas sobre esta gente toda que mora nas margens do rio.

— E sobre os pilatos também — diz o dono do arrozal, sorrindo.

Paco também sorri:

— Sim, sobre tudo.

— Os pilatos nos ajudam bastante. Eles espantam mesmo as pragas do arroz — diz Fernandez.

Uma árvore com frutos redondos do tamanho de uma bola de futebol ornamenta o quintal da casa. É a *tufuma-wingo*. A casca seca do fruto é usada como recipiente.

Lá embaixo, no rio, uma ilha de guamas está sendo levada pelas águas. A guama, conhecida também como pasto-elefante por causa do tamanho do capim, se alastra pelas margens. A erosão joga na água pedaços de terra das margens tomados por guamas que passam a flutuar e são levados pelo rio. Descem até chegar a outro trecho de margem, onde se prendem novamente à terra. O guamal, ou ilha verde flutuante, volta a crescer.

Adan Fernandez e a mulher vivem desde 1993 nesta margem do rio. Tiveram quatro filhos. Todos os meninos morreram na infância, "de febre".

17

São 218 livros para duzentas pessoas

A Vila de Bolognesi fica na margem direita do rio, longe da água, de onde se avistam apenas montes de toras. A entrada da vila é um grande depósito de madeira retirada ilegalmente para ser vendida. Entre as toras, motoristas de triciclos de aluguel esperam passageiros. Num desses veículos seguimos por uma estrada de terra empoeirada, sob um sol abrasador.

Aos poucos surge Bolognesi com suas casas de madeira cobertas com folhas de palmeiras. O palácio municipal, a igreja e a biblioteca são de alvenaria.

No prédio do palácio municipal há energia para carregar as baterias das câmeras. Uma funcionária da prefeitura informa que Bolognesi tem 200 habitantes e uma biblioteca com 218 livros.

Dos 218 livros existentes nas prateleiras de madeira da biblioteca, nove são de literatura. Os demais são livros didáticos, da matemática à biologia. Números antigos do jornal *El Peruano* — o diário oficial do país, fundado por Simon Bolívar em 1825 — preenchem os espaços.

Kátia Coral Díaz, de 21 anos, toma conta da biblioteca. Ela expõe numa mesa os nove livros de literatura. Um exempar de *A Ilíada*, de Homero; uma antologia da obra de Gabriela Mistral; o romance *Don Segundo Sombra*, de Ricardo Güiraldes; *Martín Fierro*, de José Hernandez; *Bodas de sangre*, de Federico García Lorca; *La barcarola e 20 poemas de amor y una canción desesperada*, de Pablo Neruda; *Poesia*, de Fray Luis de León; e *El hombre mediocre*, de José Ingenieros. Sem recursos para novas aquisições, a biblioteca não possui livros de autores como García Márquez, Jorge Luis Borges, Miguel Angel Astúrias, Julio Cortázar, Vargas Llosa ou Juan Rulfo, nomes que dominaram o cenário literário latino-americano nas décadas recentes.

A bibliotecária conta que só crianças da vila costumam fazer pesquisas e folhear os livros. Os meninos e as meninas que moram nas margens do rio e das lagoas, nos terrenos afastados das águas ou dentro da floresta dificilmente vão à vila e à biblioteca.

O mormaço na Vila de Bolognesi, as plantações de banana e o clima de mistério nas ruas empoeiradas lembram Macondo, cidade-personagem de um livro que não está nas prateleiras da biblioteca — *Cem anos de solidão* —, em que García Márquez conta a história de homens que sonham chegar ao mar e lembram, diante do pelotão de fuzilamento, cenas do passado.

Antes de Márquez lançar *Cem anos*, em 1967, Borges escreveu, em 1943, o conto "O milagre secreto", sobre um poeta checo que, ao ser preso pela Gestapo, recorreu a Deus para terminar a tragédia *Os inimigos*. Na fração de tempo entre o momento em que o chefe do pelotão lhe ordena que avance um passo e o instante em que o oficial grita "fogo!", ele conclui a obra. O tempo para, ouvem-se os estampidos, e uma gota de suor escorre por seu rosto. Fica a certeza de que alguns segundos são suficientes para um homem fazer algo grandioso na literatura e na vida.

18

"Diga a meu pai que o espero no paraíso"

Final do dia. Passaremos a noite no vilarejo Nueve de Octubre, na margem esquerda. Escalamos uma íngreme escada de terra de cerca de 20 metros. Passamos por uma plantação de bananas e um trecho de mata e chegamos às primeiras casas. Somos recebidos por María, dona de algumas malocas no local. Ela avisa que sem mosquiteiro é impossível suportar os insetos.

Em uma das malocas, instalamos as redes e os mosquiteiros. Sem portas, as casas dos povoados e acampamentos às margens do rio estão sempre abertos para quem vem de fora. É como se o viajante, nestas paragens, fizesse parte da família.

Paco pede a uma das mulheres que prepare macarrão com atum, trazidos de Atalaya. Durante o jantar, aproxima-se de nós outro viajante — Oscar Dávila Navarro, de 48 anos, funcionário do Instituto Nacional de Recursos Naturais, órgão de fiscalização do meio ambiente do Peru. Em resposta a perguntas nossas, ele conta que os três funcionários do Inre que atuam neste trecho do Ucayali são insuficientes para combater os crimes ambientais. Fala da máfia que rouba madeira da floresta. Em Pucallpa, cidade mais próxima, a madeira ilegal é "lavada" por meio de falsificação de documentos e transportada para Lima, de onde é exportada.

— Logicamente, eles [mafiosos] têm relações com gente de poder. Os madeireiros põem pessoas na cabeça do governo para protegê-los. É um negócio que move muito dinheiro.

Caoba e cedro são as árvores preferidas pela máfia de Pucallpa. Há muitas madeireiras, mas a rede de destruição é controlada por um pequeno grupo, relata Navarro. As comunidades tradicionais entram no esquema. Ribeirinhos vendem um tronco de árvore por 15% do valor pago na cidade. Justificam-se dizendo que fazem isso por necessidade.

Navarro cita o Consórcio Florestal Amazônico, pertencente a um grupo espanhol. Diz que a atuação do consórcio, sofisticada, se aproveita das brechas da lei e consegue autorização do governo para "destruir a selva como todos os demais vilões".

Ao saber que passaremos por Iquitos, Navarro dá o endereço de seu pai, Javier Dávila Durant. Diz que Javier é poeta e escreveu livros sobre o rio e a selva.

— Ele pode ajudá-los. É homem que conhece bastante o Tambo, o Ucayali. Ele vai gostar de saber que vocês vão escrever um livro sobre o rio. Isto aqui é um paraíso para ele.

Navarro manda um recado para o pai:

— Diga a meu pai que estou com saudades. São anos sem vê-lo. Estou neste trabalho, falta tempo para ir a Iquitos. Diga que o espero em Atalaya, no paraíso dele.

Pescadores e homens de uma balsa alertam que o trecho daqui a Pucallpa é perigoso, cheio de bandidos, e os assaltos são comuns. Paco tenta amenizar, diz que não há tanto risco assim. Eles sugerem que esperemos a descida de uma balsa. A noite será longa e cheia de dúvidas.

Os mosquitos passam pela tela de proteção, infestam a rede. Bem que María havia nos alertado. As coceiras nas pernas, braços e pescoço incomodarão durante pelo menos uma semana.

*

Na manhã seguinte, os homens voltam a alertar para o perigo de assaltos no rio. Um deles diz que não gostaria que os amigos brasileiros sofressem qualquer problema na "grande pátria peruana". Vai demorar a chegada de uma balsa ao acampamento. Decidimos, então, correr o risco. Paco fica visivelmente contente com a decisão de prosseguirmos na *Zegarra* até Pucallpa.

Plantações de mamão e banana tomam as margens do rio. Nos anos recentes, o governo incentivou o cultivo dessas frutas, destinadas ao abastecimento de Lima e às exportações. As lavouras ocupam toda a parte alta das margens, as terras firmes que não são inundadas na cheia.

Os *papayeros*, barcos com cobertura de madeira que transportam mamões e bananas para a capital, são comuns ao longo do rio. Um *papayero* tem motor de 18 cavalos, 17 metros de comprimento, 2,5 metros de largura e 1,2 metro de altura. Caixas de madeira são carregadas na cobertura.

Pela manhã, o rio está repleto de *cushiris*, patos selvagens típicos do Ucayali.

— Falta muito para chegar a Pucallpa, Paco?

— Uma volta e um estirão — responde. Na conta dele, uma volta significa precisamente 20 minutos, e um estirão, 15 minutos.

Às 12h40, avistamos Pucallpa.

Paco aproveita para se autoelogiar:

— Disseram que não era seguro. Eu disse: "Creiam em mim." Eu disse: "Não há assalto."

Mais perto de Pucallpa, ele levanta as mãos para o alto, é claro que sabe dos riscos e está aliviado. Faz uma oração em voz baixa e depois grita:

— Obrigado, obrigado, meu Deus!

Paco tira da carteira uma foto sua, com a data de 22 de julho de 1965 escrita a caneta, em que aparece de óculos escuros, calça comprida.

— Alain Delon — brinca.

19

O porto

Pucallpa está a mais de 2.300 quilômetros das nascentes do rio, numa projeção que pode variar para mais ou menos. Poucas luzes iluminam o porto da cidade na madrugada de verão. Mais de 200 botes estão chegando ao cais carregados de peixes. Em cada bote, há três ou quatro pescadores. Nos barcos, os peixes estão cobertos de palha de arroz, uma forma de protegê-los do sol e dos pássaros do rio nos 10-15 dias de duração das pescarias. Cada bote transporta uma tonelada de peixe. Homens e mulheres se aproximam dos barcos e negociam com os pescadores. Dão ordens para carregadores começarem a transportar os peixes comprados. Os carregadores sobem o barranco do porto com grandes bacias plásticas cheias de peixes. As mulheres enchem sacolas. Uma grande vala de esgoto despeja os detritos da cidade onde pescadores e negociantes acertam as contas.

Uma parte dos peixes é depositada em lonas abertas no chão logo depois da ribanceira em que feirantes começam a instalar barracas de ferro e lona. Aqui, o peixe é pesado em balanças manuais e vendido no varejo, um pouco mais caro que nos botes. Urubus, que as pessoas aqui chamam de corvos, sobrevoam os botes. Alguns pousam na lama e começam a brigar pelos restos de peixes jogados fora. Sobre o rio, são acesas as luzes das casas flutuantes. Pescadores saem dos barcos carregando pequenas sacolas plásticas com peixes e os trocam por bebida nas barracas. Cada bote se especializa em um tipo de peixe: sardinhas, palometas, carachamas e piranhas, além dos pescados nobres, como dourados, *doncellas* e corvinas. As pessoas mais pobres compram geralmente as pequenas e arredondadas palometas. No atacado, com venda mínima de 10 quilos, o quilo de sardinha sai por 1 *sole*, e o de *doncella*, por 7 ou 8. Na feira, a *doncella* é vendida no mínimo por 10 *soles*. Um carregador recebe 1 *sole* para levar até a feira uma bacia com 30 quilos de peixe.

Durante a pescaria, botos costumam atacar os peixes maiores que estão presos nas redes e arrancar-lhes as cabeças, e é por esses peixes que os corvos estão brigando agora. Outros corvos parecem assistir à briga, pousados nas estacas em que estão amarrados os botes. Um barco vazio transporta uma família para o outro lado do rio. Um homem toma água e lava a boca no remanso do rio que recebe o esgoto de Pucallpa. O outro lado é uma ilha de areia que se forma na baixa das águas, tomada por dezenas de embarcações encalhadas. É um cemitério de barcos.

O sol começa a esquentar. Gaivotas chegam, disputando espaço com os corvos. Crianças também se aproximam dos botes, silenciosas. Com uma sacola na mão, um menino fica parado perto de um pescador. Retira uma sardinha do bote e passa a olhá-la. O pescador nada fala. O menino coloca a sardinha na sacola. Em seguida, vagarosamente, pega outra sardinha. Olha o peixe, olha, olha... O pescador mais uma vez não reage. O menino coloca o peixe na sacola. Assim, vai enchendo de sardinhas a sacola. Na feira, aumenta o movimento nas barracas. Mulheres vendem pamonhas e bolos de mandioca. O som é ligado em muitas barracas. Outros botes ancoram no porto, trazendo cachos de bananas. Também chegam os barcos de transporte de passageiros, os "coletivos" — *Vison*, *El Solterito*, *Don Rafa* —, que trazem também sacos de arroz e milho. As barracas que vendem almoço são abertas às 8h. A maioria dos pescadores já está fora dos botes, na feira.

No porto, o biólogo Roger Bazan Albitez, de 31 anos, faz anotações em sua prancheta, em meio à multidão, ignorando o burburinho ao seu redor.

Roger ganha do governo peruano por mês 500 dólares para acompanhar pelas manhãs, de segunda a sábado, o movimento no porto. Recolhe informações do setor pesqueiro, registra as zonas de pesca, verifica quais malhas estão sendo usadas, a quantidade e o tamanho dos peixes, levando em conta as espécies. O *boquichico* chegava grande ao porto. Agora, os pescadores o capturam em estágio de alevino, com 20 ou 22 centímetros. A lei não permite a pesca de *boquichico* com menos de 25 centímetros.

Um homem passa com uma bacia de *boquichicos*, e o biólogo comenta comigo que nenhum dos peixes tem o tamanho mínimo exigido.

— O *boquichico* sofre alta pressão pesqueira.

Roger explica que, com a escassez de outras espécies ao longo do rio, os pescadores entram nas lagoas onde os *boquichicos* vivem em cardumes e capturam todos, inclusive os pequenos. O biólogo lamenta que suas reuniões com pescadores para convencê-los a preservar os filhotes dos *boquichicos* tenham sido infrutíferas.

Na região, os pescadores usam dois tipos de redes, a *trompera* e a *hondera*.

A *trompera* tem em média 60 metros de comprimento por 4 metros de largura. O problema, segundo o biólogo, é que um barco com dois pescadores leva até 20 redes *tromperas*, amarrando uma depois da outra, formando uma "teia de aranha" na água e não deixando brecha para os filhotes escaparem. A formação dessas teias é proibida.

Roger sobe a um bote e mostra várias redes usadas pelo dono da embarcação.

A *hondera* tem 160 metros de comprimento, é instalada no rio em forma de círculo, uma ponta amarrada à outra. É uma rede autorizada, mas de uso ilegal quando o tamanho de seus quadrados são menores que duas polegadas. Muitos pescadores usam redes com buracos de uma polegada e meia, e capturam peixes em estágio de alevino. Para a *trompera*, a exigência legal é de no mínimo duas polegadas e meia, mas há pescadores que levam para o rio redes desse tipo com buracos de duas polegadas.

Em épocas de seca e de pouco peixe no rio, a colônia de pescadores se divide. Os *tromperos* acusam os *honderos* de serem a causa da escassez por capturarem peixes pequenos demais com redes de linhas de náilon finas, ilegais, de números 3 e 6. Só são permitidas as de números 9, 10, 11, 12 e 15. Os *honderos*, por sua vez, dizem que os *tromperos* é que estão acabando com os peixes, porque usam número excessivo de redes ao mesmo tempo para fazer varreduras no rio e nas lagoas. As discussões chegam a resultar em agressões físicas e promessas de morte.

Uma pesca dura de 15 a 20 dias. Nos momentos mais críticos da seca, o pescador, em vez de trazer uma tonelada de peixes, só traz 200 quilos ou menos. É aí que começa a briga entre *tromperos* e *honderos*. Uma briga onde nenhum lado assume seus erros.

Roger não vê problema no uso da palha de arroz para proteger os peixes capturados. O material é orgânico, observa. Pior é o uso de lonas que são estendidas em cima da palha e, uma vez descartadas, vão para o rio, um material que leva anos para se decompor.

Implacável para cardumes de palometas, a *hondera* se desfia como fios de algodão diante de um *paiche*, no Brasil chamado pirarucu.

A arte da pesca do *paiche* é outra, explica o biólogo. Das 1.200 larvas de uma fêmea, 300 chegam ao estágio de alevino, 150 à fase juvenil e apenas sete à idade adulta. Num primeiro momento, as larvas são atacadas por predadores naturais, como lagartos, aves e bagres gigantes. Depois, os alevinos têm dificuldade de se alimentar e sobreviver. A passagem da espécie da fase juvenil para a vida adulta esbarra no problema de grande densidade demográfica nas lagoas onde vivem. Numa lagoa de 10 hectares, 100 mil metros quadrados, somente de cinco a dez *paiches* adultos podem sobreviver.

— São territorialistas, especialmente quando vão se reproduzir, entre outubro e março — diz o biólogo.

Durante a reprodução, o macho passa da cor verde-oliva para preta. Depois, o pai se responsabiliza pela criação dos filhotes até estes atingirem 25 centímetros. As crias nadam ao redor da cabeça do pai. Quando surgem predadores, os filhotes entram na boca do pai e ali ficam até passar o perigo. Não há comprovação de que um pai coma filhotes, mesmo que por acidente.

O biólogo tem interesse em estudar a relação de pais e filhos adultos.

— Com esse estudo vamos saber se realmente há uma disputa entre pai e filho pelo controle da lagoa, e quando ocorre a fase de migração dos peixes de um lago para outro.

O poeta peruano Javier Dávila Durand fala no poema "El linaje de fosil del paiche", de *Parque de reserva*, livro IV da série *El Río de la vida*, da forma como o peixe protege o filho e luta contra o pescador.

> Eras, siglos, tanto tiempo le trazan
> la figura a este animal de lagos
> y parajes donde es hembra el silencio.
> (...)
> Se desplaza en sus proprias lentitudes.
> Prefiere el matorral de la ribera,
> y uno sabe que está ahí, si bien sabe,
> (...)
> por la leve burbuja del cansancio.
> El fizga, nuestro sabio pescador
> de pescadores, conoce así el peso,
> (...)

entre el hábil y porfiado fizga
    y el paiche protegido por el auge
    de noche eterna del lecho del lago.

En esta lucha ganará el mejor.
    ¿Cómo el fizga perdió a la criatura?
    ¿En qué momento el indómito paiche

terminó en la canoa sigilosa?
    De la lid, si al alba o en la noche,
    nos deslumbran dos rigores sabios:

la paciencia hierática del fizga
    y la atinada percepción del paiche.
    ¡Como para aprender a ser insigne!

Mas foi a *doncella* que mais chamou a atenção do biólogo Roger. Ele apresentou uma tese para definir qual o tamanho da *horquilla* do peixe — da ponta do bico ao meio do rabo — no momento da primeira reprodução.

Ele chegou à conclusão que a *doncella* se reproduz pela primeira vez com 87,5 centímetros de comprimento. Com essa tese, ele recomendou que os pescadores de Pucallpa só capturassem *doncellas* com *horquilla* mínima de 89 centímetros. Essa pequena diferença de 1,5 centímetro é a garantia de que o peixe tenha se reproduzido pelo menos uma vez antes de cair na rede.

De 1,2 milhão de óvulos liberados por uma fêmea, 1,5 mil sobrevivem nas primeiras semanas. Com dois anos, o peixe chega a 87,5 centímetros. O biólogo diz que faltam recursos para desenvolver uma pesquisa capaz de revelar quantos óvulos, num total de 1,2 milhão, chegam à idade de reprodução.

20

Uma casa flutuante

Paco nos leva até o Brisas, uma casa flutuante do rio que serve de ancoradouro para barcos de pescadores. O flutuante tem quatro portas e quatro janelas. Para se chegar até a casa, é preciso pegar um barco. Aqui mora Edith, que foi casada com Frau, um sobrinho de Paco. Frau, morreu há sete anos, de uma doença conhecida por "mal do rio", um tipo de infecção pulmonar.

Edith e seus cinco filhos e dois netos sobrevivem com o dinheiro que ganham cuidando de barcos ancorados à noite no flutuante. Cobram 1 *sole* por bote. A filha mais velha, Krisly, de 20 anos, é mãe de Carolie, 1 ano e 11 meses, e Ladi, recém-nascida, que também moram no flutuante. Yurama, de 17, está em Lima, onde estuda. Jhan Paul, de 14, também não está em casa. Há ainda o casal de gêmeos, Carlos Alberto e Susan, de 13.

Almoçamos no flutuante com a família. Edith prepara banana e peixe fritos. Depois do almoço, seguimos para a cidade. Paco diz à sobrinha que retornaríamos para fazer fotos da família.

Na manhã seguinte, Edith e as crianças estão arrumadas. Carlos Alberto, um típico menino de rio, vestiu uma camisa, algo raro no dia a dia. As meninas se ajeitaram. Os bebês apareceram com roupas novas.

Edith conta que se esforça para formar os filhos.

— Quero que meus filhos não sejam como eu. Esta vida é muito dura.

Ela diz que o nome do flutuante tem a ver com o clima.

— Aqui é fresco, vem sempre esta brisa.

Afirma, porém, que antes de 2001 sentia menos calor. Acha que o clima mudou. As condições da água também.

— A água está mais suja. O número de botes aumentou. O esgoto jogado no rio também.

Antes, a família vivia num flutuante de 12 metros de comprimento, 8 de largura e 2,5 de altura. Como o rio mudou, a água baixou mais, Edith desmontou a casa e construiu a atual, de 9,5 metros de comprimento, 4,5 metros de largura e com a mesma altura da anterior. O piso e o teto do flutuante antigo foram aproveitados.

A casa atual flutua em cima de 12 topas — uma espécie de madeira bem leve. Entre as topas e o piso são colocadas as *quinillas*, madeiras mais duras, para dar sustentação. O piso é feito de *catahuas* — madeira não muito dura.

Em épocas de cheia, Edith amarra o flutuante num ponto da margem, para o rio não levar a casa.

Único filho homem da casa, Carlos Alberto é quem trabalha mais diretamente com os donos de bote. É ele quem transporta as irmãs e a mãe para a cidade, busca combustível e mantimentos.

Aprendeu a nadar aos 3 anos. Desde os 10 pilota botes motorizados.

Introvertido, ele responde apenas com movimentos faciais a perguntas sobre a vida no rio. A mãe diz que mesmo em casa, em família, ele é de poucas palavras e gestos. Tem um olhar sempre sério, parece não dar importância ao relato de Edith sobre dramas familiares, como a morte de Frau e as dificuldades financeiras. Edith relata que, diferentemente das irmãs, Carlos Alberto não costuma se abalar com qualquer problema.

Mesmo porque, observa a mãe, é o único homem da família. Este distanciamento também é demonstrado por ele na rua e no colégio.

— Ele é muito quieto, mas não há trabalhador melhor — diz a mãe.

Carlos Alberto é um super-homem bem diferente do vivido pelo garoto descrito no romance *História do pranto*, de Alan Pauls, que imagina deter no ar um pedaço de montanha dos Andes prestes a cair nas pessoas, cede a falsas emoções sociais e chora de forma forçada quando vê pela televisão o Palácio de La Moneda em chamas, em 1973.

O menino do flutuante cresceu no calor do Ucayali, pilotando barcos, mergulhando no rio. Suporta sem reclamar o sol abrasador.

Um dia após a tomada de fotos, voltamos à casa flutuante para entregar o novo retrato da família numa moldura de madeira. A imagem é pendurada por Edith na parede. E nos despedimos de Paco e José.

21

A menina não seguiu o caminho do rio

É na região de Pucallpa que o rio apresenta mais curvas, uma serpente sem fim, maior que o réptil das lendas *ashanincas*. O dia está nublado e não dá para arriscar perder dinheiro num voo para fotografar o Amazonas e seus "s".

Um funcionário de uma companhia aérea, que estudou na Universidade de São Paulo, diz que o trecho até Iquitos é o preferido de fotógrafos e cinegrafistas pela quantidade de curvas. Em voos comerciais é possível ver o rio serpenteando a floresta.

No pequeno aeroporto de Pucallpa, duas moças oferecem serviço de massagens rápidas. Respondemos que o dinheiro está contado, precisamos ainda chegar a Iquitos e de lá alcançar a fronteira do Peru com o Brasil e a Colômbia. Yoni Sanchez, 25 anos, oferece massagem gratuita de mãos e diz sorrindo que o resultado nos ajudará na viagem.

Ao lado dela está, também sorridente, Jellen Beatriz Cáriga, 24 anos, olhos castanhos, amendoados e brilhantes. Morena índia, baixa, cabelos lisos, rosto largo, boca comprida.

Com as mãos enfiadas nos bolsos do jaleco branco, puxa conversa. Seus pais e duas irmãs moram em Huánuco, cidade ao pé dos Andes.

Tem curso técnico de enfermagem e recentemente desceu das montanhas para trabalhar em massagens rápidas. Seu olhar oscila entre a melancolia e a ingenuidade, como o da maioria das mulheres dos Andes. Ainda na selva peruana, ela adotou os cabelos soltos e a minissaia, que ressalta suas belas pernas, comuns às mulheres desta parte da Amazônia.

*

Tempos depois, reencontro Jellen, num final de tarde de inverno, na rua Las Palmeras, em San Isidro, bairro nobre de Lima. A menina não seguiu o caminho do rio nem se contentou em ficar às suas margens, em Pucallpa.

O Peru que se moderniza é o país de jovens que fogem dos milhares de povoados dos Andes e da selva, pegam uma das muitas estradas sinuosas, estreitas e escorregadias, à beira de precipícios, asfaltadas, mas precárias, e seguem para a capital. É nas grandes cidades que os governos concentram os serviços e equipamentos públicos.

Na capital peruana, os problemas sociais explodem na periferia. O rico bairro de Miraflores é uma ilha, com grandes prédios, mansões e restaurantes sofisticados. Os pobres só aparecem, com suas roupas coloridas, nos outdoors espalhados pelo governo às margens das avenidas.

Jellen foi morar com uma tia, numa casa pendurada num dos barrancos do Pacífico, distante da Lima moderna e atraente

— Moro onde é possível — diz.

Na tarde fria, ela protege a cabeça com um gorro de lã de Huánuco. De lá, trouxe a melancolia e a ingenuidade no olhar; de Pucallpa, o sorriso aberto.

De botas, calça jeans e blusa colorida, anda com a leveza das moças da selva. Percorre as ruas geladas dos bairros elegantes de Lima, altiva e sensual, parecendo decidida a não se intimidar com as restrições de classe social. Gastou todas as suas economias com o táxi para chegar ao bairro nobre de San Isidro. Ela e o motorista, acostumados à periferia, desconheciam esta parte da capital, estas grandes avenidas que, há poucas décadas, eram ocupadas por chácaras e não tinham o movimento frenético dos carros, a luminosidade dos letreiros, o luxo das construções.

À mesa de um restaurante, pouco depois, Jellen parece baixar a guarda e não esconde que, ali, se sente uma estrangeira. Conta que ainda não conseguiu emprego. Cada dia é uma batalha para conseguir o dinheiro do dia. Longe, em Huánuco, o pai está com problemas de saúde, e por isso a família tem dificuldade em enviar ajuda. Sua esperança é o curso que faz para trabalhar como atendente de empresa aérea.

Reclama da vida afetiva, diz que os rapazes não querem saber dela. Mentir ela pode ter aprendido ainda em Pucallpa. Jellen transpira sensualidade. Na conversa, dá a entender que, por muito tempo em Pucallpa, foi um tipo de menina má que desaparecia da vida dos namorados e reaparecia inesperadamente. É no diálogo que Jellen se torna maior que a Lima moderna dos cafés luxuosos e dos jardins. Quer saber letras de músicas brasileiras, quer ouvir "Garota de Ipanema". Diz que é fascinada pela língua portuguesa pelo simples fato de ser diferente do espanhol e do quéchua.

Depois de cantarolar um trecho da composição de Jobim e Vinicius, falo de outra, de Cartola, sobre sonhos triturados, cujos versos tenho a impressão de que retratariam melhor a atual fase da vida dela. Mas dá um branco, impossível lembrar o nome, a letra, o ritmo, a melodia.* O que me parece claro, no entanto, é que o complexo mundo da metrópole em que ela está entrando não a triturará com facilidade.

Pergunta sobre cantores que há muito deixaram de ser ouvidos nas rádios brasileiras, mas fazem sucesso entre os peruanos da periferia. Fala dos planos, dos sonhos de viajar, conhecer o mundo. Mas, de repente,

---

* "O mundo é um moinho."

parece cair na real ao lembrar o quanto a casa da tia fica distante deste bairro da elite rica e branca.

No restaurante de pratos caros, ela ignora a carta de massas com frutos do mar e carnes finas. Prefere água ao vinho. Sorrindo para o garçom, mostra o cardápio e pede um pedaço de bolo de chocolate. É um gesto quase infantil que contrasta com o que se vê nas outras mesas, onde estão pessoas aristocráticas, sisudas. Ao me ver contemplando a cena, Jellen, a cabeça ligeiramente inclinada, esboça um sorriso maroto, olhando de baixo para cima.

*

Muitas horas depois, Jellen e seu perfume simples desaparecem na noite fria.

22

A casa de Eiffel encalhou como uma baleia

Sobrados azulejados da época áurea da borracha — final do século 19 e início do XX — são as marcas do centro de Iquitos, a "cidade-luz da Amazônia", capital do departamento de Loreto.

O porto fluvial de Iquitos fica a 3.300 quilômetros da nascente do Amazonas, onde começamos esta viagem. Os loretanos, no entanto, afirmam com orgulho que é nesta terra que ele começa. Agentes de viagens oferecem tours até a "origem exata do mais caudaloso dos rios", que para eles é a junção do Ucayali com o Marañon, a 100 quilômetros de distância fluvial de Iquitos.

Na época da cheia, navios oceânicos com calado de no máximo 11 metros conseguem fazer o percurso da foz do Amazonas, no Atlântico, até esta cidade peruana. Quando as águas estão baixas, só chegam aqui embarcações com até 8 metros de calado.

A certeza dos loretanos é contestada pelos moradores do departamento de Amazonas, no norte peruano, onde surge o Marañon, percorrido em 1541 pelo espanhol Francisco de Orellana, o primeiro europeu a explorar o rio. Para os amazonenses peruanos, o rio nasce com o nome de Marañon, como se acreditava até os anos 1950.

Na confusão, os loretanos reclamam dos brasileiros por chamarem o rio de Solimões quando ele entra no Brasil. Na verdade, foram os portugueses que criaram esta situação ao batizarem de Solimões, nome de uma tribo, o percurso do rio desde Tabatinga, na fronteira, até Manaus. Naquela época de conquistas, os espanhóis batizaram o mesmo trecho de Orellana, homenagem ao seu primeiro explorador. Em Manaus, o rio volta a se chamar Amazonas e assim segue até o Atlântico.

*

De Iquitos para cima, a navegação pelo rio é sempre mais difícil. É conhecida a história do barco que, em 1890, transportava uma casa de ferro planejada em Bruxelas por Gustave Eiffel para o seringal do caucheiro Vaca Diez, situado em outro rio, o Madre de Deus, afluente do Amazonas.

O barco com a casa, vindo da Europa, entrou pelo estuário, subiu o baixo Amazonas e o Solimões até o Peru, onde encalhou como uma baleia. Vaca Diez resolveu dividir a casa em duas e revendê-las em Iquitos. Uma parte foi comprada pelo comerciante Francisco Borges, que a ergueu no centro de Iquitos, e outra, pelo seringueiro Anselmo del Águila, que a montou na Plaza de Armas. A primeira parte se deteriorou com o tempo. A segunda foi repassada para o espanhol Julio Queija, que a converteu no restaurante El Abanico. Um chinês, anos depois, comprou o restaurante e o transformou na confeitaria El Patito. O térreo da casa da Plaza de Armas foi dividido em nove lojas, e o andar superior transformado no El Club Social Iquitos, que funcionou até 1985. O inglês Phill Duffy e sua mulher, Lília, compraram a casa e instalaram no lugar do clube o Amazon Cafe Restaurant. Um peruano é o atual dono. Embaixo funciona uma farmárcia.

Hoje, o restaurante é ponto de encontro de viajantes estrangeiros e peruanos. Aqui é servida a Iquiteña, cerveja com no máximo 5% de teor alcoólico. O lugar é muito frequentado pelos bichos-grilos que descem dos Estados Unidos atrás de aventuras na selva peruana.

Paul Borovay, 24 anos, conta que navegará com três amigos por três dias em canoas rústicas pelo Amazonas.

— Não sabemos como será. Nem músculos temos para esta aventura.

Ele fala de política, critica os políticos americanos, especialmente George W. Bush.

— Ele é o mal.

O jovem conta que largou a vida de classe média na Califórnia e se mudou para o Equador, onde trabalha em uma organização de assistência a crianças carentes na comunidade de San Felipe de Oña, a 12 horas rodoviárias de Quito. Recebe 200 dólares por mês. Na Califórnia, só o quarto em que morava, na época em que cursava ciências políticas, custava 850 dólares.

— Aqui é uma vida muito diferente. Me encanta ajudar crianças a fazerem coisas básicas, como lavar as mãos antes de comer, escovar os dentes, ferver a água para beber.

*

É preciso um olhar atento para perceber as pinturas nas paredes da Casa de Ferro. *La fiebre*, como chamam aqui o período áureo da borracha (1879-1912), está nos casarões que restaram, no formato das ruas largas como as de Paris. A cerveja, naquela época, vinha direto da Alemanha. Os policiais que mantinham trabalhadores pobres afastados dos caucheiros contavam com a ajuda de homens da Scotland Yard que atuavam na Guiana e nas colônias inglesas das Antilhas. A libra esterlina era a moeda que reluzia no comércio de Iquitos.

Na praça hoje ocupada por vendedores de balões, estudantes sem mesada e meninas que ainda não conseguiram programa, andavam naquela época homens com terno de casimira e mulheres com vestidos comprados na Europa. O *caucheiro* Julio Cesar Arana del Águila (1864-1952) disputava com Carlos Fermín Fitzcarrald (1862-1897) o título de homem mais rico da *La fiebre*. Fitzcarrald, com sua obsessão de transportar a borracha das selvas até Manaus, virou personagem-título de um filme do alemão Werner Herzog. Foi um dos maiores barões da borracha. Comandou 2 mil índios, numa façanha que sobrevive na memória dos povos do alto Ucayali, onde ficou conhecido como "Pai Sol".

23

"Tudo é realidade"

Atravessamos a Plaza de Armas. Do outro lado fica a rua Napo, onde mora Javier, o pai de Oscar Dávila Durand. Vamos até a casa dele, no número 385, dar-lhe um abraço como seu filho pediu.

A fachada da casa é de azulejos. Pela vidraça, se vê um gato que dorme no peitoril interno da janela.

O homem que nos recebe se veste inteiramente de branco.

— Quem nos recomendou procurá-lo foi o Oscar, seu filho.

O poeta nos cumprimenta e nos convida a entrar.

— E o meu filho está bem?

— Está bem. Encontramos com ele num acampamento de pescadores no Ucayali.

— Não o vejo há cinco anos. Ele nunca tem tempo para vir a Iquitos.

— Ele disse que o senhor precisa visitá-lo, voltar à selva.

— Meus livros se passam sempre na selva.

Javier Dávila Durand, 70 anos, faz uma poesia que os críticos literários de Loreto, para defini-la, não hesitam em recorrer à velha metáfora da água do rio que flui como a vida.

A dificuldade em narrar nas cores exatas os Andes e o rio não é exclusiva de turistas que recorrem a máquinas digitais e enchem malas com pedras, colares e colibris e tartarugas de madeira para congelar momentos de viagem.

Javier conta que um dia foi procurado por Mario, um jovem escritor peruano radicado na Espanha, que queria levar de lembrança um *tigrillo*, felino da beira do Amazonas de cerca de meio metro de comprimento.

Mario bateu à porta do número 385 da rua Napo.

— Você pode me ajudar? — perguntou Mario.

Javier conta, rindo, que telefonou a autoridades conhecidas para liberar o embarque do animal:

— Trata-se de um grande escritor que se encantou com um *tigrillo* e queria levar o bicho para a Espanha.

O poeta sugeriu ao jovem escritor reforçar o pedido em uma carta ao representante do Ministério da Agricultura. Mario fez o apelo na Olivetti usada por Javier:

> Senhor engenheiro chefe,
>
> Mario Vargas Llosa, peruano, com passaporte número 238854, residente em Barcelona, Espanha, diante do sr., respeitosamente, se apresenta e diz:
>
> Que, desejando levar consigo um filhote de *tigrillo* que intelectuais e amigos loretanos tiveram a generosidade de presenteá-lo, solicita permissão especial correspondente.
>
> O subscrito deseja destacar a favor desta solicitação que esse filhote não será objeto de nenhuma transação comercial, e que seu propósito é conservá-lo como recordação viva da terra amazônica e de seus generosos amigos loretanos.
>
> Iquitos, 10 de agosto de 1972.

Na sede da VIII Zona Agrária, do Ministério da Agricultura, no centro de Iquitos, o pedido de Vargas Llosa foi atendido.

Para alimentar o felino, nos cinco dias em que esteve em Iquitos, o escritor gastou no açougue 1.500 *soles* (cerca de 500 dólares) e recolheu material para escrever a novela *Pantaleón e as visitadoras.*

Javier lembra que Vargas Llosa conheceu um curandeiro que preparava a ayahuasca — a beberagem alucinógena da selva — e se recusou a prová-la. Mas Carmen Balcells, agente literária que o acompanhava, experimentou. Numa noite quente, deitada numa esteira no chão de uma palhoça, ela teve crises de riso.

— Cala-te. Trata de te controlar — diz Vargas Llosa, de forma afetuosa.

— É que não consigo, não consigo.

Balcells é a catalã que agenciou na Espanha nomes importantes da literatura latino-americana dos anos 1960 e 1970, como García Márquez, Carlos Fuentes, Manuel Puig, Cabrera Infante e Julio Cortázar. García Márquez dedica a ela o romance *Do amor e outros demônios*, a história do padre Cayetano Delaura e de Sierva María de Todos los Angeles, que, depois de morta, ganhou, ao longo de duzentos anos, cabeleira loira de 22 metros. Depois disso, Carmen passou a ser chamada "Mamá Grande" do boom do realismo fantástico.

A partir de Balcells, os editores passaram a dar aos escritores adiantamentos e prazos longos de entrega de originais. A literatura da América Latina ganhou destaque com as personagens que comiam terra, os meninos com rabos, os mortos que se expressavam e os homens que faziam revoluções intermináveis.

Javier falou a Vargas Llosa sobre uma bodega próxima a Iquitos chamada La Lámpara de Aladino Panduro. O poeta nos mostra foto desse bar das "Mil e uma noites", em Puerto Inca, na margem do Pachitea, afluente do Ucayali. Um bar com o mesmo nome está em *Pantaleón e as visitadoras*, a história do militar enviado à selva para chefiar um serviço de prostitutas de Iquitos para soldados. É um homem metódico que enlouquece de paixão por uma dessas mulheres.

Essa obra de Vargas Llosa é motivo de polêmica em Iquitos. Os conservadores não gostam de ouvir os costenhos e os serranos chamarem as mulheres da cidade de "*charapitas ardientes*", como no livro. Mas a impressão que se tem em Iquitos, nas ruas, nas praças, em toda parte, é que as mulheres são mesmo sensuais. Até Euclides da Cunha, o sisudo autor de *Os sertões*, numa viagem a Iquitos, se encantou pelas "*cholas* graciosas".

*

Javier tem obsessão em provar que tudo no mundo da beira do rio existiu. Há mais de vinte anos ele escreve o *Dicionário biográfico do rio Amazonas — Trecho peruano*, com milhares de perfis de personagens como Lope de Aguirre, o conquistador europeu que, segundo cronistas, matou a própria filha para que não fosse violentada pelos inimigos, e homens que aparentemente só existem nas lendas e contos fantásticos.

— Tudo é realidade — afirma.

O primeiro tomo fala de pessoas das artes. Ele adianta que o poeta chileno Pablo Neruda terá espaço no livro. Neruda, lembra, escreveu o poema "Alturas de Machu Picchu", publicado em *Canto geral* — o sítio arqueológico está numa ponta da selva amazônica. O segundo tomo será dedicado aos exploradores e geógrafos. O terceiro tomo contará a vida dos personagens do mundo mágico, das lendas, das histórias populares, das narrativas antigas e dos romances. Javier dará detalhes da viagem de trem feita por Neruda de Arequipa a Machu Picchu em 1943. No livro de memórias *Confesso que vivi*, Neruda conta que, nas ruínas, se sentiu chileno, peruano, americano. "Senti-me infinitamente pequeno no centro daquele umbigo de pedra; umbigo de um mundo desabitado, orgulhoso e eminente, ao qual de algum modo eu pertencia."

Não faltará no dicionário monumental escrito por Javier um verbete sobre o espanhol Ildefonso Graña Cortizo, o rei dos Jíbaros ou Alfonso I da Amazônia. Essa figura, nas primeiras décadas do século XX, assustou a sociedade loretana. Depois de entrar na selva com um amigo, foram raptados pelos índios. O amigo morreu, mas Graña conquistou a filha do líder da aldeia e se livrou da sentença de morte. Aos poucos se tornou um deus dos afluentes do rio. Quando aparecia em Iquitos, ele exibia a mais típica arte dos jíbaros: as cabeças de inimigos dissecadas e reduzidas com uma erva chamada *huito*.

As *tsantsas*, cabeças encolhidas, aprisionavam o espírito dos adversários. No século XIX, as cabeças foram disputadas por europeus, a ponto de serem contrabandeadas e falsificadas.

O Marañon, que se acreditou ser o começo do Amazonas, é um rio de sangue. Ao longo dos séculos muitos foram os casos de enforcamentos de índios por europeus. A técnica de encolher cabeças garantiria aos jíbaros a lentidão do avanço dos brancos.

Com seu exército indígena, Graña resgatou, em 1933, o corpo do piloto Alfredo Rodríguez Ballon, da Força Aérea do Peru, que caiu com o avião na floresta e depois virou nome do aeroporto de Arequipa. O rei mandou construir duas jangadas de 10 metros cada para descer o Marañon com o corpo. Numa das maiores façanhas do Loreto, o exército indígena passou pela temível corredeira de Manseriche. A técnica de embalsamento dos jíbaros foi usada por Graña para preservar o corpo. A arte que causava horror virou símbolo de um gesto de nobreza.

Javier diz que Pantaleón Pantoja, do livro de Vargas Llosa, é um personagem real. Era comum militares serem encarregados de organizar um "serviço de visitadoras" ao longo do rio para atender tropas. Vargas Llosa, conta Javier, conversou com Chushupe, cafetina da cidade que virou personagem do romance, e com Viruca, moça que prestava serviços íntimos a funcionários da indústria petroleira da região.

Antes de ser publicado, o dicionário de Javier é motivo de brigas com vizinhos.

— Quer conhecer o radialista Sinchi? — pergunta, referindo-se ao locutor da Rádio Amazonas que no romance achincalha e extorque a sociedade loretana. — Ele existe.

Javier diz não se preocupar com a reação das pessoas quando lançar os três tomos da obra. Ele se considera um "tranquilo Amazonas", que segue seu curso, ainda que carregando tudo o que encontra pela frente. Com a chegada da internet à cidade, ele passou a causar polêmicas a conta-gotas. Usa a rede de computadores para popularizar a tese da Amazônia real e apresentar identificações de personagens de romances e lendas.

Após a conversa, na saída de sua casa, ele chama um motokar, motorista de um triciclo motorizado — nas cidades peruanas, oficinas adaptam uma charrete a uma motocicleta. O triciclo parece um Ford 29 em tamanho menor. Fala-se em 20 mil triciclos nas ruas da "Saigon amazônica", que um dia foi conhecida por "Paris selvagem".

— Leve meus amigos para conhecer o radialista Tito Rodríguez, o Sinchi, que mora na rua Libertad, próximo ao hospital Santa Rosa. Não vai abusar no preço...

Voltando-se para os visitantes, Javier sorri:

— Sinchi é uma pessoa encantadora.

24

O radialista

Tocamos a campanhia da casa de Sinchi. Quando o morador atende, pergunto:

— O senhor é o Sinchi do livro de Vargas Llosa?

A abordagem não poderia ter sido pior (é que estávamos com pressa para continuar a viagem e achávamos que o assunto não o incomodasse).

— Já sei... Foi o Javier quem disse isso para vocês. Ele continua espalhando essa história para me prejudicar. Pensei que tinha parado com essa loucura, essa vontade de sujar a minha reputação em Iquitos — reclama.

— Mas o senhor é o Sinchi?

— O Sinchi não sou eu — reage, irritado. — Sou pobre e honesto, nunca extorqui ou fiz chantagem. Jamais levei uma vida incorreta.

— A informação é que o senhor é o Sinchi — digo, já rindo.

— A informação de Javier está errada. Sou o Tito.

— Podemos entrar, senhor Tito?

Mais calmo, no sofá da sala, tendo a seus pés um cachorro, perto de uma geladeira dos anos 1960, ele afirma:

— Sou um profissional de 68 anos que trabalha há 47 no rádio. Vivo da minha criatividade e do meu esforço como jornalista, apenas isso. Nunca extorqui nem achincalhei!

Augusto Rodríguez Linares, o Tito, confirma que trabalhou na Rádio Amazonas e interpretava um personagem chamado Shicshi, que fazia críticas ácidas a pessoas da sociedade, mas, segundo ele, não era para arrancar dinheiro de ninguém.

— Sou o Shicshi da Rádio Amazonas. *Shicshi* quer dizer coceira. Coceira. — Ele coça os braços para reforçar as palavras. — Shicshi é uma palavra da Amazônia.

Automaticamente, vêm à nossa lembrança as coceiras de mosquitos nos braços e nas pernas durante a viagem até aqui.

— Eu era um jovem jornalista que criticava a sacrossanta sociedade lo-re-ta-na — diz, separando as sílabas. — Causava coceira no engenheiro Luiz Arana Zumaeta, o alcaide dos anos 1960. O pai de Luiz Arana, Julio César Arana, era produtor de borracha na época de ouro do látex, sócio dos ingleses. Eu criticava o pai e o filho.

O radialista afirma que, na época do lançamento de *Pantaleón*, foi surpreendido pela notícia de que virara personagem do romance:

— Me alegrei, pois tinha virado personagem de Vargas Llosa. Mas, quando abri o livro, percebi que não era para me alegrar muito. O personagem chantageava e extorquia. Não sou eu que estou ali. Sou o Shicshi, diga isto a Javier. O personagem do livro se chama Sinchi, que é palavra quéchua, muito diferente de Shicshi, termo amazônico.

Não fomos os primeiros a bater em sua porta à procura do personagem do romance. As tentativas de se defender da tese de Javier o levaram a escrever um *Compendio de vocablos amazónicos*, com centenas de palavras usadas na selva, de origem espanhola ou indígena. Anoto algumas:

Afasil — Mau pescador, inútil.

Aguado — Tonto, bobo.

Aishtá — Interjeição de incredulidade.
Asna raça — Mau odor de sexo de mulher.
Brashico — Brasileiro.
Bullús — Não é assim...
Chapanear — Visitar mulheres à noite, ou pescar.
Chiri — Frio.
Chunlla — Calado.
Cristasapa — Vagina grande.
Flautero — Mentiroso.
Huairachéo — Buscar mulher.
Ismasiqui — Bunda suja.
Kanatari — Amanhecer.
Llimilear — Busca de sexo pela mulher.
Llocllada — Cheia do rio.
Nina runto — Sexo quente.
Ovada — Canoa pequena.
Picacha — Beija-flor.
Runamula — Homem que vira cavalo.
Shicshi — Coceira, diferente de Sinchi.
Shicshishungo — De coração alegre, jovial.
Síiiuuuuuuu — Exclamação dirigida a homossexuais.

O radialista diz que continua criticando "endinheirados" e políticos de Iquitos, como, por exemplo, o grupo que faz campanha para incluir o Amazonas numa lista internacional de maravilhas da natureza.

— Só aceito esse título se antes salvarem o rio!

Numa folha de papel, desenha o trecho do rio Amazonas que circunda Iquitos. Faz um traço onde antes havia um braço do rio formando uma ilha bem em frente à cidade, a Padre Isla. Esse braço secou. E o rio Itaya, de cerca de 150 quilômetros de extensão, antes desembocava no Amazonas, mas agora deságua mais à frente, no Nanay, outro afluente. Essa mudança, na avaliação de Shicshi, é resultado de crimes ambientais.

— Se querem que o rio seja uma maravilha natural do mundo, que o salvem!

O Itaya, reclama Tito, virou um canal de esgoto.

— É o rio mais contaminado do mundo e contribui para contaminar o Amazonas. Não comam peixes em Iquitos.

25

Belén no encontro das águas

Em Iquitos, barqueiros anunciam passeios para o encontro das águas. No porto do rio Nanay, um afluente do Amazonas, no centro da cidade, contratamos o barqueiro Rister Irarica, de 37 anos.

Depois de meia hora, chegamos ao ponto em que o barrento Amazonas se encontra com o escuro Itaya.

Belén, uma favela flutuante, de 40 mil moradores, ocupa as duas margens da boca do Itaya. As casas são de madeira e cobertas com folhas de *paja*, uma espécie de palmeira. Muitas casas estão erguidas a 3 ou 4 metros do chão. Outra parte é flutuante, fica em cima de toras de madeira que boiam.

A partir de novembro, o Amazonas e o Itaya começam a subir. As águas ultrapassam em 6 metros o nível normal. O barqueiro Rister calcula que o piso da casa dele está a 3,20 metros do solo. Na cheia, só ficam de fora da água 20 centímetros das toras da sustentação. A casa de madeira tem 6 metros de largura por 8 metros de comprimento. Foi o próprio Rister quem a construiu. Aqui ele vive com a mulher, Erlita, e a filha, Estehuar. O trabalho de barqueiro rende em média 2 dólares por dia. É com esse dinheiro que sustenta a família.

Uma parte dos moradores de Belén vive em barcos encalhados nas margens tomadas por lixo.

No percurso de canoa, vemos crianças e mulheres tomarem banho e lavarem roupas e panelas perto de saídas de esgoto. Homens matam um porco e o limpam no rio, na mesma água que recebe os detritos de banheiros flutuantes. Todo tipo de lixo é despejado no Itaya.

A rádio comunitária, que conta com um serviço de som em postes, toca boleros e anuncia missas e velórios. Mulheres remam em seus barcos-restaurantes — canoas com cobertura de palha cheias de panelas soltando fumaça e garrafas com sucos de frutas amazônicas. Elas param em cada cais para vender alimentos e bebidas. Pescadores, barqueiros e trabalhadores dos estaleiros se aproximam dos barcos delas.

Agachada num cais de madeira, Carmén Waltiwada, de 90 anos, lava roupas. Quase não enxerga. Pergunta se estamos pescando.

O bolero é interrompido. O locutor anuncia mais uma morte.

Em outro trecho da comunidade, Guido Ayola, 25 anos, mecânico desempregado que veste uma camisa do Palmeiras, nos apresenta a sua casa a 3,5 metros do chão, afastada cerca de 50 metros do Itaya. A residência tem dois lances de escadas de madeira e, diferentemente da maioria das casas de Belén, é coberta com folhas de zinco. Quando o rio sobe muito, ele precisa improvisar uma plataforma, pois a água sobe até um metro acima do piso original da casa.

— Tenho de andar agachado durante três meses dentro de casa, pois minha altura é 1,55 metro.

Em épocas de seca, fica mais fácil caminhar pelo bairro, mas é na cheia que ele consegue algum dinheiro com os turistas que aparecem.

*

Retornamos à casa de Javier Dávila Durand. Tínhamos esquecido de fazer cópia de uma reportagem escrita por ele na revista *Proceso*, lendária publicação editada em Iquitos nos anos 1960 e 1970, sobre a passagem de Che Guevara pelos povoados da selva peruana. Os exemplares da revista são embriões da obra monumental que escreve sobre os personagens da Amazônia.

Na casa, Javier abre a revista que fala do guerrilheiro. Guevara passou por San Pablo, povoado da beira do rio, antes de chegar ao Brasil. O pai de Javier foi diretor do leprosário do lugarejo.

Na saída, Javier nos presenteia com livros de poemas. Escreve na primeira página de um deles para não envelhecermos nunca. Em outro escreve ter esperança de que conseguiremos beber o Amazonas. No poema "El río maravilloso", de *Poemas de amor para no jubilarse*, diz:

El amor se descalabra
en un río
de espuma.
!Un río que los dos vulneramos
suavemente!

É erótico no poema "Recomendación":

Hacer el amor es el mayor goce animal.
Por eso el sexo tiene que ser salvaje
a cualquier edad.
No busques la comodidad. Derrota,
para el gozo de los dos.
Si te traga la tierra del cansancio,
solo te queda el lecho
sin dios
de la tumba.

26

O guerrilheiro atravessa o grande rio

Uma empresa oferece serviço de lanchas rápidas de Iquitos à cidade brasileira de Tabatinga. É nessas embarcações, fechadas e velozes, que a classe média da selva peruana viaja pelo rio. Música ambiente, poltronas reclináveis, ambiente limpo.

Uma passagem num "rápido" custa 60 dólares. As poltronas são reclináveis, há vídeo a bordo e o almoço e os lanches estão incluídos. Quem não tem esse dinheiro precisa enfrentar os "recreios", que demoram três dias e três noites para fazer o percurso entre as duas cidades. O rápido percorre o mesmo trecho em oito horas.

Duas lanchas estão no ancoradouro na manhã fria de Iquitos. Gente com celulares, óculos escuros, cabelos tingidos, relógios dourados, pulseiras, roupas e tênis de marca entram nas embarcações.

São 6h. Um galo canta na lancha. O canto ecoa no ambiente fechado. Um outro galo, na bagagem de outro passageiro, também canta. Os galos passaram pela revista, que incluiu cheiradas de labradores da "polícia canina", treinados para encontrar drogas ilegais.

Um passageiro lê o *Eclesiastes*; outro, *Fiscalização tributária*. As lanchas são ligadas. Começa a viagem.

Um aparelho de som toca músicas como *Celia*, *El solitario*, *Como te estraño mi amor*, *Santiago querido* e *Marisa*.

As margens altas do rio estão agora, em setembro, verdes, tomadas pela vegetação que começou a crescer com a baixa das águas. Surge o povoado de San Pablo, onde fica o leprosário que Che Guevara visitou em sua viagem pela América do Sul.

O poeta Javier Dávila Durand passou a infância neste lugarejo, na época em que o pai dele dirigiu o leprosário. Aqui, em junho de 1952, Che, um estudante de medicina de 23 anos, e o amigo Alberto Granado passaram 12 dias. Quem conta é o próprio Che no diário *De moto pela América do Sul*, que inspirou o filme *Diários de motocicleta*, de Walter Salles.

O rio é uma das metáforas mais antigas da necessidade de um homem de abandonar o passado, começar uma vida nova. No seu filme, Walter Salles faz Guevara atravessar a nado o Amazonas, em frente a San Pablo, para participar de uma festa com pacientes do leprosário. Era o momento exato, numa interpretação livre, em que o Che se tornava um guerrilheiro.

No seu diário, Che chama o Amazonas de "grande rio" ou "maior rio da terra" e avalia que o "início" do curso, a confluência do Ucayali com o Marañon, não tem nada de "espetacular". Durante a viagem, pesca e nada no Amazonas, lê versos de García Lorca e faz anotações.

Ele olha o mundo para registrá-lo, como observou o escritor argentino Ricardo Piglia em *O último leitor*. Nesta obra, Piglia descreve o guerrilheiro como um legítimo representante da *beat generation*, movimento literário norte-americano em que os escritores viajavam para escrever um livro.

Mesmo nos momentos tensos da vida guerrilheira, Che não abre mão de ler ou fazer anotações em suas cadernetas. Um sujeito que, na avaliação de Piglia, encontrou na política a possibilidade de sair do mundo das ideias e livros e entrar em ação. "Guevara está em busca da experiência pura e vai atrás da literatura, mas encontra a política e a guerra", diz o escritor argentino. Depois de três décadas de debates sobre o bem e o mal e os erros e acertos das ideologias, Piglia devolve à imaginação latino-americana um personagem grandioso, que muitos queriam limitar à política.

Quatro anos depois da viagem pelo Amazonas, o guerrilheiro estaria ao lado de Fidel Castro no navio *Granma*, que atracaria em Havana. Começava a luta armada, um tenso capítulo da história da América Latina.

*

Mais à frente, o povoado de Chimbote. A lancha para em Chimbote. Uma índia entra na embarcação com dois cocos gelados. Ela consegue vender os cocos rapidamente. Em seguida, crianças aparecem com saquinhos plásticos vendendo frutas nativas. Uma menina morena olha por um bom tempo a passageira "gringa", de pele tão branca e tão diferente da dela. A "gringa" fuma um cigarro atrás do outro.

A sirene da lancha apita para anunciar a retomada da viagem. As crianças saem correndo da embarcação, pulam depressa na água, sobem a margem, voltam para Chimbote.

Num trecho do rio em Cavallo Cocha, uma menina se despede de uma senhora de idade. A menina fica na beira do rio. Vai esperar uma canoa da família para entrar num afluente e ir para casa. É uma cena triste: a menina sozinha naquele mundo perdido enquanto o barco segue em frente.

A viagem de lancha termina em Santa Rosa, último povoado peruano antes de chegarmos ao Brasil. Aqui, é preciso carimbar o passaporte. Um cais estreito de madeira leva até o escritório da alfândega.

Em Santa Rosa, há pequenos barcos que fazem o transporte de passageiros até a brasileira Tabatinga e a colombiana Letícia. Nos cascos dos barcos está escrito o valor da passagem nas três moedas da Tríplice Fronteira: 3 mil pesos (Colômbia), 3 reais (Brasil) e 5 *soles* (Peru).

O barqueiro peruano Frank David Romero, de 23 anos, conta que faz cerca de 15 viagens por dia de Santa Rosa para Tabatinga. Cada viagem dura 20 minutos.

Pouco antes de Letícia, ele nos alerta de que o Exército colombiano vai incomodar. As Forças Armadas Revolucionárias da Colômbia causam preocupações até aqui. Os militares revistam nossas mochilas e bolsas, um "baculejo" completo, que dura cerca de meia hora.

Em Letícia, pernoitamos num pequeno hotel no centro da cidade, perto do Amazonas.

27

Tríplice fronteira

Das nascentes do Amazonas até Letícia, na Colômbia, são cerca de 3.900 quilômetros. Os mais antigos falam de uma matriarca judia-marroquina chamada Ledicia ou Letitia, que vivia com seus filhos numa casa flutuante do rio, comerciando com ribeirinhos e índios. O nome dessa mulher seria a origem do nome da cidade.

A bodega flutuante Zorro del Amazonas está atracada numa praia do rio, na zona comercial de Letícia, em frente à Ilha da Fantasia. Aqui, entre a cidade e a ilha, há um braço do Amazonas de 2 metros de largura que, nesta época do ano, está quase seco, tem apenas 40 centímetros de profundidade. Esse braço do rio é o lugar preferido dos riberinhos que chegam em pequenos barcos para negociar seus produtos.

Artemio Morales, 64 anos, da comunidade San José, planta milho e banana. De 15 em 15 dias, revende seus produtos na cidade. Comenta que, a partir de outubro, o rio volta a subir e alaga tudo.

Guillermina Careca, 60 anos, filha de um espanhol com uma índia ticuna, vira nossa intérprete num mercado em que boa parte dos comerciantes só fala a língua indígena. Evangélica, lembra de irmão José Francisco da Cruz, que seria o personagem que se apresenta como profeta *no livro Pantaleón.*

— O monsenhor que respondia pela Igreja Católica em Letícia não permitiu que irmão Francisco desembarcasse na cidade. O monsenhor disse que não aceitava loucos. O padre era muito rigoroso. Era um inimigo de todos os irmãos evangélicos. Isso não agrada a Deus. Imagina que nem a Bíblia ele permitia que a gente lesse. Dizia que era pecado tocar no livro. Só ele podia ler. Ele não era eterno, morreu. Felizmente pude aprender a palavra de Deus.

Irmão Francisco era um homem mais famoso que Marlon Brando na selva, escreveu Vargas Llosa. O religioso espalhava cruzeiros em pontos da beira do rio e prometia a salvação a quem passasse a viver ao redor do símbolo religioso em Iquitos, Letícia, Benjamim Constant, Atalaia, Tabatinga e São Paulo de Olivença.

A mulher pergunta nossos nomes. Diz que vai orar pelos novos amigos.

*

Um dos relatos da violência de exploradores e religiosos na selva colombiana foi feito por Wade Davis no livro *El río — exploraciones y descubrimientos en la selva amazónica.* A obra fala da experiência do professor de Harvard Richard Evans Schultes, que viveu 12 anos entre os xamãs das etnias tucano, *huitoto* e *uwa* estudando o poder das plantas alucinógenas.

Schultes recolheu 20.100 plantas, incluindo 300 espécies novas. Ele conseguia informações preciosas dos xamãs por uns poucos dólares, umas garrafas de aguardente, ou alguma comida, ou mesmo a simples simpatia e cordialidade. Não fica claro se o rio que dá título ao livro de Davis, discípulo de Schultes, é o próprio Amazonas ou outro dos que banham a Colômbia. É o rio dos feiticeiros, da ayauhasca, o cipó das almas. No relato de Davis, Schultes "sentiu na carne o toque da terra, o solo seco do deserto, as estrelas ao meio-dia, o aroma dos cactos e da selva e viu assombrado um rio de luz correndo entre seus dedos."

*

Muitos brasileiros pensam que o Amazonas nasce em Tabatinga, no estado do Amazonas, na fronteira com Letícia, onde o rio entra no Brasil, depois de percorrer 3.900 quilômetros do território peruano. O Amazonas virou símbolo da nação brasileira ainda no Império. É citado na primeira letra do hino nacional:

Da Pátria o grito
Eis que desata
Desde o Amazonas
Até o Prata.

Em Tabatinga, o rio tem largura de apenas 2,2 quilômetros. Trata-se de uma das "gargantas" do Amazonas, que costuma ter, daqui para a frente, mais de 10 quilômetros de uma margem à outra. Na altura de São Paulo de Olivença, outra cidade do Alto Solimões, o rio volta a ficar estreito, com 2,5 quilômetros de largura. Essas gargantas comprimem a água, que depois entrará nos campos abertos, fertilizando as várzeas. Ao sair dessas gargantas, as águas do rio aumentam de velocidade, atingindo uma média de 6 quilômetros por hora em território brasileiro, onde, na maior parte, a largura do Amazonas é de muitos quilômetros.

De Tabatinga, as águas levam três meses para chegar ao Atlântico, um percurso de mais de 3 mil quilômetros.

*

A cidade de Letícia é o centro de uma região em conflito, tomada por traficantes, contrabandistas e guerrilheiros que insistem em ocupar espaço, com brutalidade e tortura, a pretexto de transformar um estado também dominado pela brutalidade e tortura.

Esse clima de violência parece reproduzir-se também entre os indígenas. Nos últimos anos, autoridades públicas registraram grande incidência de mortes de jovens ticunas, etnia que sofre há um século com o avanço da sociedade não índia. Os órgãos públicos de saúde registraram 103 suicídios de *pakês* e *ngeutákes*, rapazes e moças de 12 a 18 anos, entre 2000 e 2005.

Os dados foram divulgados pela antropóloga Regina Erthal, autora do estudo *O suicídio tikúna no alto Solimões: uma expressão de conflitos*. Regina se dedica à análise da vida de uma nação de 26 mil habitantes, com território de 214 mil quilômetros quadrados cortado pelo Solimões. É a maior etnia indígena brasileira.

Os ticunas vivem numa das áreas mais explosivas do Brasil. Primeiro, no ciclo da borracha, vieram para cá os seringalistas, que forçaram os índios a desocupar os igarapés para morar e trabalhar na beira do rio, onde estavam instalados os barracões dos seringais. Mais tarde, nos anos 1960 e 1970, a interferência na vida dos índios partiu da religião, precisamente do missionário evangélico irmão José Francisco.

De lá para cá, a nação ticuna passou a enfrentar o tráfico de drogas da tríplice fronteira, os exércitos de três países, a urbanização, a redução de suas terras, o fim da mata e a poluição do Solimões. As 143 aldeias que formam a nação ticuna se transformaram aos poucos em bairros miseráveis onde faltam postos de saúde, escolas e saneamento básico.

Já nos anos 1990, o Ministério da Saúde do Brasil registrava 57 suicídios de jovens ticuna por envenenamento com a erva timbó e por enforcamento. Naquela época, autoridades e mídia apresentaram como razão dessa tragédia o próprio modo de vida dos índios: a rigidez das regras tradicionais de casamento e as desavenças causadas pelas feitiçarias.

A pesquisadora Regina Erthal admite que os *n'gos* e *üünes* — demônios e encantados — podem até interferir, mas afirma que estão longe de ser as únicas causas dos suicídios. Ela diz que é preciso nomear técnicos preparados para entender uma cultura complexa, acabar com a grande rotatividade de profissionais da saúde na região e aumentar os investimentos no combate aos desmatamentos, à poluição do rio e às invasões de terras.

O rio, neste trecho, corta uma região faminta, em que os pajés ticunas não se entendem mais, são lideranças de um povo que vive em um território dividido por diferentes nações, poderes, religiões e organizações não governamentais. Muitos índios saíram de casa, rodam o alto Solimões em busca de uma vida menos sufocante.

"Encheram a terra de fronteiras, carregaram o céu de bandeiras, mas (na visão dos nativos) só há duas nações — a dos vivos e a dos mortos", diz João Sabão, personagem de *Um rio chamado Tempo, uma casa chamada Terra*, de Mia Couto. A história do livro se passa na África. Mas poderia ser também aqui na tríplice fronteira.

*

Antigamente, logo que nasciam, os meninos ticunas passavam pela cirurgia da circuncisão, rito de passagem da beira do Amazonas. Era uma cerimônia festiva comandada pelos pajés, senhores das águas, do fogo, do ar.

De outra forma e com outro ritual, havia esse mesmo costume também nas casas das famílias de judeus que chegavam ao alto Solimões em navios, vindas de muito longe para a Amazônia em busca da terra prometida. Assayag, Cohen, Ianuzzi, Salomão, Levy e Sicsú são nomes de clãs que se misturaram à gente nativa, nas margens do rio.

Judeus sefarditas expulsos da Península Ibérica para o Marrocos no final do século XIV migraram no século XIX e início do XX para a Amazônia, abriram roças, plantaram nas praias formadas no verão e montaram pequenos comércios nos povoados e cidades. Falavam o *hakitía*, uma mistura de hebraico, espanhol e dialetos africanos, marcas do caminho feito por eles ao longo do tempo.

O povo de Davi se espalhou por Tabatinga, Tefé, Coari, Itacoatiara, Maués e Parintins. Muitos regatões, geralmente judeus que subiam os rios amazônicos em canoas trocando e negociando produtos diversos com os caboclos, eram vistos como novos pajés, por fornecerem quinino numa região de malária.

A presença dos regatões e dos colonos judeus era tão marcante na planície do Amazonas que não soariam como disparates as versões de certos historiadores sobre viagens de marinheiros do rei Salomão pelo rio. Cândido Costa escreveu no livro *As duas Américas*, publicado em 1900, que o nome do Solimões era uma referência ao construtor do templo de Jerusalém (Salomão), que, numa parceria com Hiran, da Fenícia, teria enviado navios ao alto Amazonas no ano 960 a.C.

Em 1908, quando Manaus vivia o auge do ciclo da borracha, desembarcou no porto do rio Negro o rabino Shalom Emanuel Muyal, atrás de dinheiro dos judeus sefarditas para construir uma escola religiosa no Marrocos. Ele aproveitaria a viagem para fiscalizar o cumprimento das regras do judaísmo na Amazônia. Muyal morreu de febre amarela dois anos depois. O túmulo dele no cemitério antigo de Manaus virou lugar de orações de ribeirinhos católicos.

A comunidade israelita fez um muro para separar a sepultura, acabar com o culto a São Rabinho ou São Salon. Não adiantou. Os caboclos passaram a acender velas e pregar placas de agradecimentos no muro por supostas curas.

O pesquisador Samuel Benchimol foi atrás das histórias desse êxodo que seguiu o rumo do Amazonas. *Eretz Amazônia*, trabalho publicado em Manaus, em 1998, é repleto de dramas vividos pelos judeus marroquinos na região. Quando enriqueciam, viravam alvo de grupos antissemitas, os chamados mata-judeus.

Um dos dias mais perigosos nos primeiros tempos na Amazônia para os judeus sefarditas era a Sexta-feira Santa, quando os padres católicos, pouco cuidadosos nos sermões, pregavam que Jesus tinha sido traído e morto por um judeu. Milícias de "vingadores de Cristo" saíam pelas barrancas do rio e pelos varadouros da floresta atrás dos "descendentes de Judas".

28

Uma noite não é nada

Neste início de setembro, época de verão na Amazônia,* praias extensas se formam ao longo do rio, deixando uma faixa branca entre as águas barrentas e a floresta escura, especialmente no trecho entre Tabatinga e Tefé.

O calor traz sonolência e preguiça. O mormaço na selva dá a sensação de fadiga mesmo quando você está parado. Se você é viajante desacostumado a essa situação, sente um certo incômodo. Se, porém, você consegue se incorporar ao ambiente, vive momentos agradáveis.

Na Amazônia, você encontra sensualidade por toda parte. A vida tem um ritmo diferente. Você pode viver só o que está ali, sem se preocupar com passado ou futuro.

O barco segue pelo rio. Não tenho mais a preocupação de entender tudo. São tantas cidades e povoados às margens do rio no trecho do alto Solimões que você chega à conclusão que nunca terá a satisfação de dizer que conheceu todo o rio. São Paulo de Olivença, Amaturá, Santo Antônio do Içá, Tocantins, Jutaí, Fonte Boa, Uarini, Alvarães e Tefé.

---

* Na Amazônia, só existem duas estações: o verão, época da seca (de junho a dezembro), e o inverno, época das chuvas (de dezembro a junho).

*

No ano de 1927, o modernista Mário de Andrade navegou pelo Solimões. "Friozinho arrebitado", escreveu no livro *O turista aprendiz*. A editora Itatiaia, responsável pela publicação, observou em nota de rodapé que essa frase estava num dos poemas de *Pauliceia desvairada*, livro publicado anos antes da viagem.

Em carta enviada em 6 de abril de 1927 para o poeta Manuel Bandeira, ele escreveu que a viagem ao Amazonas era a chance de mandar "à merda" a "vida de merda" que levava em São Paulo, nos escritórios e nas ruas agitadas da metrópole.

Diz ter visto em outra São Paulo — a São Paulo de Olivença, na beira do rio — a Uiara, metade mulher, metade peixe, o mito que enfeitiça o protagonista do romance *Macunaíma*, escrito antes da viagem e publicado depois. "Que boniteza que ela era!... Morena e coradinha que nem a cara do dia e feito o dia que vive cercado de noite, ela enrolava a cara nos cabelos curtos negros, negros como as asas da graúna. Tinha no perfil duro um narizinho tão mimoso que nem servia pra respirar." Ao ver a Uiara no rio, o protagonista do livro se joga na água, tentando agarrá-la. Os peixes arrancam uma perna dele. Macunaíma perde ainda seus tesouros, inclusive o amuleto em forma de sapo, o muiraquitã, a pedra verde com que as lendárias guerreiras amazonas presenteavam os homens guacaris que as visitavam uma vez ao ano. A pedra era um salvo-conduto para não serem mortos. É por um muiraquitã, presente de uma amada e roubado por um regatão, que Macunaíma percorre o Brasil e chega a São Paulo.

Na volta à Amazônia, o herói paga o preço por se lançar em águas incertas, acreditar na pura paixão — não era mulher, era um mito, era a Uiara que estava nas águas.

A primeira versão de *Macunaíma* estava pronta meses antes de Mário viajar pelo Amazonas. É possível, porém, que um fato ocorrido durante a viagem tenha inspirado o desfecho de *Macunaíma*: o herói, desiludido com a Uiara e arrasado com a perda do amuleto, desiste da vida e vira uma constelação, a Ursa Maior.

Foi no povoado de Caiçara, atual cidade de Alvarães, à margem direita do rio pouco antes de Tefé, que o escritor se juntou a caboclos numa dança indígena chamada ciranda. A noite era estrelada. No povoado, ele encontrou homens e mulheres pobres, porém felizes. Mais que encontrar o ponto-chave de seu romance, o intelectual paulistano se integrou ao universo dos caboclos, ainda que por uma noite. E por uma noite, o intelectual se integrou ao mundo primitivo que tentava registrar. "Bailamos com os caboclos, e viemos vindo, sem pressa, na noite da Ursa Maior. Dia sublime."

*

Alvarães, uma das cidades mais pobres das margens do rio, apresenta baixos índices de escolaridade e de qualidade de vida. Na terra do povo de Macunaíma, as casas são baixas, de apenas um pavimento, algumas ruas são calçadas, e na maioria delas o esgoto corre a céu aberto.

Sob um sol forte, a professora Joaquina Brito, de 69 anos, e as filhas costuram as roupas da ciranda deste verão. Antigamente, conta ela, sentada numa cadeira na varanda de uma casa simples, a cidade não tinha energia elétrica, a dança era ao luar e perto de duas grandes fogueiras. As ruas do centro eram calçadas com cascas de ouriço vegetal.

— A gente ficava ao luar. Coisa mais linda.

As apresentações de ciranda contam com os mascarados personagens Carão — representação do pássaro preto e considerado agourento dos lagos próximos ao rio —, Constância (ou Cirandeira Mais Bela), Pescador Manelinho, Curandeiro Honorato e Caçador. Antes, havia também um personagem chamado Pajé.

As mulheres usavam saias e blusas brancas até os joelhos, com viés vermelho nas bordas. Homens tocavam uma rabeca primitiva, atabaques e apitos, conta Joaquina.

— O que valia mesmo era o som das palmas.

Puxa roda minha gente, que uma noite não é nada
fecha a roda minha gente, que uma noite não é nada
Não dormirá agora, dormirá de madrugada.

Cristian, de 26 anos, ouve a avó cantar música da ciranda, e comenta que atualmente o ritmo da dança é mais forte.

— Estava muito devagar, era praticamente uma valsa. Aí, incluímos baixo, bateria.

A professora dá sinais de que não gostou das mudanças. Conta que, há poucos dias, seu Clemente, um dos mais tradicionais cirandeiros de Alvarães, reclamou da nova ciranda feita por Cristian e outros jovens.

— Tá tudo errado. Se mudaram, era para mudar também o nome. Isso não é mais ciranda — foi o que disse Clemente.

Cristian retruca:

— É ciranda, sim.

No ano passado, Joaquina discordou da forma como se apresentou o Carão.

— Não tenho nada com isso, mas acho que no ano passado o Carão morreu rápido demais. O Carão é muito bonito. Tem de ser um bom caçador para matá-lo, o pássaro não morre rápido.

Meio sem jeito, Cristian revela que não haverá mais Carão. O grupo não inclui mais o personagem nos ensaios. Não há tempo suficiente para a apresentação.

Joaquina, sem esconder uma certa desolação, diz que antes havia muito tempo:

— O pessoal brincava sem se preocupar com a hora.

Ela canta um trecho da música tocada no momento em que o pássaro se apresentava:

Já vem chegando o verão
Já vem chegando o verão,
para a morte do Carão.

Carão é um pássaro preto
Comedor de uruá
Comedor de uruá

Joaquina diz que, mesmo com as mudanças, a ciranda mantém a sensualidade, ainda que precise agora de barulho mais forte que palmas.

— Veja os pastores evangélicos como gritam para falar com Deus.

Cristian vai para a sala e liga o computador para mostrar as novas músicas da ciranda.

— É a mesma música de antigamente, só que mais rápida.

Escurece. A Ursa Maior se destaca no céu estrelado de Alvarães. Ao menos a meninada prometeu à professora Joaquina Brito manter na ciranda as letras que falam da noite e das constelações.

*

Para chegar a Tefé, é mais rápido seguir pela estrada até o povoado de Nogueira, na margem do lago. Em Nogueira, há catraias que fazem o trajeto em 15 minutos.

O catraieiro só faz a viagem se houver oito passageiros na canoa. Depois de horas, aparecem sete. Ele se recusa a partir. Mais meia hora, um comerciante com uma caminhonete despeja na areia da praia cinco amigos. Feliz da vida, o catraieiro convida todos a entrar. A embarcação parte com superlotação.

O sol forte dificulta a visão e causa certa perda de lucidez. Nesta época de verão, as areias das praias são bem claras. A água é preta cor de Coca-Cola. O biólogo José Márcio Ayres explica no livro *As matas de várzea do Mamirauá* que, a partir de maio, as águas barrentas do Solimões invadem o lago, que fica com a coloração turva em pelo menos metade da sua extensão.

29

Macacos com cara de gente

Em Tefé, pegamos uma voadeira que nos deixa na boca do rio Mamirauá, afluente do Solimões.

Em uma cabana à beira do rio, o pescador Antônio Gomes dos Reis, 70 anos, de uma comunidade ribeirinha formada por descendentes dos antigos caiçaras, conserta uma rede cortada por piranhas.

— As piranhas esculhambaram tudo. Elas não tiveram consciência de comer só o peixe e comeram a malhadeira — reclama.

Dos 12 filhos de Antônio, apenas um ainda mora na comunidade. Os demais foram para a cidade de Tefé. A neta Derla, de 6 anos, não sai de perto do avô.

O piloto da voadeira Antônio Coelho Rodrigues, de 30 anos, o Raimundo, também descende dos antigos caiçaras, o povo de *Macunaíma*.

— Padre Antônio me batizou com o nome dele, mas minha mãe já me chamava de Raimundo, e todo mundo me chama de Raimundo.

A família de Raimundo vivia como escrava num seringal do Mamirauá. O dono do seringal e do barracão que fornecia o alimento mantinha presos os Rodrigues e outros pelas dívidas no comércio. A seringa que tiravam não pagava as compras feitas no barracão.

Raimundo lembra que depois dos seringueiros vieram os madeireiros, que, além de levar as árvores nobres dos caiçaras, ressuscitaram o tempo de ameaças e violência. No rastro deles, apareceram os grandes caçadores para matar os bichos da várzea e os pirarucus dos lagos.

Em uma canoa, já no Lago de Mamirauá, Raimundo lembra de Márcio Ayres, falecido há pouco tempo, um homem que apareceu nas comunidades para falar do *uacari*, o macaco da cara vermelha, chamado de macaco inglês porque tinha a cor do rosto dos "gringos". Aires pedia aos moradores para proteger o *uacari*. Na verdade, os ribeirinhos já evitavam caçar o macaco porque achavam que parecia gente. Os madeireiros eram a principal ameaça à espécie. O pesquisador passava semanas na floresta anotando costumes e hábitos do macaco.

As conversas e contatos do biólogo Márcio Ayres com os ribeirinhos resultaram na criação da Reserva Sustentável de Mamirauá, mesmo com pressões contrárias. A proposta de salvar o *uacari* acabou salvando os caiçaras. Depois de um longo trabalho de organização dos moradores pelo biólogo, o governo federal declarou a área uma reserva florestal, e os madeireiros e caçadores tiveram que se retirar. A pesca e a caça passaram a ser controladas. Uma pousada para turistas administrada pelas comunidades da reserva foi instalada.

*

Raimundo ouve barulhos do *uacari*. O barqueiro para a canoa numa margem — agora do rio Mamirauá. Entramos na floresta.

— Você tem que vê-lo antes que ele veja você. E ouvi-lo primeiro.

Na selva densa, bandos de corocas voam por baixo das copas das árvores. Raimundo explica que esses grandes pássaros azuis, semelhantes a *anus*, estão atrás dos restos dos frutos arrancados pelos *uacaris*, das borboletas amarelas e pretas e de outros insetos.

Andando em silêncio pela mata, chegamos perto de um grupo de uacaris. Os macacos logo percebem nossa presença e correm, pulando de uma árvore para outra. Macacos-de-cheiro, uma espécie bem menor, e macacos-guariba também se movimentam nos galhos.

De volta ao rio, a canoa passa por maguaris, grandes garças brancas e acinzentadas. O rio está cheio de jacarés. Andorinhas mergulham na água escura para pescar pequenos peixes. Nos pés de munguba, árvore que dá uma fruta vermelha parecida com cacau, à margem direita do rio, muitos tucanos, jaçanãs, ciganas, pica-paus e outros pássaros.

No início da noite, chegamos ao maior lago formado pelo rio Mamirauá. Ao sentirem a luz da lanterna, os peixes se jogam para dentro da canoa. A luz serve para observarmos os jacarés. Seus olhos são pontos luminosos vermelhos na água. Na escuridão, Raimundo aponta a lanterna para a vegetação de um trecho das margens. Percebe-se um minúsculo ponto luminoso. É o olho de uma surucucu, cobra venenosa, bastante comum na reserva.

— Nestas margens dá muita onça — conta o barqueiro.

*

Nada de Ursa Maior. O céu nesta noite na floresta do Mamirauá está fechado. Choveu. Só estiará na madrugada de amanhã, quando sairemos para tentar embarcar numa lancha rápida em Tefé, rumo a Coari.

No poema "Na vizinhança das estrelas", do livro *Visgo da Terra*, Astrid Cabral escreveu:

Tropical, eu pensava em Onça.
Ursa era pura abstração polar.

Astrid é a dama que ousou negar os superlativos do Amazonas. É a escritora dos barcos da infância ancorados nos cadernos de escola, do cais de papel crepom das festas de criança, do rio escuro que corre no corpo, de um Amazonas íntimo, que flui na memória, sem a extensão e o volume reais. Ela traça seu perfil no poema "Folhágua":

> Se me perguntarem quem sou
> digo: sou rio e floresta.
> Daí o nome folhágua.

30

"Eu nasci em Bérgamo"

Chegamos a Tefé, a 4.900 quilômetros das nascentes do Amazonas. É a antiga cidade de Ega, fundada pelos portugueses. O dia começa a clarear. Perto daqui há o encontro das águas barrentas do Solimões com as pretas do rio Tefé.

"Chora para Vender Fiado" é o nome de uma loja de roupas e calçados da cidade. O trânsito de Tefé é caótico, com muitas motocicletas e bicicletas.

Na praia que se forma no verão em frente à cidade, atracam catraias vindas dos povoados à beira do grande lago de Tefé, de águas escuras, formado pelo rio Tefé, que desemboca no Solimões.

Foi num casebre neste trecho do Amazonas que, durante 11 anos, no início do século XX, o conde italiano Ermanno de Stradelli escreveu os três tomos da obra monumental *Vocabulários da língua geral portuguez-nheengatu e nheengatu-portuguez* e *la leggenda dell' Jurupary*, uma síntese de meio século de pesquisas ao longo do rio e afluentes. Não conseguiu vender o trabalho para editoras.

Durante a infância no castelo de Borgotaro, próximo a Parma, Stradelli sonhava em viajar pela África. A mãe procurava demovê-lo da ideia. Mais tarde, quando ele soube da existência do Amazonas, a família não conseguiu impedi-lo de aprender português e se mudar para o Brasil. O rio se tornou para ele a "suprema atração", como escreveu Luís da Câmara Cascudo na biografia *Em memória de Stradelli*, que reuniu, em menos de cem páginas, as poucas informações obtidas sobre a vida do nobre autor do grandioso livro sobre uma língua de brasileiros.

O conde aventureiro viajou para a América do Sul com o plano de descobrir a nascente do Orinoco. No meio da viagem foi surpreendido pela notícia de que ela havia sido descoberta por um francês. Para permanecer perto do rio, Stradelli trabalhou em órgãos do governo brasileiro e tentou participar de expedições de demarcação de fronteiras. Atuou como promotor público em Tefé por mais de uma década. Na função, teve tempo e recursos para escrever o dicionário da língua nativa. Durante este período, foi surpreendido pela hanseníase. Para não ser afastado do cargo, escondeu até quando pôde que era portador da doença. Levado para um leprosário perto de Manaus, o conde aceitou o destino sem rancor, pedindo apenas a companhia de livros e a publicação do seu dicionário. Morreu aos 74 anos sem ver sua obra impressa.

*

Na proa do barco recreio, sentada numa cadeira perto de uma bandeira do Brasil, a jornalista italiana Laura Stefani toma sol no fim da tarde.

A moça, com seus cabelos loiros e um lenço no pescoço, dá à embarcação um clima de cruzeiro no Mediterrâneo. Por outro motivo, o volume de águas, o Amazonas foi chamado de "Mediterrâneo Sul-Americano" pelo inglês Henry Walter Bates, na obra *Um naturalista no rio Amazonas*, registro de viagem que fez de 1848 a 1859.

Laura deixou o emprego na editora Mondadori em Milão para conhecer o Amazonas e a América do Sul. Da vida na editora lembra do incômodo de trabalhar num prédio projetado por Oscar Niemeyer.

— É horrível trabalhar num lugar sem janelas — diz a moça, enquanto tenta, em meio ao vento forte do rio, ajeitar os cabelos.

Não almeja repetir o conterrâneo nobre e fazer uma obra magistral. Laura se assemelha a Stradelli no encanto e fascínio pelas pessoas que encontra pelo caminho. Nas paradas, ela envia para um blog pessoal na internet histórias simples de homens e mulheres simples dos povoados ribeirinhos.

Há pouco se encantou com uma comunidade nativa da Colômbia, às margens do Amazonas, que passou a viver da venda da jarina, o marfim vegetal, extraído de uma palmeira amazônica. A angústia da experiência até aqui foi conhecer vilarejos do Equador que sofrem explorações predatórias de petróleo por companhias estrangeiras.

Quer chegar a Ilhéus, terra de Gabriela, personagem do livro de Jorge Amado, romancista que diz admirar.

A italiana se surpreende quando digo que meus antepassados vieram de Bérgamo.

— Eu nasci em Bérgamo, terra de *bigotti* — diz ela, sorrindo.

Bigotti é uma forma pejorativa de chamar os moradores de Bérgamo no norte da Itália, especialmente na sofisticada Milão.

— A língua em Bérgamo é considerada uma língua sem sonoridade. As pessoas lá são conservadoras, muito religiosas, não se abrem. Vivem muito do trabalho e para o trabalho.

Falamos sobre o livro *Danúbio*, o clássico de Claudio Magris, que chamou o rio europeu, de 2.888 quilômetros, de rio dos "superlativos". Na obra, Magris diz que é preciso aprender o sentido do desenho do rio, se entregar à corrente e enxaguar os medos. Ele ressalta que a fonte da velha metáfora — o rio símbolo da vida — é Heráclito, o pensador que disse ser impossível alguém se banhar duas vezes no mesmo rio.

Laura diz preferir as narrativas de Ítalo Calvino, com suas fábulas medievais atualizadas. Comento um dos últimos livros do escritor, *Seis propostas para o próximo milênio*. Neste estudo, Calvino chama a atenção para o fato de as cenas de viagens não ficarem mais retidas na memória, tamanho o excesso de imagens no mundo atual.

Laura fala dos povoados das montanhas bergamascas, dos costumes de toda aquela gente que fala com as mãos e parece estar sempre tensa e ansiosa.

A conversa com Laura é para mim uma oportunidade de relembrar cenas mágicas da infância vivida em casas de costumes italianos.

Ela reclama do tratamento das autoridades italianas aos imigrantes, das acusações infundadas contra africanos, árabes. Lembra o drama dos romenos, das meninas russas, dos brasileiros que fazem o caminho inverso de seus ancestrais.

É bom ouvir Laura, especialmente num momento em que a gente já pensava que a Itália deixara de ter o rosto de Ana, Sophia ou Gina e passara a ter a cara do funcionário burocrata da embaixada que não libera a cidadania ou do polêmico primeiro-ministro Silvio Berlusconi. Laura mostra que a Itália mantém sua face atraente e sedutora. A jovem defende, exaltada, gente que vive de subemprego, foge da polícia e enfrenta os preconceitos nas ruas de Roma ou Milão.

A Itália, na visão da moça, não é uma península, mas um planeta habitado por pessoas em constante deslocamento, um rio de todos os tipos de sangue, sempre de sangue fervendo. O país de Laura está longe de ser apenas uma sucessão de ruínas e obras de arte fantásticas.

— Tenho vergonha da política de Berlusconi, dos pronunciamentos dos políticos italianos. A Itália é muito maior que tudo aquilo. A Itália é uma terra de emigrantes, do êxodo constante. Por onde ando, eu encontro italianos. A Itália está em toda parte. A Itália está aqui no Amazonas.

Lembrei-me de Laura, tempos depois, numa viagem de trabalho a Roma. Na manhã de uma sexta-feira de novembro de 2008, andava pela via del Corso quando fui surpreendido por jovens com faixas e cartazes. Aos poucos, percebi que não era um pequeno grupo. Estudantes de todas as partes da Itália chegavam para um protesto contra a reforma do ensino de Berlusconi, que defendia restrições a filhos de imigrantes. Em pouco tempo, uma multidão tomava o centro histórico, da Piazza Navona ao Coliseu. "Siamo noi, siamo noi. Il futuro dell'Italia siamo noi", cantavam os estudantes. Li nos jornais da manhã seguinte que os líderes do movimento calcularam a presença de 200 mil nas ruas. A polícia contou 30 mil. Para mim, o que importava era saber que muitas Lauras emprestavam sua voz a uma cidade que, até aquele momento, estava muda, escondida atrás das ruínas de seus anfiteatros.

31

A firma de Coari

Antes da partida de Tefé para Coari, homens da Polícia Federal entram na lancha onde estamos e começam a revistar as bagagens. Numa caixa de papelão, os policiais encontram 20 pequenas lanternas.

— Esta mercadoria é de Letícia? — pergunta um agente.

— É — responde o rapaz, dono da caixa.

— Não tem nota fiscal, né?

— Não.

O policial libera a mercadoria.

— Quer uma fita para fechar a caixa? — pergunta o agente.

Assim que os policiais saem da lancha, o piloto liga o motor. A embarcação desce o Solimões.

São quatro horas de viagem até a cidade de Coari, nome que em língua indígena significa rio de Ouro ou rio dos Deuses.

Na margem direita do rio, a jusante, antes de chegar a Coari, fica o terminal da Petrobras, uma construção de aspecto futurista, com globos gigantes de armazenamento de gás. Helicópteros sobrevoam as instalações, cargueiros e petroleiros fazem um intenso movimento nas águas barrentas. Quando a empresa começou as obras de exploração de gás e petróleo, Coari tinha 38 mil moradores. Hoje, são 65 mil, segundo o IBGE.*

Coari fica à beira de um lago de águas pretas, formado pelos rios Urucu, Coari e Uruá. Por um quilômetro, as águas do lago correm paralelas às barrentas do Solimões. É mais um encontro de águas.

— São três bocas de frente para o Solimões. Já andei por tudo isso aí. É um oceano — diz um catraieiro, Wilson Ferreira de Alencar, 56 anos.

Com chapéu de palha de abas largas, ele explica que os "suvinas", como chama os rios de água escura, não se misturam com o "perigoso", o Solimões.

— Quero que vocês vejam a piracema, quando baixa mais a água, é de agora para o fim de agosto. São pencas de sardinhas, pacus, matrinxãs, aracus.

O peixes "pretos", como as aruanãs e os carauaçus, não fazem piracema, não sobem o rio. Ficam apenas no lago, nas águas escuras.

Wilson fala com entusiasmo do movimento das águas:

— Tem hora que a água barrenta do rio vai lá embaixo, força, tenta entrar na parte da preta. Às vezes consegue, às vezes é expulsa e a preta acaba entrando no trecho dela. Dizem que a mais sadia é a branca, a barrenta. É preciso ter cuidado com todas, pois tudo é água mesmo.

Wilson é um homem que fala mais que ouve. É um sujeito sorridente e de conversa agradável. Usa uma camisa de manga comprida laranja para suportar o sol forte. Ganhou de um funcionário da Petrobras. A estatal chegou à região nos anos 1990 para explorar gás e petróleo. Mudou a realidade da cidade.

*

Os botos tucuxis parecem alheios ao movimento do porto de Coari. Dão saltos na água escura sem se importar com o barulho dos carregadores e a chegada e saída de canoas, lanchas e barcos.

---

* Instituto Brasileiro de Geografia e Estatística.

Este cenário está na obra de Erasmo Linhares, escritor nascido em Coari que usa a ironia para disfarçar o pessimismo de quem não acredita numa Amazônia justa, sem castas. No livro *O navio e outras estórias*, ele escreve sobre uma embarcação branca e misteriosa que atraca no porto de um povoado, despertando o interesse das pessoas. Muita gente aparece para ver o navio, que ninguém sabe de onde vem e para onde irá. O povoado amazônico tem um rápido progresso. Num dia de tempestade, o barco zarpa, desaparece. O lugar volta ao ostracismo. Era tudo ilusão.

O doutor Marcos-Frederico Krüger, da Universidade do Amazonas, acha que o conto de Linhares pode ser uma metáfora da Zona Franca de Manaus, que trouxe riqueza e ilusões.

As conversas com barqueiros, limpadores de rua, mototaxistas e comerciantes parecem confirmar que o progresso vivido por Coari se encaixa na metáfora do navio branco. No centro da cidade, o dinheiro do gás é abundante, mas o esgoto corre a céu aberto, as favelas se multiplicam nos igarapés que formam o lago de Coari, e os jovens se queixam da falta de emprego e escola de qualidade.

É à noite que se vê o "navio branco" no cais de Coari. Em frente ao casario histórico visitado por Mário de Andrade, em 1927, uma menina de menos de 13 anos sobe à garupa de uma mototaxi para ir à casa de um "amigo da firma" com quem conversara pouco antes por celular.

Os moradores de Coari chamam de "firma" a Petrobras e as empreiteiras. A "farda" laranja dos funcionários é um símbolo de status numa região onde a maioria das pessoas não tem emprego fixo. À noite, empregados da "firma" usam o uniforme para ir a bares e prostíbulos.

— Meus amigos da firma deixam um dinheiro na minha casa todo final de mês. Tenho quatro irmãos. Meu pai largou minha mãe e foi para Manaus. Minha mãe recebe Bolsa Família (benefício mensal do governo) e o dinheiro que eu dou. Ela não gosta que eu saia de casa e atenda o celular dos meus amigos, mas não pergunta de onde vem o dinheiro.

A garota diz que o padrasto tentou violentá-la e foi expulso de casa pela mãe. A menina abandonou a escola na quarta série. Boa parte do dinheiro que recebe usa para pagar as corridas de moto e comprar pasta de cocaína. Os "amigos" da "Firma" costumam lhe pagar de 50 a 100 reais por mês.

A maior parte do dinheiro público e dos recursos repassados pela empresa ao município a título de investimento em promoção social é aplicada em obras voltadas apenas para o próprio empreendimento econômico e, segundo a Polícia Federal, alimenta um esquema de corrupção. O combate aos dramas da infância e a promoção de alternativas de renda para jovens não têm prioridade.

Não há em Coari um centro de apoio a crianças vítimas de violência sexual. Em 2005, a Petrobras repassou ao município 46 milhões de reais de royalties pela exploração do gás do campo de Urucu. Uma parte significativa desses recursos serve para pagar o salário de 8 mil funcionários da prefeitura.

— É um grande cabide de emprego, uma forma de manter o povo na mão — diz o bispo de Coari, dom Joércio Gonçalves Pereira.

Na cidade, não faltam espaços esportivos. A prefeitura construiu 16 ginásios. Os prédios têm boa estrutura, mas são usados apenas para eventos musicais, com som alto e bebidas alcoólicas. As crianças têm acesso livre.

O bispo reclama:

— De que adianta ter uma estrutura como essa se não tem política educacional e programas de esporte para envolver a juventude? Construíram quadras; fala-se que pode ser lavagem de dinheiro. Coari lembra Roma, pão e circo. Pão tem pouco, mas circo tem muito.

Joércio, que atende 210 comunidades ribeirinhas, diz que a exploração de crianças na cidade é "sofisticada". Não há "pontos de encontro". As crianças recebem telefonemas do pessoal da "firma" para ir aos hotéis. O bispo diz que a área é caminho da droga que sai do Peru e segue para Manaus. Há um elo entre a exploração de crianças e o tráfico.

*

O Hospital Regional de Coari tem uma estrutura de dar inveja a outros municípios da beira do Solimões. As instalações e os equipamentos são novos, e os corredores, arejados. A maternidade apresenta números que assustam. No ano de 2007, 280 adolescentes gestantes de até 17 anos deram à luz. O número chegou a 176 no primeiro semestre de 2008, duas delas com apenas 12 anos. No mesmo período, outras 20 adolescentes que haviam sofrido aborto foram atendidas no hospital.

Um cruzamento de dados do hospital com números do Ministério da Saúde mostra que Coari tem índices de gravidez de crianças e adolescentes superiores aos do país. De janeiro a junho de 2008, as meninas de até 14 anos representaram 13,9% do total de grávidas atendidas no hospital da cidade, índice mais elevado que o nacional (1,3%) e que o do estado de São Paulo (0,9%).

Os números de Coari não são determinados por questão cultural — o mito de que no Norte as mulheres iniciam cedo a vida sexual — nem pela má distribuição de impostos. O índice de meninas em operação de parto em Coari, em 2008, foi sete vezes superior ao do Amazonas (1,9%).

O diretor do hospital, o médico Ricardo Matias, faz sua avaliação:

— Não é falta de dinheiro. O governo tem dinheiro. Falta é uma política de educação continuada, de capacitação de professores. O nível escolar das crianças é extremamente baixo, falta professor. Não há centros para esporte e cultura.

O médico nos leva à maternidade. Pela manhã, uma adolescente de 14 anos sofreu aborto e procurou o hospital. Outra, de 15 anos, deu à luz um menino.

*

No posto de saúde do bairro Urucu, uma das favelas surgidas depois que começou a exploração do gás e petróleo, encontramos uma menina de 15 anos. Ela foi ao posto de saúde para o sorteio de duas cestas básicas. Morou numa comunidade ribeirinha do Amazonas com os pais e seis irmãos. Há três anos, a família abandonou o sítio e se mudou para Coari, no surto de desenvolvimento da cidade. Na antiga comunidade dela, a quantidade de peixes diminuiu, segundo moradores, com o intenso movimento de embarcações da Petrobras.

Na cidade, o pai — que só sabia pescar, plantar, caçar e fazer farinha — não conseguiu emprego, abandonou a mulher e os filhos. A mãe da menina ribeirinha também não conseguiu emprego. Na última vez em que o pai apareceu em casa, levou a filha de 15 anos ao médico. A menina reclamava de dores de cabeça. Estava grávida.

— O médico disse que meu pai não poderia fazer nada contra mim — diz a garota, tímida, cabelos negros longos de índia.

Ela não conta quem é o pai do filho que terá. A incerteza sobre o futuro está no olhar de menina, carregado, sem rumo. Abandonou a escola na oitava série do ensino fundamental.

No posto médico do bairro Urucu, 22 das 60 grávidas assistidas são adolescentes de até 17 anos, informa Izanira Lima de Oliveira, enfermeira responsável pelo posto, que acompanhou a entrevista da menina ribeirinha.

— Quando as firmas chegam para trabalhar nas obras da Petrobras, o índice de gravidez aumenta. Geralmente, as meninas grávidas omitem, por uma questão cultural, que o pai da criança é da firma, foi embora, é homem casado. Elas sentem vergonha, a própria família discrimina. Saem de casa, vão morar com a tia, se mudam para a casa da amiga.

A situação é semelhante no Posto de Saúde Henrique Otávio Paul, no centro de Coari. Das 37 grávidas que estão sendo acompanhadas pelo posto, 12 são adolescentes, diz Benegilda Souza, a enfermeira responsável. Ela conta que, em 2007, duas meninas de 9 anos grávidas recorreram ao posto.

*

Dados do Ministério da Educação indicam que Coari é a 46ª cidade entre as 62 do Amazonas no Índice de Desenvolvimento da Infância, a 36ª na menor taxa de alfabetismo entre crianças de 10 anos a 15 anos e a 27ª no Índice da Educação Básica. O índice de meninos e meninas de 10 anos a 15 anos em Coari que não sabem ler chega a 22%. A cidade é a que mais arrecada impostos no interior do Amazonas.

Quando esteve em Coari, em 1861, o poeta Gonçalves Dias, autor do poema "Canção do exílio", registrou que a única escola da cidade estava fechada.

Gonçalves Dias não encontrou meninas nas escolas de Tabatinga, São Paulo de Olivença, Fonte Boa e Tefé. Anotou que os meninos faltavam bastante às aulas. O poeta percebeu que o índice de evasão escolar era elevado, pois as crianças tinham de ajudar nas pescarias da época de seca. E durante o período de chuvas, não tinham condições de chegar à escola. No relatório apresentado ao governo amazonense, um dos financiadores da expedição, o homem que se destacou na literatura por ressaltar a figura do índio, escreveu que a escola era uma boa forma de os meninos perderem o hábito de falar a língua nativa.

*

No centro de Coari, tive um rápido encontro com o prefeito Adail Pinheiro. Homem baixo, com cabelos tingidos de preto, cara risonha, camisa de cor laranja, Pinheiro parou quando cumprimentado. Diante da primeira pergunta, relacionada à violência contra crianças, o prefeito manteve o sorriso, mas ficou em silêncio, e logo se afastou e entrou na caminhonete luxuosa que o esperava. Fiz outras perguntas sobre a denúncia da Polícia Federal de envolvimento dele em uma rede de exploração infantil. Pinheiro não deu respostas.

O barco de luxo usado por Pinheiro, avaliado em 750 mil dólares, no qual teriam acontecido festas envolvendo crianças, afundou num cais da Polícia Federal no rio Negro, em Manaus.

As histórias de violência sexual contra menores em Coari são contadas na série de reportagens "Eldorados da exploração infantil" publicada no *Estadão* em seis páginas, em setembro de 2008. Este meu trabalho contou com o apoio da Agência de Notícias dos Direitos da Infância e da ONG Childhood Brasil. A especialista no tema de exploração infantil, Graça Gadelha, foi uma de nossas consultoras.

*

De Coari a Manacapuru são 402 quilômetros de distância fluvial. Uma lancha rápida faz o percurso em oito horas. Com dois motores de 477 cavalos cada, leva até 112 passageiros, numa velocidade de 50 quilômetros por hora.

32

Aos trancos e barrancos

Depois de parar por meia hora no porto de Codajás, a lancha rápida atraca em Manacapuru, cidade na margem esquerda do rio no sentido de quem desce o Solimões. Percorremos das nascentes do Amazonas nos Andes até aqui 5.400 quilômetros.

Durante o dia, casarões dos anos 1920 em frente ao cais de Manacapuru dão um ar aristocrático ao porto. No início da noite, barracas começam a tocar músicas românticas. São cabarés sem vida.

O comércio mais sofisticado se afastou. As famílias tradicionais abandonaram os oito sobrados em estilo neoclássico, inclusive o chalé verde com portas e janelas brancas, imponente e morto ao mesmo tempo. Tem muito sapo entre o paredão do cais e os flutuantes. As luzes por cima das mesas de sinuca são ligadas, para os homens jogarem.

O porto é iluminado pelas luzes fracas dos flutuantes e barcos menores. A noite está clara, o rio é um breu.

Mais acima, na praça central, Alisete Martins Matos, 46 anos, aluga velocípedes para as crianças. Cinco minutos no velocípede custam 1 real.

Nascida na cidade vizinha de Caapiranga, ela chegou a Manacapuru há 20 anos e se tornou funcionário não concursada da Prefeitura.

O dinheiro recebido pelos "serviços prestados" na prefeitura ajudava o marido, Roberto Alcântara de Souza, 43 anos, a pagar as despesas da casa e os estudos dos dois filhos, um de 20 e outro de 7 anos. Certo dia recebeu a notícia da demissão. Foi para a praça com um dos filhos e uma pequena moto elétrica que tinha comprado a prestação. O momento de tristeza não impediu que ela tivesse uma ideia: alugar a moto e o velocípedes. Aos trancos e barrancos, montou uma frota de velocípedes.

Hoje, ela tem nove velocípedes e duas camas elásticas. Toda noite vai para a praça e, durante horas, fica com uma prancheta anotando a saída e a devolução dos brinquedos. São mais de 300 meninos que recorrem aos seus serviços.

*

Da argila cinza-esverdeada das margens deste trecho do rio, as comunidades tradicionais do vale do Amazonas faziam o paracaumã, alimento das épocas de falta de caça e vegetais, o pão de barro que causou espanto aos viajantes e exploradores europeus.

Ao estudar a geofagia na região, Abguar Bastos, em *A pantofagia ou as estranhas práticas alimentares da selva*, observou que o barro de Coari e Tefé apresenta em sua composição cal, potassa — elementos nocivos à saúde —, silício, óxido férrico e carbonato.

O paracaumã não é alimento do passado, dizem moradores do vale em conversas reservadas. As meninas e meninos pálidos, com semblantes parecidos com os dos personagens de García Márquez, ainda mastigam o barro nas margens do rio. A fome mantém a tradição do paracaumã.

Nesta época de vazante, os monumentais barrancos da margem direita do rio entre Tefé a Coari expõem lixo acumulado pelas cheias do último inverno, escadas de madeira antes submersas, raízes de árvores quase tombando, pedras e muitos meninos. Durante o dia, as crianças não ficam na terra alta e seca, mas na argila e na terra molhada do barranco.

Os meninos, alguns solitários, outros em grupos, sentados, em pé, correndo, parados, pulando nas pedras, sujando as pernas de garças no barro, aparentemente felizes.

Há ainda aqueles meninos que moram em casas flutuantes, próximos de botos vermelhos e cinza. Perto das cidades são muitas essas casas. Entre o inverno e o verão, algumas encalham nas praias que se formam, outras se movem, se deslocam rio abaixo.

Nas proximidades de Manaus, barrancos ou barrancas se tornam mais raros. Neste trecho predominam áreas de várzea que alagam na cheia até uma distância de 50 quilômetros do rio. Numa ribanceira, em Iranduba, município vizinho a Manacapuru, a poucas horas da capital, vive Waterloo, 33 anos, que agora trabalha numa nova roça. O terreno dele tem 250 metros por 1.500 metros e fica numa encosta que dá vista para o Solimões e o lago de Iranduba. Aqui pretende plantar abóbora, mandioca e mamão. O plantio vai invadir o barranco do rio.

Deixa a enxada para buscar, no barracão de madeira onde passa a noite, objetos que achou no barranco, com a seca. Volta com duas garrafas de cerâmica.

— Nem para ter achado essas garrafas cheias de ouro — brinca.
— Não sei informar, mas pode ser do tempo da minha avó, da mãe da minha avó, da avó da minha avó.

As plantações na nova roça começam em julho, início da seca.

— Para o rio, dá o tempo certo.

Serão quatro anos para "montar" o novo sítio, tirar as árvores que precisam ser tiradas. No sítio antigo, ao lado, Waterloo ainda colhe cupuaçu.

— Agora, tudo é enxertado. Daqui a um ano e meio vou produzir direto, laranja, limão e tangerina. Em quatro está dando mamão. A gente trabalha um pouco de cada coisa. O mês está ruim para pescar no lago. Ali dá tucunaré, pacu, curimatá. Mês ruim mesmo é fevereiro, só com muita sorte para pegar um peixinho para comer. A água do lago é escura. E daqui a uns dias virá a correnteza, e a água do lago ficará barrenta como o Solimões. O rio vai encobrir o lago, a ilha de Maria Antônia. Se a enchente é grande, toda aquela gente que mora naquelas casas lá de baixo vai ter de sair da ilha. O pessoal da ilha da Paciência, mais abaixo, também vai ter de ir embora.

Orlando, um homem que usa chapéu de palha de abas largas, marido de Ester, irmã de Nestor, pai de Waterloo, ajuda na nova roça. Ainda trabalham na plantação Valdir, irmão de Waterloo, e Onofre, outro tio, irmão de Nestor. Valdir é o presidente da associação dos pequenos produtores.

A família tenta atrair um estranho grupo de gente que vive em busca de pedaços de cerâmicas e ossos. As garrafas são guardadas com cuidado por Waterloo, pois serão apresentadas aos "esquisitos" assim que eles aparecerem de novo na região.

— Eles [os esquisitos] foram cavar terra no ramal do Curupira. Aí ajudaram o pessoal a puxar a energia para o lado de lá. Se eles aparecerem por aqui, vão ajudar a gente a ter luz — diz Waterloo.

O irmão Valdir aguarda ansioso os homens "esquisitos".

— Estou com a ideia de fazer um projeto de criar peixes, piscicultura. Eles podem ajudar também.

Um grupo de arqueólogos paulistas e norte-americanos desenvolve há alguns anos um trabalho de identificação de sítios pré-históricos nas margens do Amazonas. As pesquisas comandadas pelo professor Eduardo Góes Neves revelam que a ocupação na Amazônia começou há mais de 9 mil anos. Toda a área verde, que parece uma terra virgem e intocada, abrigou grandes núcleos humanos. A tese vai contra o pensamento de que a Amazônia é uma terra de ocupação recente e esparsa, que não teve cidades populosas.

Há milhares de anos, a terra amazônica foi trabalhada, remexida, serviu para fabricar cerâmica, enterrar animais e pessoas. O ribeirinho conta que passou a ter mais cuidado ao usar a enxada na terra. Medo de quebrar uma vasilha de barro, a mandíbula de um animal, o fragmento de uma urna funerária, o pedaço de uma carranca, apliques antropomorfos e zoomorfos, uma garrafa vazia.

É possível que Waterloo e Valdir hesitem em entregar as cerâmicas aos arqueólogos. O interesse despertado pelos vizinhos, os olhos brilhando de turistas, a visita de uma ou outra autoridade reduziram a sensação de isolamento no sítio velho e no sítio novo.

— Muita gente viveu aqui antes. Isto nunca foi selva, selva — observa Waterloo.

Um passageiro gasta 5 reais para ir de barco de Iranduba a Manaus. As duas cidades são divididas pelo rio Negro. A balsa, lenta e enorme, transporta passageiros gratuitamente. Em breve, essa gigante resistente será aposentada, ficará encalhada numa praia qualquer. O governo constrói uma ponte de concreto ligando as cidades, a primeira por cima do Negro.

33

O encontro das águas

São cerca de 5.500 quilômetros de distância das nascentes do rio até Manaus, num cálculo aproximado. Nem por isso os guias turísticos deixam de oferecer passeios de algumas horas até o ponto em que, segundo eles, nasce o Amazonas.

Manaus fica na beira do Negro, rio de 2.253 quilômetros, o maior de água preta do mundo. A nascente do Amazonas para os guias é o encontro das águas pretas do Negro com as brancas do Solimões, a 10 quilômetros do centro da cidade.

Por 12 quilômetros os dois rios parecem não se misturar. O Solimões, como o Amazonas é chamado mais a montante, é mais pesado, carrega sedimentos dos Andes. O Negro é leve, ácido.

A homogeneização completa das águas dos dois rios só ocorre quase 100 quilômetros depois de Manaus. Essa demora se deve a novas misturas de águas pretas e brancas, águas dos afluentes escuros da margem esquerda, Preto da Eva e Urubu, e do branco Madeira, afluente da margem direita.

O hidrólogo francês Alain Laraque, que se dedica ao estudo da bacia Amazônica, explica que os rios Solimões e Negro não correm lado a lado. Por ser mais pesado, o Solimões corre de lado e por baixo do Negro.

Disso sabem os pescadores das proximidades de Manaus, que jogam as redes até a profundidade do Negro para capturar os peixes do Solimões, rio mais rico em alimentos para os cardumes.

Há menos mosquitos nas margens do Negro devido a um índice de mercúrio acima dos padrões naturais. Há também menos peixes e plantas em suas águas. Por não contar com as erosões típicas dos Andes, o Negro acumula poucos minerais e sedimentos. As áreas das nascentes, na região das Guianas, não oferecem minerais como os Andes. A existência, em suas margens, de florestas inundáveis, áreas pantanosas, igapós, acelera a decomposição das folhas, troncos e flores, o que torna a água preta, ácida, pobre em sais minerais.

Num voo sobre a região, o viajante pode achar que o barrento Amazonas é um ser estranho num mundo de águas e florestas sempre escuras. O Amazonas, aqui chamado de Solimões, passa neste trecho, perto de Manaus, como um tapete barrento de sedimentos andinos, turvo, cortando o verde da floresta e invadindo as águas escuras do Negro e de uma série de cursos menores e de lagos.

*

Nesta região, os índios chamavam o Amazonas de Cunuris. O Negro era chamado por algumas tribos de Curiguacuru e por outras de Uruna. Hoje, há quem chame tanto um rio quanto outro de lixão. As águas escuras do Negro recebem uma quantidade considerável de esgoto e lixo produzidos por Manaus. A área em frente da cidade é um depósito de dejetos.

Num cabaré da zona portuária da cidade, Guimarães Rosa conheceu prostituta, recatada e tímida, que serviria de molde para Doralda, da novela "Dão-Lalalão", do livro *Noites do Sertão*, segundo Alberto da Costa e Silva, autor de *Um rio chamado Atlântico*. Rosa transportou Doralda da beira do Negro para o deserto mítico. Em Minas a mulher da vida, agora sem os traços externos da Amazônia, enfeitiçou o jagunço Soropita e o amor se transformou em algo mais forte que toda a brutalidade de um homem acostumado a matar.

Outras Doraldas com seus olhos livres e seus corações contentes chegam em recreios ao porto, se vendem nas ruas movimentadas de Manaus, são levadas para festas nos saveiros que carregam pescadores e turistas pelo Negro e pelo Solimões. Algumas vão conhecer um Soropita, ter vida mais digna, mas pagarão o preço de conviver com os pesadelos dos maridos, que temem o dia em que amigos as reconhecerão de uma noite do passado, como na novela de Guimarães Rosa.

Da Manaus rica nada restou. Um dos seus poetas mais importantes, o parnasiano e romântico Quintino Cunha, boêmio das noites iluminadas e de festas, está esquecido, parece que para sempre. Vive seu "julho", como o rio descrito no poema "Vazante", do livro *Pelo Solimões.* "O rio calmo, o rio manso, o rio mudo."

E o livro que sobreviveu às traças foi arrasado pelos novos críticos, que consideram Quintino Cunha poeta da superfície banal dos lagos, incapaz de descrever as profundezas, intelectual de meras descrições geográficas. Ninguém tira dele, porém, a metáfora do "Encontro das águas", título de seu poema mais conhecido, como a relação tormentosa entre o passado e o presente de cada indivíduo, mágoas e desventuras.

Águas diferentes que seguem juntas sem se misturar, que podem ser o Brasil e o Peru, a Amazônia e os Andes, a vida e a morte, a emoção e a racionalidade, uma pessoa e outra pessoa.

À noite, os ratos ocupam as ruas de Manaus, saídos, inclusive dos palacetes da borracha. Essas residências não soltam imagens do passado, não levam quem vem de fora a imaginar o tempo de riqueza da borracha. Ruínas sem graça. O lixo nas praças, a pouca luz no Teatro Amazonas, a prostituição no cais, os bêbados que não se levantam.

As primeiras águas do rio escorrem entre as pedras do Nevado Mismi, na Cordilheira dos Andes

O arrieiro Natividad Flores, primeiro guia da viagem

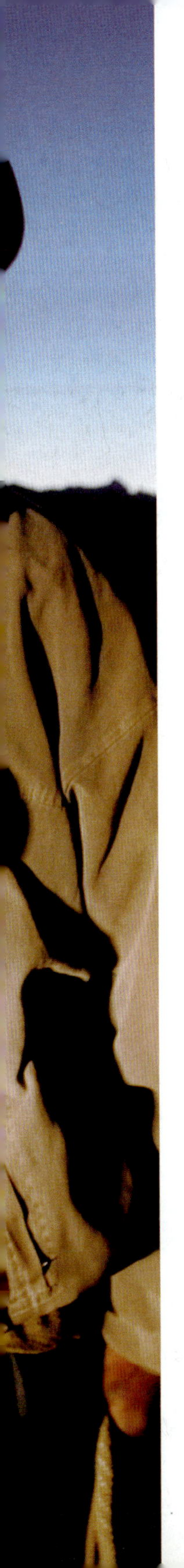

Mulheres lavam roupa no Apurimac, perto de Mauk'allaqta

Três Cañones

Colcha

Silveria. Ao fundo, Malu e Julio Alfredo Ccalluco

Um pescador de bocachitas, Atalaya

Um barco em conserto na praia de Atalaya

Madrugada num acampamento de pescadores, sítio do Cuenga

Maria, que nos hospedou na vila Nueve de Octubre, no Ucayali

Paco

Nas dunas da margem direita do rio, uma comunidade de shipibos

Mulher da comunidade shipibo

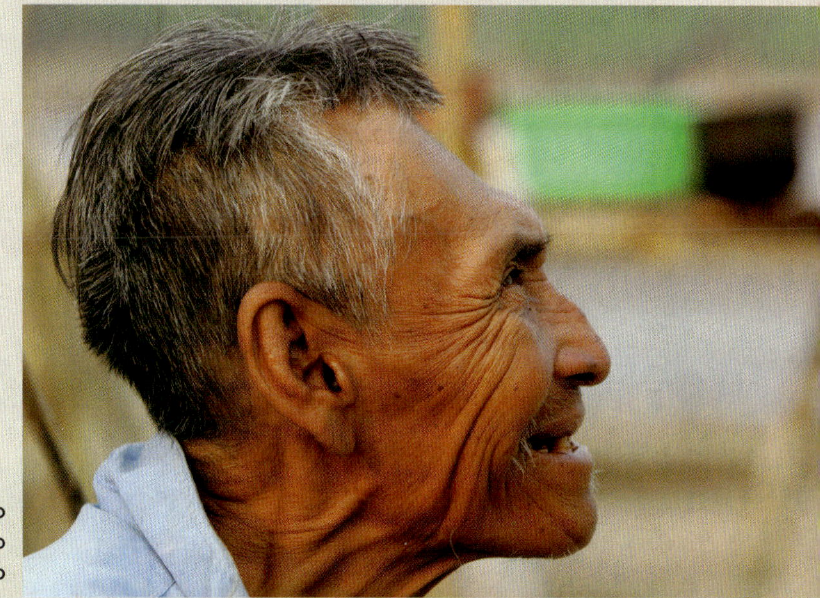
O shipibo Hilário Panduco

Uma família viaja numa jangada no Ucayali

Ucayali

Espantalhos
na plantação
de arroz

Passageiros em
um barco no
Ucayali

Pucallpa

Pucallpa

Pucallpa

Pucallpa

Pucallpa

Meninos brincam no rio, Pucallpa

Carlos Alberto, filho de Edith, Pucallpa

Belén, Iquitos

Pescador
exibe peixes
em Tabatinga

Tabatinga

Uma menina vítima de exploração infantil em Coari

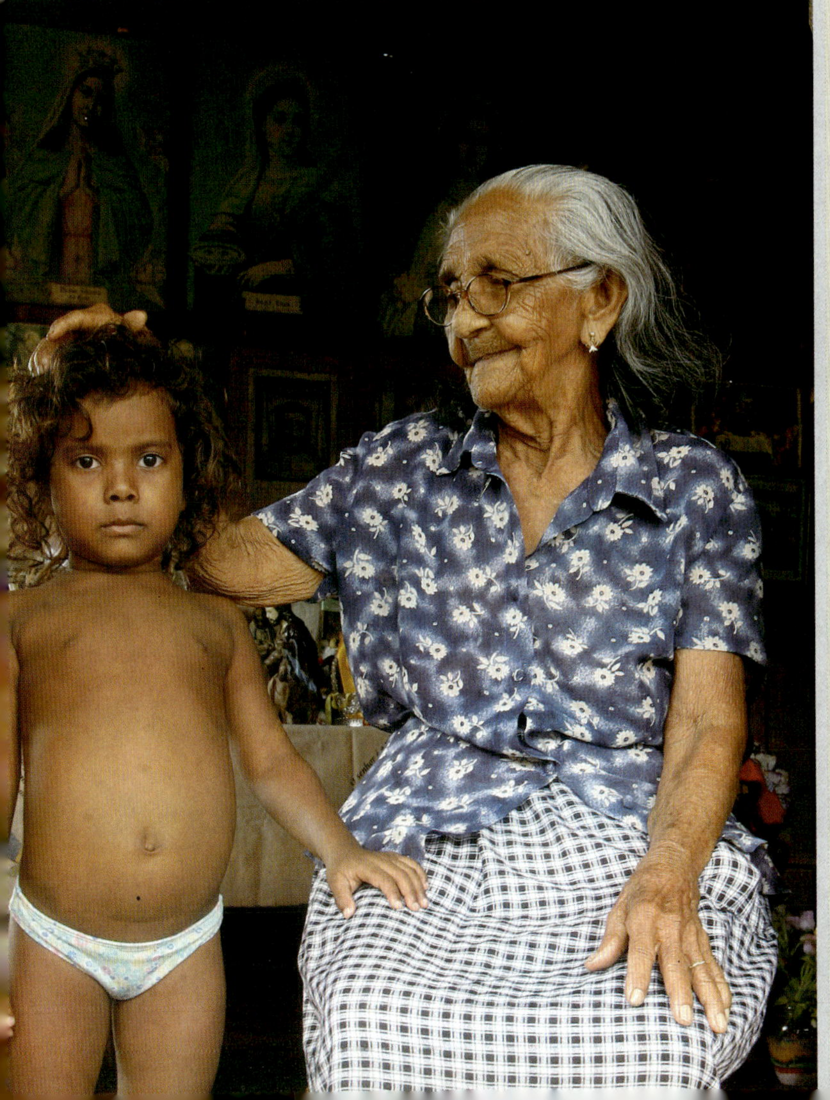

Maria Barriga e a bisneta Bianca

Filha mais velha de Dileuza, na Vila Amazônia, Parintins

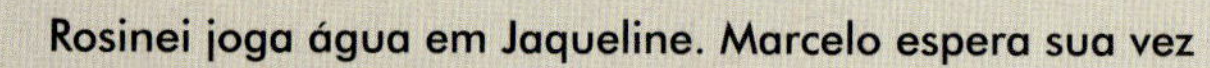

Rosinei joga água em Jaqueline. Marcelo espera sua vez

Otacílio Matos Neto, num recreio em Itacoatiara

Uma "maternidade" de vitórias-régias, em Ponta Negra, Santarém

Um passageiro de recreio lê a Bíblia, Santarém

Futebol na maré baixa
em Macapá

O rio e os mergulhões
tomam o campo de
futebol na maré alta

Andorinhas, Bailique

Meninos brincam no rio em Macapá

E mais futebol

O barco *Séculos* na foz

A foz

Na beira do Negro os flutuantes balançam, parecendo uma cidade em movimento. É a Manaus dos saltimbancos, dos malandros, dos cafetões e das "águas passadas", como descreve a poeta Astrid Cabral no poema "Elegia derramada", do livro *Visgo de terra*.

O começo da história da ruína de Manaus está nos capítulos finais do romance *Andirá*, de Paulo Jacob. É o relato da vida de um certo coronel da borracha, Alírio Feitosa. A obra fala de um rio de sangue e violência. Homens são capados, assassinados.

Não é a justiça dos homens ou de Deus que vai derrotar o coronel. É o movimento da economia, a queda do preço da borracha. No romance, a capital dos cabarés luxuosos, das orgias mais caras, dos palacetes mais suntuosos, se desfaz. Alírio Feitosa se endivida, perde o seringal, a criadagem, os jagunços, a autoridade em relação à filha que antes tratava como um objeto. Morre num palacete vazio da rua da Independência, no centro de Manaus. No final de 1919, o Teatro Amazonas, das famosas companhias de ópera, dava vez a cantadores de samba, tocadores de cavaquinho, atores nacionais de qualidade duvidosa, as portas abertas ao "zé-povinho".

— Abençoadinho, compre uma bala — diz a moça numa mesinha de bar em frente ao Teatro Amazonas.

A moça chora sem que eu faça perguntas, chora diante do silêncio, da oportunidade que recebeu de ser ouvida, falar do filho que ficou em casa e depende do seu trabalho nas ruas, da certeza de que pode falar a noite inteira, à vontade, o que quiser, sem réplicas.

Na crônica "Os mortos de Manaus", escrita em 1934, Rubem Braga lamenta o destino dos anônimos da cidade que não passavam de números nos *Boletins estatísticos do Amazonas*. Ele, no entanto, mantinha a esperança. "*A força da vida — sabeis, ó mortos — a força da vida mais mesquinha é um milagre de todo dia.*"

34

"A floresta vai secar"

Em Manaus, tentamos contato com o poeta Thiago de Mello, que passa parte do tempo na capital e parte em Barreirinha, cidade do interior. Por telefone, ele diz que poderá nos receber às 13h30, único horário possível na agenda.

Thiago aproveita a estada em Manaus para fazer exames preventivos, rever amigos e conversar com quem reclama de seu isolamento em Barreirinha, a sua Macondo, a sua Cachoeiro, a sua Bahia de Todos os Santos, a sua Comala, a sua Yoknapatawpha, a sua Pasárgada, a sua Papperland.

Chegamos ao prédio onde mora o poeta às 13h45.

Com camisa, calça, meias e sapatos brancos, Thiago está apreensivo. Mal o cumprimento, ele reclama do horário, dos 15 minutos de atraso. Ponho a culpa no trânsito, na dificuldade de achar o endereço.

— Quem me sugeriu conversar com o senhor foi uma pessoa de Iquitos.

— Javier Durand.

— Sim, o Javier.

Por sugestão de Thiago, procuramos um lugar "agradável" para conversar. Ele entra no nosso táxi, reclama do motorista que disse desconhecer o seu endereço na cidade. O taxista fica mudo. O poeta pede para parar numa ponte sobre um igarapé. O local rende boas fotos, diz. Sob sol forte, mostra as águas sujas do riozinho, com margens tomadas por mato e lixo. O igarapé corta a área de Manaus onde ele viveu parte da infância e da adolescência. O igarapé é um exemplo que há um quarto tipo de água na Amazônia, a de cor cinza, podre.

Há um mal-estar no momento de tirar a foto. O lugar escolhido pelo poeta não apresenta boa luminosidade. Ao ser questionado por Celso se tinha uma sugestão melhor ele responde:

— Eu não sou o fotógrafo.

Acho que a sujeira do igarapé o pegou de surpresa.

Entramos novamente no carro. Thiago, no banco da frente, diz que tem consulta marcada para as 15h. Ele fala de Barreirinhas, do rio Andirá.

— Um dos mais belos e poderosos do baixo Amazonas, o rio dos índios maués...

O taxista entra na conversa — quebra o pensamento do poeta —, pergunta como se faz para chegar até Barreirinhas.

O poeta, que estava se descontraindo, volta a se fechar. Mas, de repente, começa a falar da Amazônia.

— A vida na floresta é regulada pelo tempo do rio. O tempo da vazante, da abundância, do peixe, da farinha. E o tempo da miséria, que é a cheia. Mas sempre sobram uns peixinhos. É a pobreza, a escassez, o rio inunda a várzea, transforma tudo em igapó. O caboclo sobrevive do peixe e da farinha.

Não há dúvida de que usa uma receita pronta para entrevistas.

— O senhor costuma falar em seus poemas de bichos de outros lugares, como o rinoceronte. Por quê?

— Você está errado em uma parte. Só em um poema eu falo de rinocerontes, "Ontem sonhei com três rinocerontes". Há 30 metáforas de bichos da Amazônia na minha obra, a garça, o boto, a arraia, a onça, os animais de lendas, a cobra grande, a jiboia, a sucuriaçu...

— Essa lenda existe — volta a intervir o taxista.

— Existe — diz o poeta. — No tempo da cheia o caboclo não gosta de nadar, por causa dessa lenda.

Lembro de Javier Durand e sua obsessão em provar que todos os mitos e personagens de romances existem ou existiram no formato de gente. Thiago escreveu em um de seus livros que "o próprio das lendas é a verdade".

Passamos pela rua Silva Ramos, depois pela avenida Getúlio Vargas, onde ainda há casas do período áureo da borracha.

— Vim de Barreirinha para cá com 5 anos. Estudei aqui o primário e o ginásio. O verde sempre foi uma questão polêmica em Manaus. Estão vendo essas árvores plantadas na rua?

— Sim.

— O governador Plínio Coelho plantou esses fícus, que dão sombra na avenida. Foi vaiado.

Tenho em mãos um exemplar de *Mormaço na floresta,* o livro de poemas em que Thiago fala dos rinocerontes.

O mormaço em Manaus está quase insuportável.

— Este calor é uma ameaça. A floresta não será uma savana, vai secar. Aqui há descaso. Aqui se acredita, como o caboclo, que tem muita mata, não acaba nunca.

Continuamos pelas ruas de Manaus. A fumaça e o gás dos ônibus, dos caminhões e dos carros pequenos perturbam Thiago. Há muito buzinaço. O tráfego é interrompido, minutos depois volta a fluir. Um carro fecha o taxista, que por pouco não bate na lateral de outro veículo.

— Este gás carbônico do carro é o pior dano ao planeta.

O taxista fica em silêncio. O trânsito para novamente. Thiago parece fazer um esforço para manter a paciência, demonstrar que é mesmo um "filho" do rio e tem o espírito tranquilo de um caboclo. O trânsito de Manaus é infernal, barulhento. Há gente xingando nos sinais, nas avenidas, nas faixas de pedestres.

Abro um livro de Thiago para tentar retomar a conversa. Em um trecho, o poeta diz que o rio nasce a cada instante.

— Em *Amazonas, pátria das águas*, o senhor escreve que as neves são eternas na Cordilheira dos Andes, onde nasce o rio.

— Não são eternas — diz, ríspido.

Faz o silêncio de alguém que se sente ofendido. Depois, aponta para o poema no livro amarelado e diz de forma lacônica:

— Eram.

Numa carta lida por intelectuais chilenos em 1965, Pablo Neruda escreve que Thiago despertou o Chile da tristeza e chegou a mudar o rumo dos ventos da cordilheira, tamanha a influência na alma dos amigos em Santiago. "Thiago pasa por nuestras almas para invitarnos a vivir", diz Neruda.

Chegamos à praça da Saudade, novo local escolhido por ele para a conversa.

— Se estivesse em Barreirinha, poderia mostrar uma obra de Lúcio Costa na floresta amazônica, a minha casa.

Barreirinha, então, vira uma espécie de refúgio absoluto, onde esse mundo caótico da metrópole ainda não chegou, onde a floresta grandiosa ainda existe. Eu esperava retratá-lo num ambiente bucólico, verde, diante do rio em dia de calmaria e poucos ventos. Mas o homem que na poesia ousou dizer que o rio, o maior de todos, em volume e extensão, era ele mesmo, está impaciente.

Sentamos num banco de cimento. Ele repete trechos de *Amazonas, pátria das águas.*

— Para começar, queria dizer que sou filho da floresta. A água e a madeira viajam na luz dos meus olhos e explicam o meu jeito de caminhar, repartindo a esperança, como o rio.

Será que ele não imagina que o viajante leu seu livro?

— Vou vivendo. Aprendi a nadar antes de aprender a andar. Minha mãe lavava roupa no Andirá. Eu tinha 4 anos quando me jogou na água. Estou nadando até hoje.

Conta que depois de enfrentar o exílio, nos tempos do regime militar, voltou a viver na Amazônia por se sentir em dívida com o rio.

— Eu devo muito ao rio, por isso retornei, porque o verde já era metáfora de meus primeiros livros. Vento, nuvens, madeira.

Reclama dos madeireiros "perversos" e empresários "impiedosos".

— Criam gado, plantam soja e vendem a madeira no contrabando. A água é a mãe da floresta. É preciso dizer que a água do Amazonas está se estragando. Os rios têm tanques de epidemias, de amebas, excrementos, dejetos que saem dos barcos. Os resíduos das indústrias que se erguem na Amazônia também estão poluindo essa água, além do crescimento da garimpagem, que tomou grandes extensões do Amazonas e do Madeira. Os resíduos de mercúrio, com seus efeitos terríveis, atingem o estreito de Óbidos. Hoje, não se vê mais caboclo remando, não. É só na rabeta. Mesmo com esse vento, não se usa vela. O caboclo aprendeu com o vento. Agora, há o consumo de diesel e gasolina pelas embarcações. Os rios, paranás, igarapés e lagos estão todos manchados de óleo. Os peixes morrem. A quem se deve tudo isso? A esse mais ilustre filho da floresta, o predileto entre todos os seres vivos gerados por ela, o ser humano. A ambição e a ganância transformam esse humano em bicho feroz, que mata a floresta, mata a casa da vida.

— O que a poesia pode fazer?

— Sem pisar no chão da verdade, a gente não consegue salvar a floresta. Hoje o maior inimigo da vida no planeta é o império americano, que se recusa com arrogância a aceitar o pedido das Nações Unidas e dos povos para reduzir os gases malignos, que aumentam o aquecimento global.

— A sua poesia é engajada?

— Isso é um galicismo. Engajar, não. Minha poesia serve à vida. É comprometida com a vida do ser humano, das crianças que vão nascer ainda. Eu sou um grão pequenininho. Faço a minha parte. Minha causa é a vida. A arte tem compromisso com a beleza. A poesia tem de ter utilidade estética.

— O senhor está cada dia mais abdicando das metáforas; sob certo aspecto, da própria poesia, para gritar contra a destruição do rio e da floresta?

— Você deve compreender um certo constrangimento que a maioria dos meus textos causa. Já não vale a minha esperança.

— O senhor abre mão de ser poeta para defender as águas?

— O painel do clima da ONU diz que a floresta vai virar savana. Não posso mais usar metáforas, nem meias palavras. Essa floresta vai secar. Gás natural, carvão, as hidrelétricas. Transformaram a água em inimiga. Estamos agora falando em amenizar as consequências da poluição da água na vida do planeta. Diante do egoísmo e da arrogância, a solidariedade humana parece um pássaro em extinção. Não há mais metáfora. Não falo em salvar, mas em amenizar a desgraça do planeta. O aquecimento vai causar a ruína da humanidade. Não adianta fechar a porta depois que o ladrão entrou.

Thiago é como o fugitivo de *A invenção de Morel*, de Adolfo Bioy Casares, um homem que busca refúgio e prega contra devastadores de selvas e desertos.

Comento sobre "Os estatutos do Homem", poema que diz que um homem confiará no homem como um menino confia em outro menino, fica permitido a qualquer hora da vida o uso do branco e que só amar sem amor fica proibido.

— Eu fiz a opção. Entre o apocalipse e a utopia, estou com a utopia. Entre a humildade e a arrogância, acho que a humildade pode triunfar. Vamos fazer nossa parte por amor à vida. As geleiras de onde vocês vieram, lá dos Andes, eram eternas na minha juventude. Pude ver que eram brancas. A cordilheira está deixando de ser branca. Eram mármores de gelo, e eram eternas. Veja o Aconcágua, que separa a Argentina do Chile. O calor é muito grande, é irreversível. No dia em que o povo de cada país se conscientizar de que a desgraça é grande mesmo, quando o povo participar, os governos vão ceder.

Aqui, o poeta espera o povo, como espera, nos poemas de *Mormaço na floresta*, o menino que nunca mais voltou, a moça da beira do rio, as metáforas.

— No poema "O menino e o vento", o senhor diz que o pequeno caboclo, que conhece como ninguém o vento, demora a voltar. Essa espera é uma angústia?

— Não, é a esperança que precisa ser fundada. O egoísmo deve ceder espaço à solidariedade. A floresta nos dá lição de solidariedade.

As horas passam. Entramos novamente no táxi.

Thiago conta que rascunha um poema. Tira do bolso da camisa branca uma folha de papel.

— O senhor tem o título?

— "É uma questão de amor." Texto corrido, sem versos.

Lê apressado o poema. Consigo anotar apenas algumas frases. "A floresta te ouve e te estende a mão. A mais luminosa bênção que Deus te deu. As florestas das asas enlouquecidas. Se ergue... é a mata pedindo ajuda. A floresta é a sua casa, cuide dela com amor."

— Fui direto, é o que quero com esse poema...

— Um escritor tem compromisso?

— Nosso dever de escritor da América Latina é ter uma linguagem cada vez mais acessível. Escrever para o leitor comum, o que não foi para a universidade, o que não teve formação alguma.

— Quando o senhor pensa no rio, o que vem à mente?

— No mundo inteiro vejo a água. O rio é água. O Amazonas é água. Mais extenso e caudaloso dos rios. Quero passar a minha mensagem de solidariedade ao Mississippi, mais poluído que o nosso rio.

— O título do livro vai ser *O rio*. O que o senhor acha?

— Aqui fica bom. Agora, no Sudeste vão achar que é um livro sobre o Rio de Janeiro.

O táxi para em frente a um sobrado, no número 114, da M. Coutinho. Do lado de fora do carro, ele faz uma sugestão:

— Ouçam bem as pessoas no estreito de Óbidos, conversem sobre os efeitos do mercúrio. Leiam *O rio comanda a vida*, do saudoso Leandro Tocantins. Ele fala do tempo de vazante, tempo de fartura, de peixe e farinha, e do tempo de cheia, de escassez e até de miséria nas comunidades. Vocês viajam amanhã?

— Vamos viajar ainda hoje.

— Ouçam bem os moradores de Óbidos.

Thiago entra no sobrado, onde deve ser a clínica, cumprimenta uma mulher.

— Ele é igual ao Einstein, muda muito rápido de personalidade — comenta o taxista.

35

"Mais importante não é estar certo, é a vida"

Porto de Manaus, final da tarde. As luzes do mercado estão acesas. O galpão metálico foi instalado ali em 1882, no auge do ciclo da borracha. Carregadores levam engradados de refrigerantes e cervejas, caixas de frutas e sacos de alimentos para os barcos atracados no cais. Os agenciadores de passageiros oferecem viagens pelos rios.

Um vendedor de bananas secas, um homem caído na escadaria do cais com uma garrafa de aguardente ao lado. A mãe com filho de colo descendo a mesma escadaria com dificuldades. Um casal discutindo. De longe se percebe que a moça diz "chega". O rapaz insiste que quer conversar. Ainda se colam cartazes com procurados pela polícia na parede do mercado. Um salgado e um suco são vendidos por um real e cinquenta centavos. "Buiú, o rei do pirarucu" só vende surubins.

Lanchas e catraias levam passageiros que perderam a hora até os barcos já em movimento. As embarcações seguem o ritmo e a forma das águas amazônicas, se interligam, se cruzam, se juntam, se afastam. Uma rede intrincada, difícil de entender. Os homens também fazem parte do emaranhado, pois estão ligados aos barcos.

Barcos e homens se movimentam no Negro, às vezes num ritmo mais acelerado que as águas ácidas e escuras desse rio. O Negro é sossegado, não tem a malandragem dos carregadores que fazem acordos com donos de lanchas voadeiras para enganar passageiros que saem do cais, cobrando 2 reais até o barco que está em movimento e, quando chegam lá, exigem 15 reais. Também não tem a velocidade e a pressa dos homens que carregam e descarregam engradados e caixas de verduras dos porões dos navios.

O *Almirante Sydney Júnior II* segue para Anori todas às quartas-feiras, às 13h. O *Zé Alberto* vai para Codajás às 11h, também nas quartas-feiras. Outra opção para Codajás é no *Alves Lima*, nas segundas-feiras e quartas-feiras, às 12h. O *Portela Pinheiro* sai todas as quintas-feiras e sábados, às 13h, para Anamã e Anori. Hoje à tarde vai para Manaquiri o *Comandante Becil II*. O *Maresia II* parte para Codajás e Coari às quartas-feiras, às 12h. E o *Cidade de Alenquer*, também às quartas-feiras, sai às 17h, no rumo de Parintins. É nesse que a gente segue.

O barco tem 32 metros de comprimento, 12 metros de largura e 15 metros de altura. Pesa 200 toneladas e comporta 162 passageiros nos três pisos.

Às 17h40, soa o apito na embarcação. O barco segue pelo rio Negro. As águas estão mansas, quase um espelho.

Sandro Manoel Furtado Pereira, 38 anos, comanda o barco *Cidade de Alenquer*. Começou a trabalhar aos 10 anos, vendendo "chopinho" (sacolés) no centro de Santarém. Aos 14 anos, carregava sacos no porto. Quatro anos depois fez um curso de marinheiro em Porto Velho, para pilotar balsas. Após a estadia de três anos em Rondônia, passou a trabalhar como marinheiro nos barcos de passageiros no trecho Santarém-Manaus.

— Era MFC, marinheiro fluvial de convés, uma pessoa que pilota o barco, dá o seu plantão de seis horas, amarra o cabo nas amarrações, zela pela embarcação, faz a limpeza.

Em 2004, ele passou a arrendar barcos. Pelo arrendamento do *Cidade de Alenquer*, Sandro paga um percentual e transporta engradados de refrigerantes para o dono da embarcação.

— Para mim são poucas as dificuldades. Conheço bem a região, o rio, os limites, a capacidade do barco, a lotação, as vontades dos passageiros e dos inspetores navais. Peguei bastante temporal, mas consegui sair deles.

Ele lembra o acidente do barco *Comandante Monteiro*, que colidiu no início de 2008 com uma balsa no rio, resultando em mais de 20 mortos.

— Aí foi negligência do comandante. Ele começou a enxergar a balsa a pelo menos 1 quilômetro. Não chovia. Como viu que estava no caminho certo e a balsa na contramão, no espaço que era dele, decidiu não desviar. A balsa tem mais dificuldade de girar, sair do caminho. Certo ele estava. Mas por estar certo jogou fora a vida de pessoas. Mais importante não é estar certo, é a vida.

O rio é bem navegável, embora esteja em formação. As praias mudam de verão em verão, as ilhas somem ou aparecem, as águas levam pedaços de margens, formam novos braços e canais.

— O Madeira é mais dificultoso, tem mais pedras, cachoeiras, águas dez vezes mais sujas que as do Amazonas. Até junho, o Amazonas está cheio. De julho a dezembro é a seca. Em janeiro, começa a encher novamente. A profundidade média é de 20 metros. No canal, chega a 60 metros. A gente vai aonde a água corre menos.

Sandro comanda um total de 20 tripulantes, sendo quatro pilotos. Há um cozinheiro, um enfermeiro, pessoas que cuidam do motor e da limpeza. O motor de 410 HP gasta 65 litros de diesel a cada hora. O barco navega numa velocidade de 10 milhas, o equivalente a 25 quilômetros por hora.

*

O barco comandado por Sandro transporta muitos arigós, como os cearenses e seus descendentes são chamados no Amazonas. À época da Segunda Guerra, Getúlio Vargas resolveu atender a pedidos dos Estados Unidos e reviver o ciclo da borracha. Milhares de nordestinos foram levados para os seringais da selva.

Um dos passageiros do barco é o comerciante cearense Raimundo Aguiar Lima, de 57 anos, que veio para a Amazônia com seis meses. A vinda dos Lima para cá teve ainda um ingrediente político. Juca Walfredo, líder da cidade cearense de Flexeirinha, teve uma séria briga com outro político da região e decidiu se mudar para a Amazônia.

— A intenção de Juca era continuar na liderança, e ele só conseguiria isso se mudasse de cidade. Aqui no Amazonas ele fundou Mojuí dos Campos. Eu conheci o Juca. Ostentou o título de coronel até o dia em que os agricultores pobres abandonaram Mojuí, migraram para outros lugares. E Juca perdeu a força política.

Raimundo compôs uma música sobre a saga de Juca e sua gente, "O navio cheio de arigós".

Em 1900 e antigamente
chegava um navio cheio de arigós
Todos apragatados
Meio descontentes
Pobreza era tão grande
que fazia dó
Catorze filhos era menor famía
Andava noite e dia
sem saber o que fazer
A saudade no coração doía
Ao lembrar a sua terra
que lhe viu nascer
Cheios de sonhos pra sonhar

Ai, ai
Muitos frutos pra colher

— Arigó é um pássaro que vai de um lugar para o outro. O Juca não morreu pobre, mas não morreu como gostaria de morrer. Ele era líder, todos o procuravam para ouvir seus conselhos. Tem a outra história: a seca, a pobreza, o desprezo das pessoas que já eram desta região. Antigamente eram seis horas de Santarém a Mojuí. Hoje gasta uma hora apenas. Existe um conflito entre os descendentes da floresta e os nordestinos. Mas o aprendizado o tempo passa para o sangue. Não estamos habituados aqui. Temos problemas de saúde, de pele.

A música que Raimundo canta baixinho na rede amarrada no convés do barco é outra: "Sangue do meu sangue". Fala de um problema pessoal do compositor. Era jovem quando abandonou a mulher e a filha de 4 anos, Kátia Cilene, batizada com o nome de cantora. A filha nunca o perdoaria.

Raimundo diz ter composto 87 músicas. O próximo projeto é um livro sobre as histórias que ouve no trajeto Manaus-Santarém, que percorre a trabalho.

— Vai se chamar *Lendas e contos da Amazônia brasileira*. Um livro de quinhentas páginas é pouco para contar o que sei.

Numa rede, Otacílio Matos Neto, de 5 anos, canta uma música do boi Garantido, o boi azul do festival de Parintins.

Ohhh
Mãe natureza ensina os povos a viver
... em harmonia e sonhar
Mas não são todos que almejam aprender
E mesmo contra a correnteza vão remar...
Acauã anuncia maus presságios
A pátria das águas será a pátria dos sertões.

Desembarcamos numa manhã de sol em Parintins, cidade a uns 6 mil quilômetros, mais ou menos, de distância das nascentes do rio. A imagem do boi, símbolo da cultura da cidade, está nas casas, no comércio, no cartão do taxista que mandou imprimir o nome em azul e vermelho, as cores de cada um dos bois para não perder fregueses do Garantido ou do Caprichoso.

São muitas as pessoas com a camisa do Botafogo nas ruas de Parintins. Há escudos do time do Rio nos comércios, nas varandas das casas, nos detalhes das bicicletas e nas popas dos barcos.

Há pouco, a cidade enterrou o seu primeiro bispo, o napolitano Arcângelo Cerqua (1917-2008), que acumulou durante anos os rótulos de populista, arrogante, conservador e pai dos pobres. Foi acusado de desrespeitar a estrutura social das margens do rio ao incentivar os ribeirinhos a deixarem seus sítios isolados e morarem em comunidades. "Ele achava que homem solitário é homem perigoso", dizem seus críticos.

Ficou também a lembrança de um religioso com mania de grandeza, que passou como um rio caudaloso por cima de tudo e todos para construir a imponente Catedral Nossa Senhora do Carmo. Respondia que uma cidade na beira do Amazonas, mesmo do tamanho de Parintins e com o número limitado de católicos, não podia ter uma capelinha qualquer.

36

A menina no inverno

No dia a dia da viagem, navegar o rio significa estar de bom humor, longe dos problemas. A terra firme torna-se, aos poucos, sinônimo da falta de fluidez, de problemas pequenos, das chateações, do cansaço, daquela quase certeza de que não será possível chegar. Terra firme também é sinônimo de *pium*, de coceira nas pernas. Basta entrar num bote, num barquinho, para sentir a brisa, a água, ter a sensação da descida, esquecer atritos.

Após um dia em Parintins, alugamos uma lancha voadeira para subir o igarapé do Limão, que passa perto da cidade.

É época de cheia. A água do rio já cobre boa parte da várzea, se aproximando da terra firme. Todos os campos tomados por plantações no verão estão tomados pela água. Restam ilhas, terras mais altas. As famílias das várzeas se concentram nessas ilhas temporárias com seus filhos e animais. O gado, os porcos e as galinhas são confinados.

Aqui, no baixo Amazonas, o rio sobe na cheia de 4 a 7,5 metros acima do seu nível normal. Mais acima, na parte central, onde está a cidade de Manaus, sobe entre 9 metros e 14 metros. Lá na tríplice fronteira, região de Letícia e Tabatinga, varia de 8 a 10 metros.

As áreas inundadas, as florestas tomadas pelas águas da cheia, viram esconderijo de peixes e, principalmente, fonte de alimentos. De Pucallpa até o Atlântico são 4.800 quilômetros de terras tomadas pelo rio. Próximo à foz, a parte inundada pode chegar a 200 quilômetros de largura.

As famílias vão se alimentar com as verduras plantadas em canoas e caixotes, transformados em canteiros, suspensos com toras a 1,5 metro acima do espelho d'água. Na primeira ilha temporária que encontramos, não há mais quintal para as crianças brincarem. A água tomou toda a terra que separava o igarapé do Limão do igarapé do Jacaré. A cheia transformou em um único alagado os igarapés, os panarás e os afluentes do Amazonas. Nem o leito principal do rio, atrás da casa ilhada, se diferencia no lago único.

Os pássaros, lagartos e patos selvagens buscam comida nas ilhas que ainda restam e que logo serão encobertas, disputando com os homens o que restou de alimento. Os peixes se concentram na beira da ilha, abocanhando as vagens de feijão não colhidas no final do verão.

Quando a lancha voadeira se aproxima da palafita num trecho ainda não tomado pelas águas do rio, uma ilha formada temporariamente entre o Amazonas, o igarapé do Limão e o paraná do Jacaré, uma menina de corpo franzino, morena, corre pela estreita varanda de tábuas e entra na casa. Minutos depois, dá para ver os olhos amendoados, brilhantes, espiando por trás de uma fresta.

A menina é Jaqueline, 5 anos, que mora com seus pais, Rosinei, 25 anos, e José Amarildo de Carvalho Ferreira, 34, seus irmãos José Henrique 6 anos, e Marcelo, 3 anos, e os cachorros Cuna e Lampião. A 1,5 metro do chão, a casa coberta de palha tem quatro janelas e duas portas. Duas janelas dão vista para o Amazonas. As crianças se amontoam em uma das duas camas de solteiro. A luz é de candeeiro. A comida é preparada num fogão a lenha.

Quando a água chega ao assoalho, a família faz "maromba", coloca um piso improvisado mais elevado. Se a cheia for alta, os adultos não conseguem andar sem se curvar.

A mãe diz que Jaqueline gosta de ler. A menina aproveita todos os papéis com palavras e figuras, conta. Lê o que lhe chega às mãos. Todos os "livrinhos", diz a mãe, são guardados numa pasta.

Peço a Jaqueline para ver o tesouro que esconde dos irmãos, dos estranhos e dos bichos. Ela vai até um dos quartos, retira de baixo da cama uma pasta plástica vermelha e volta para mostrar os "livrinhos".

Abre a pasta devagar, com o suspense que deve existir na revelação de um tesouro. Os olhos dela brilham como se estivesse diante de joias pela primeira vez. Dentro da pasta, dezenas de pequenos catálogos da Avon, empresa que vende perfumes e produtos de higiene.

No mundo da menina e da família dela, as revistas podem ser antigas, mas os perfumes das fotos não perderam a fragrância.

— Ela se perde na leitura dos livrinhos — diz a mãe.

Mesmo na vazante do rio, quando o quintal da casa é maior e não precisa disputar espaço com os bichos, Jaqueline fica horas folheando as páginas dos catálogos, conta a mãe.

— A maresia começa a bater forte nesta época — comenta Rosinei. — O problema é com as crianças. Já matamos 12 surucucus em três semanas. Com a subida das águas, elas procuram terra. Tem noite que a gente não consegue dormir, elas ficam pulando, batendo na água.

Quem não aparece é a mãe de Rosinei, que mora rio acima. Há 25 anos que não se encontram.

— Ela disse que viria em junho, mas desistiu.

Rosinei lava louças no Limão. Depois, com uma panela de alumínio, banha Jaqueline. A menina estuda à tarde. O corpo franzino é ensaboado. A água está morna, mas ela estrala os dentes. Venta pelo lado do Amazonas, atrás da casa. A escova de tirar o encardido das roupas é passada nas unhas dos pés da criança. Uma barra de sabão de sebo no corpinho.

É a vez de José Henrique, o filho mais velho, tomar banho. Por último, o menor deles, Marcelo.

O caçula, agora limpo, vai até a casa e volta com uma foto de Mimoso, o cavalo que a família deixou em terra firme. É o amigo que não pôde vir à ilha, não tinha condições de viver em um tamanho tão pequeno de terra seca, um território disputado por pássaros e cobras.

Enquanto o rio não baixa, os meninos usam os cabos de vassoura para montar, como se Mimoso estivesse dentro de casa. Não há televisão nem super-heróis de desenhos animados.

A família espera o festival do boi de Parintins. É a melhor época para vender as couves e cebolinhas plantadas no canteiro suspenso. Cinco folhas de couve, que saem na maior parte do ano por 20 centavos, custam 30 centavos durante a festa.

Subimos o Limão para conhecer escolas. Há, nesta época de cheia, uma que funciona na comunidade São José, informam ribeirinhos em canoas durante o trajeto. Uma hora depois, em São José, encontramos a escola vazia. No barracão suspenso sobre a terra tomada de água, as aulas só recomeçam no próximo verão, a partir de junho.

37

O boi em Parintins

O barqueiro explica que o rio está morto e que isso é bom. Rio morto é a água no final da tarde ou no início do dia, sem ventanias e maresias, água parada, boa para navegar. O que sugere ser a falta de vida é o que o homem aqui mais espera do tempo e da natureza. O rio morto é o rio da garantia de vida, das certezas, da ausência do temor e da angústia, rio sem canoas viradas.

Mesmo a água parada, água dos lagos, um espelho, associada geralmente à calma e à morte, na selva tem um significado completamente diferente. É no lago das águas paradas que estão os pirarucus, os pequenos peixes, a vitória-régia, os ovos das aves, boa parte das plantas medicinais, o alimento e o remédio.Aqui o barco desliza melhor, vai mais depressa.

Viajar pelo mundo ribeirinho, entrar nos lagos, igarapés, paranás e afluentes maiores que correm paralelos ou perpendiculares ao rio em muitos trechos agitado e frenético é deixar o trajeto principal, se embrenhar pelos caminhos secundários, dissociar imagens do presente de lembranças do passado, reaprender a usar os olhos, rir do que traz ansiedade, olhar com esperança o que não se olha, transformar toda a memória.

Depois de percorrer os igarapés do Brás, do Moratinga e um trecho do Paraná de Ramos, a voadeira entra no Aicurapá, um rio de águas pretas. É marcante o contraste das águas no encontro do barrento Ramos com o negro Aicurapá. Na margem esquerda do Aicurapá, está a comunidade do Maranhão.

A torre da igreja e as casas ficam no alto do barranco. Vivem na comunidade 120 famílias. A maioria delas vive da mandioca, de vendas de verduras na feira do final de semana em Parintins, da coleta de açaís na floresta, dos doces e vinhos de ixi, xi coroa e ixi liso, frutas no formato de um ovo de galinha e de sabor adocicado, também usadas como isca na pesca de jaraquis. O cheiro da fruta é tão intenso que atrai pacas, antas e tatus. O caçador faz uma gaiola perto de uma árvore de ixi para capturar os bichos nos meses de abril e maio, época de colheita.

Arineide dos Santos Tavares, 42 anos, chegou há oito anos à comunidade para dirigir a escola, a única que funciona na região durante a época da cheia.

As terras onde hoje estão as casas foram doadas por uma família rica a ribeirinhos que ficaram sem onde morar, diante do avanço dos fazendeiros pelas terras das margens do Aicurapá.

Os homens de fora chegaram e espalharam búfalos e cavalos nas terras. Eles e seus animais pressionaram os ribeirinhos que, sem alternativas, deixaram a beira do igarapé e se juntaram a outros ribeirinhos em comunidades na terra firme, no alto do barranco. Na cheia, eles não viram mais suas casas em cima da água, nem a água baixando. Da vida isolada passaram a viver coletivamente, porém uma vida não menos difícil. Antes, sobreviviam sem parentes ou amigos. Sozinhos, construíam suas casas. Agora, há a solidariedade de terra firme. O rio, porém, está mais longe, não é mais o companheiro da porta da casa, de toda hora. Antes se vivia no rio. Na comunidade, ir para o rio se tornou um afazer. Os ribeirinhos, que tanto ressaltam a diferença para os índios, voltam a viver como seus ancestrais, repetindo as aldeias de terra firme, do interior das matas, que não enfrentam a cheia, o rio subindo, a espera pelo rio baixando. As novas aldeias, entretanto, vivem sob ameaça de novos exploradores que sobem o rio em busca das riquezas da terra firme: as grandes árvores.

Poucos dos expulsos pelos fazendeiros e bois seriam recompensados com empregos de vaqueiros, de marcadores de animais, de consertadores de cercas, de construtores de currais. Os que eram os campos férteis tão úteis na seca viraram extensos pastos. Apenas algumas velhas castanheiras, sobreviventes das antigas posses de ribeirinhos, resistiram às trocas de donos, às mudanças de uso da terra. A sombra delas, refúgio dos búfalos e cavalos nas tardes ensolaradas, justifica momentaneamente a sua preservação pelos fazendeiros.

A vida em comunidade facilita, no entanto, o trabalho dos homens da fé, do dinheiro e da política.

38

A escola

Aqui, na comunidade do Maranhão, há um esforço dos adultos pela educação das crianças. Foi só a comunidade se dedicar ao ensino dos seus meninos e meninas para surgirem crianças vindas das cabeceiras, dos pequenos igarapés, dos furos, dos trechos mais distantes da várzea, dos lugares onde não se sabia haver moradores. Elas apareceram, vieram nas suas canoas, com seus pais ou sozinhas, duas ou três numa mesma embarcação, acompanhadas de uma vontade de seguir o rumo de outras crianças.

Oito professores trabalham em turmas da primeira à oitava série do ensino fundamental. A escola atende também crianças das comunidades do Ramos e do Badajós.

Vanderléia Valente, uma jovem que trabalha na escola, conta que tem menino estudando na igreja da comunidade, por falta de sala de aula.

— Num sermão, o padre disse que não quer mais saber de estudante na igreja, que igreja é lugar de rezar. Ele é enjoado.

Um grupo de homens trabalha na construção de um novo galpão de madeira para receber os estudantes. Valdo Rodrigues de Oliveira, 38 anos, lidera o grupo. Há três anos ele é o presidente do Maranhão. Comanda 130 famílias, um total de 750 pessoas.

Valdo pertence à elite maranhense, formada pelos donos de barco de pesca. Hoje, só duas famílias dispõem de embarcações que podem ficar semanas no rio, em pescarias de rede. Cada barco tem cerca de 15 metros e pesa 8 toneladas. Dezenas de homens trabalham com eles.

— Você percebe que a dificuldade aqui é o espaço físico para atender a demanda. A gente não cuida só de nossos filhos, a gente cuida dos meninos de outras comunidades, que não são avançadas como a nossa. São 270 crianças matriculadas só do Maranhão. Foi para atender a demanda que colocamos crianças dentro da igreja — diz, sem disfarçar o orgulho.

Fala horas sobre as reivindicações feitas sem sucesso a prefeitos e parlamentares, das promessas não cumpridas do poder público.

— Precisamos de escola mais digna para os nossos filhos. Tenho quatro estudando na escola. Mas logo depois não vão ter mais ensino. Aqui a gente ainda não tem o ensino médio.

Há três meses a prefeitura não paga o salário dos quatro barqueiros que transportam crianças das cabeceiras, da Ilha do Bom Futuro e da Enseada Badajós para a comunidade do Maranhão.

— Os barqueiros continuam no serviço por amor às crianças. Agora, não falta merenda na escola.

A comunidade abriu uma nova frente de roças e extração de recursos naturais, de 100 hectares. Cada família tem direito a trabalhar num lote. Partiu da própria comunidade a ideia de plantar em uma área desmatada e proibir o corte de grandes árvores nativas. É uma poupança para o futuro. Essa medida, tomada em assembleia, causou a revolta de madeireiros da região. Os madeireiros investem nas comunidades próximas de Icurupá e Momurá.

— Toda semana descem balsas carregadas de madeira. — Diz Valdo. — Teve serraria que propôs urbanizar toda a comunidade em troca de nossa floresta. Mas ninguém aqui abre mão, nem as famílias que têm barco, nem as famílias que vivem do trabalho na colônia. A nossa floresta é para uso próprio. Só retira madeira para fazer casa, fazer canoa, fazer escola, isso quando não dá para aproveitar madeira antiga. Somos muito assediados. Aqui a gente tem maçaranduba, itaúba, louro, cedrinho, acupiúba, tudo madeira de lei. Há maçaranduba que cinco homens de mãos dadas não abraçam.

A professora de português, Miracir Ribeiro, trabalha há 18 anos em escolas do interior.

— Não sei como é a experiência de trabalhar na cidade. A água aqui determina o período letivo. Há aulas na várzea enquanto a água permitir.

Usa textos de Cecília Meirelles, Marina Colasanti e Jorge Amado nas aulas. Nesta tarde, numa turma de sexta série, ela faz a leitura do texto "O sofá estampado", de Lygia Bojunga Nunes.

Mãe de quatro filhos, Miracir fala das dificuldades na cheia.

— As pessoas nas várzeas perdem suas plantações, os gados são transferidos para a terra firme. Muitas comunidades têm dificuldades em sobreviver. Acho que falta uma política de governo para amparar o ribeirinho nesta época. Por mais que ele esteja preparado, é sempre complicado viver na cheia. As plantas morrem, os animais fogem para não morrer ou são mortos pelas sucurijus.

A nossa presença na escola anima as crianças. Elas se agitam e gritam.

39

Ele pretende apenas desenhar o mundo

Para sair de um igarapé e entrar em outro, o caminho mais curto é um furo, área alagada nesta época de cheia. Esse furo, porém, está tomado por plantas aquáticas que formam um extenso campo verde. A voadeira não consegue atravessar essa vegetação.

O barqueiro tenta abrir caminho a golpes de remo. A quantidade de murumurus, plantas de formato semelhante a alfaces, não permite avançar. Minutos depois, um barco a motor, o *Joia*, se aproxima e rasga sem dificuldades o tapete verde, que balança, em pedaços, na água movimentada pelo motor. A voadeira aproveita o caminho aberto. As plantas se espalham.

O verde cobre boa parte dos furos e beiras de igarapés. Um olhar mais atento percebe flores brancas, roxas, avermelhadas.

Dos capins da várzea, ficaram para fora da água apenas as pontas, que de longe parecem formar um campo de gramas bem aparadas. Socós, garças, jaçanãs e pássaros negros grandes e pequenos tentam pousar nessa vegetação e se assustam ao perceber que a grama não suporta o peso deles.

Nesta subida pelo igarapé do Limão, as águas barrentas apresentam uma cor acinzentada por causa da chuva. Em igarapés menores, a água é preta e imóvel e reflete a imagem dos barcos e seus ocupantes. Nos lagos, onde também a água é escura e parada, só se percebe o seu movimento quando o vento balança os murumurus.

*

No início dos anos 1930, 20 famílias japonesas chegaram a esse trecho do Amazonas, pouco acima de Parintins. Hoje restou apenas o piso do pagode onde os japoneses faziam suas orações a 100 metros da beira do rio.

A Vila Amazônia se transformou num pequeno Japão na selva. Os imigrantes construíram casas, lojas e jardins em estilo japonês. Eles trouxeram a juta, uma fibra do Oriente, lideraram ribeirinhos em processos avançados de produção de arroz e café, colheram látex e incentivaram a pesca de pirarucu, a caça de capivaras e a extração de castanha.

Os imigrantes se casaram com caboclas da região, a comunidade continuou cresceu, o pagode ficou apertado para nativos e orientais.

Quando Vargas anunciou que o Brasil havia entrado na guerra contra Alemanha, Itália e Japão, homens do governo chegaram de Manaus, prenderam líderes da comunidade, arrebentaram a botinadas as portas do pagode. Um navio passou para recolher os japoneses.

— Teve japonês que se enrolou na bandeira do Brasil, para não sair daqui — conta José Zeferino Braga, 63 anos, líder da comunidade, que deixou ou uma reunião nesta manhã para nos contar sobre os primeiros tempos da Vila Amazônia, que hoje tem 4 mil moradores.

Em 1944, famílias como os Hata, os Toda, os Nomura, os Kimura, os Oyama, os Sato e os Nakautu foram arrancadas de suas casas e terras.

— A Marinha pegou eles de noite, jogou num barco como se joga um animal, foram maltratados. Isto tudo aqui era um colosso de boniteza. O pagode tinha 16 por 20 metros. Era de telha e taipa. Não tinha um prego, era só barro e madeira. Com a saída dos japoneses, virou escola, centro de reunião e, por último, ruína. As 12 mil telhas do pagode foram aproveitadas depois na construção de um centro social.

As casas foram abandonadas às pressas. Por muito tempo, os nativos deixaram as construções intocadas, como se os donos pudessem voltar.

A única casa construída por japoneses que restou abriga uma família ribeirinha. Com quatro janelas e duas portas, a casa é feita de barro e madeiras nobres, como preciosa, pau-d'arco e maçaranduba. Dileuza, 31 anos, e João Antenor da Silva Braga, 37, criam com dificuldades três filhos pequenos. As crianças sofrem de desnutrição. Elas estudam na escola da Vila Amazônia, que esteve duas semanas com as aulas suspensas por causa de um crime envolvendo dois de seus estudantes, moradores de uma comunidade próxima, a Vila Mato Grosso. Um jovem de 16 anos, Andrei, foi assassinado por um colega. Com medo, as professoras decidiram suspender as atividades. Hoje, recomeçam as aulas, mas o clima ainda é de tensão entre professores, pais e alunos.

*

A juta estava para ser colhida na terra firme, na várzea e na Ilha Formosa quando chegou o barco da Marinha que levaria os japoneses. Tempos depois, apareceu na vila um comerciante português, J.G. de Araújo, que decidiu colher a juta e plantar as mudas que estavam nos canteiros abandonados. Um quilo de fibra de juta, usada na fabricação de cordas, barbantes, sacas e redes, valia o preço de um quilo de açúcar.

J.G. de Araújo se apresentou na comunidade como "índio católico". Mandou construir um palacete na beira do rio. José Zeferino Braga tem as chaves da antiga construção, hoje abandonada. No forro do teto da sala que dá de frente para o rio, há uma pintura desbotada. Na parede, faltam azulejos de Lisboa no quadro da Santa Ceia. O ferro das sacadas da varanda está enferrujado, mas a estampa de Nossa Senhora da Conceição na parede externa está em perfeito estado. Faltam cerâmicas no piso do salão de festas. Um galho de abacateiro entrou pelo teto da varanda, quebrando as telhas. A escadaria que dá acesso à piscina está tomada pelo limo. O lodo invadiu a piscina, a área onde ficava o parque infantil, as casinhas dos cachorros, a capela de Nossa Senhora de Fátima.

As palmeiras do quintal foram plantadas pelo português. Uma centenária castanha-de-macaco, árvore frondosa, sombreia o cais. O capim cresceu nas escadas que descem para o pequeno porto onde atracavam os barcos vindos de Manaus e Belém.

Num deles chegou o rei da Bélgica, nos anos 1960, lembra o líder José Zeferino.

— Eu era jardineiro nessa época. O rei ficava horas olhando as plantas, os insetos. Ele falava bem o português. A gente saía cedinho numa canoa. Quando chegava em algum ponto do rio, ele jogava veneno para matar os peixes. Depois, colocava os peixes em vidros com formol. Também gostava de caçar passarinhos, como gostava. No rio ou na mata, ele só andava com uma capa para proteger do sol e da chuva. O J.G. era baixo, e o rei, altão, tipo americano, desses que aparecem aqui de vez em quando. Um homem bom. Trouxe relógios, panos, anéis para distribuir. Era divertido sair com ele pelo rio. Mandava tarrafear, para tirar fotos dos peixes. A canoa vinha cheia. Queria ver a vitória-régia. Ficava muito tempo tirando fotos das plantas, dos bichos.

É possível que o visitante tenha sido Leopoldo III, que se tornara rei da Bélgica em 1934, quando o pai, Alberto I, um montanhista, morreu durante uma escalada em Marche-les-Dames. Quando as tropas nazistas invadiram a Bélgica em 1944, Leopoldo III se rendeu e foi preso. Retornou ao país ao final da guerra, autorizado pela população em um plebiscito, mas passou a ser questionado por opositores. Em 1951, abdicou em favor do filho Balduíno. Leopoldo III passou a realizar discretas viagens pelo mundo. Morreu em 1983.

*

O palacete que abrigou o suposto rei belga na beira do rio é o mesmo descrito no romance *Cinzas do Norte*, de Milton Hatoum, o escritor que reinventou a prosa amazônica, sem se prender às tradicionais e detalhadas descrições da floresta.

Em sua obra, Hatoum evita os relatos previsíveis de viagens, o exotismo da mata, a contemplação deslumbrada dos cenários, a grandeza dos rios. "Os superlativos em torno da grandeza e da exuberância escondem o que há de mais prosaico, o chão mesmo do nosso cotidiano", diz no livro *Crônica de duas cidades — Belém e Manaus*, escrito em parceria com o filósofo Benedito Nunes.

O título original de *Cinzas do Norte* era *Vila Amazônia*, onde o personagem Juno produz juta e quer ver o filho se tornar militar. Mas o filho é um artista que pretende, apenas, desenhar o mundo.

Uma vila representa toda a Amazônia. A região imensa e complexa cabe neste povoado, que cabe numa única memória, numa única alma. Hatoum desenvolve um trabalho quase herege com técnicas jíbaras de apresentar a grande selva. Ele planta bonsais amazônicos. O perfume das tardes nubladas, a sensação provocada pelo mormaço, o bucolismo dos lagos estão em cada linha de seus livros, na alma de seus personagens desconcertantes, violentos. Estão em homens e mulheres vindos de longe, que se debatem no tormentoso processo de adaptação à selva e ao sol da Amazônia, a terra do "verão eterno", na descrição de viajantes do passado.

Hatoum é o escritor dos imigrantes, dos homens sem fronteiras, da terra imensa onde as propriedades ainda não são cercadas por arame farpado. Ele segue o varadouro aberto pelo escritor Paulo Jacob, autor de *Um pedaço de lua caía na mata*, romance que descreve os dramas do comerciante Salomão para preservar suas raízes judaicas na floresta.

Hatoum recorre a vários narradores numa batalha incessante para registrar o máximo de versões das histórias. Ele percorre o "labirinto fluvial" passando pelas galerias mais profundas do rio, reiventando as invencionices de viajantes.

Os romances de Hatoum atingem um tom épico quando ele desconstrói Manaus, expõe a alma das pessoas e os conflitos familiares. É como se árvores plantadas em vasos de cerâmica dentro de uma casa crescessem sem poda, destruindo o piso, rachando paredes, estraçalhando vidros, rompendo o tempo. Assim surge a floresta na prosa de Hatoum. De um parágrafo perdido, na última linha ou nas entrelinhas amenas, escapam as taxins e as formigas-de-fogo.

Em meio a dramas psicológicos e lembranças amargas, Hatoum fala de batuíras e jaçanãs triscando nas águas do rio. Ele fala como sem querer, como birra de menino que não dá o braço a torcer.

*

O ex-dono do palacete virou um personagem que aparece com certa frequência na prosa da Amazônia. Ele é o "J.G. Araújo", português dono de um empório em Manaus no romance *Ressuscitados*, de Raimundo Morais, obra que retrata o universo social nas margens do Yaco, um afluente do Purus, com seringueiros, índios e "coronéis de barranco". Neste livro, o próprio Morais é personagem. Ele é o comandante do barco *Rio Afuá*, que percorre os rios, ouvindo e contando relatos da vida na região, dos dramas do regime dos barracões — o sujeito passa a contrair dívidas no comércio do seringal que o impedem de deixar o local de trabalho. Morais foi piloto de barco no Amazonas antes de virar escritor.

O ex-dono do palacete na beira do rio também seria, segundo o escritor Leandro Tocantins, o senhor J.B. Araújo, o comerciante de prestígio social no Amazonas que aparece no clássico *A selva*, marco da literatura moderna de Portugal, de Ferreira de Castro.

A selva, publicada em 1930, conta a história de Alberto, que, assim como Ferreira de Castro, saiu de Portugal na adolescência para fazer fortuna no Eldorado. Ferreira de Castro viveu na Amazônia dos 12 aos 16 anos. Trabalhou em seringais, viu a escravidão, conviveu com migrantes cearenses — os arigós — e retornou à Europa sem dinheiro, com imagens da floresta e do rio na cabeça. A selva, nas memórias do escritor, é a violência da natureza, maior que o homem, mais forte que qualquer protagonista humano. É a grande vilã, a grande personagem.

40

Os ditadores

Willy Gaúcho, como se apresenta Edson da Silva, é um raro gaúcho da fronteira, desses que não alimentam a fúria de destruir a floresta. É um aposentado da marinha mercante que navegou os mais diferentes mares e, agora, anda pelos povoados e cidades das margens do rio.

Ele se aproximou da gente num caldo de cana, no centro de Parintins. Cabelos tingidos de preto, boné, camisa verde de seda, bermuda e sapatos. Conta que está na cidade por conta de um projeto audacioso: escrever um livro sobre os prefeitos do Solimões. O trabalho tem por objetivo fazer um perfil de cinco políticos do Amazonas.

— Ninguém sabe que escrevo esse livro. Faço tudo com discrição. Converso com um, com outro. É na mesa de sinuca, no balcão de um bar, numa fila de banco, numa praça que vou recolhendo informações. Memorizo os fatos e depois passo para o papel. Penso em estender a história até Santarém. O certo é que todos os ditadores do alto Solimões terão suas histórias contadas no meu livro.

Fala da globalização:

— Chamam de terroristas todos aqueles que reclamam e se opõem ao modelo deles. A globalização é a decisão de 200 famílias em impor o preço dos seus produtos no mundo todo, como a Nestlé.

Volta a comentar o livro que se chamará *Os ditadores do Solimões*. A obra não economizará adjetivos para descrever esquemas de desvios de verbas públicas, práticas populistas e violentas de arrancar votos, nomeação de parentes para cargos públicos, escolha de laranjas para assinar documentos e se tornar donos de imóveis comprados com dinheiro sujo, assassinatos de opositores. Um prefeito mandou matar um irmão que colocava obstáculos à sua sanha de poder, a mãe enlouqueceu, morreu de desgosto.

— Não são coronéis, são ditadores. Aprenderam com o próprio poder.

Willy diz que Adail Pinheiro, prefeito de Coari, será um dos biografados. A má fama de Pinheiro corre por todo o Solimões. É uma espécie de miniatura do protagonista do romance *Yo El Supremo*, do paraguaio Roa Bastos.

— Adail paga os mototáxis para aplaudir aliados em comícios e eventos públicos na cidade. Recentemente, mandou demitir enfermeiros e médicos do hospital. O nível do ensino em Coari é péssimo. Estou estudando esse ditador. O homem tem muita proteção, é preciso cuidado.

Pergunto se o prefeito de Parintins entrará no livro.

— Ainda não sei. Agora, veja, pode uma cidade turística como esta ter esgoto a céu aberto nas ruas? A água aqui é podre, o esgoto se mistura com as reservas de água potável consumida pelos moradores. As margens do rio estão sujas. Cidade de água suja é um bom indício da presença de um ditador. Nesses casos de investigação, a principal dica é a água suja.

O foco do livro dele parece mesmo ser Adail Pinheiro.

— O livro poderia se chamar *Memórias de um ditador*. O homem se transforma em ditador quando se perde em três coisas: dinheiro, mulher e poder. A pessoa pode perder os limites.

41

Quando os homens se afogam

Madrugada em Parintins. Às 5h, deixamos a cidade numa voadeira alugada. O rio, com águas paradas, é dourado nas primeiras horas do dia.

Na margem esquerda de quem desce, um velho se banha no rio. Depois de 40 minutos, passamos pela comunidade Imaculada Conceição, também na margem esquerda, formada por dez casas de madeira ao redor de uma igreja também de madeira.

Mais à frente fica a comunidade Menino Deus. Um menino rema em uma canoa. A voadeira para perto de uma embaúba, árvore tomada de formigas.

Ricardo de Souza Ramos, 12 anos, está na sexta série. Acordou às 4h. Com malhadeira, pegou tambaquis e curimatãs. Geralmente, captura de dez a 15 peixes por dia.

Uma mulher e uma menina pequena remam ali perto da comunidade. Os raios do sol iluminam a proa da canoa delas. A criança, uma menina morena, de cabelos amarrados, na proa, joga o remo para a frente, dá uma curvada com os braços e mergulha o remo na água, como gente grande.

Laudicéia Silva Ribeiro, 24 anos, a mãe da menina Jocinara, 6 anos, conta que a escola da filha fecha na cheia do rio. As aulas só são retomadas quando as águas baixam. Laudicéia também é mãe de Jociane, de 4 anos, e de Graziela, de 3 anos. O marido está na cidade. Em época de cheia, o alimento fica escasso. A vida, mais difícil.

— No verão é só trabalho. A gente planta melancia, feijão e milho na várzea. E arrenda terras dos outros para aumentar a roça. Metade da plantação fica para a gente e metade para o dono da terra.

O plantio começa em agosto, quando o rio está baixo.

Laudicéia diz temer nesta época os grandes jacarés. Recentemente, a comunidade matou um animal de 6 metros de comprimento. Há três anos, um jacaré cortou a "cana" do braço de um menino.*

Tantos séculos antes, o padre João Daniel escrevia em seu *Tesouro descoberto no máximo rio Amazonas* ter ouvido de nativos que "o jacaré é a pior cousa que cria o Amazonas".

— Se não matar, ele fica ajeitando, e a gente tem de ter a prudência de matá-lo — diz Laudicéia. — Um casco como este em que estamos não é nada para ele.

Em poucos minutos, a ribeirinha toma confiança e começa a falar de um drama que assusta mais que os grandes jacarés. É a bebida alcoólica, problema que atinge as famílias da comunidade.

O pai dela abandonou a mulher por causa da bebida.

— Aqui, na comunidade, não se vende bebida. Mas quem gosta não acha distância. A bebida persegue a nossa comunidade. Tudo está perdido, não perdoam nada. A gente não está com o coração bom para suportar essas coisas. Um cunhado há pouco tempo saiu para pescar e morreu afogado. Tinha bebido. Um homem não morre afogado quando

* "Cana" é como algumas pessoas da região chamam a parte do braço localizada entre a mão e o cotovelo.

está bom da cabeça. Raimundo Graça Pantoja era o nome dele. Tinha 31 anos, deixou quatro filhos para a mulher criar.

Laudicéia conta que o marido, Graciélio, de 28 anos, não bebe. Ele, porém, sofre com o alcoolismo do pai.

— Meu sogro é uma boa pessoa. Quando bebe, aparece com um terçado querendo matar todo mundo. Não sabe o que está fazendo. A gente fica com medo. Graças a Deus, meu marido não bebe. Ele tem raiva do pai.

É jacaré-açu na cheia e bebida em qualquer época. Laudicéia fala como se os forasteiros fossem íntimos. Tem necessidade de falar, de desabafar. E essa necessidade parece ser maior que o acanhamento, a timidez ribeirinha, um sentimento mais forte que o milenar costume de quem vive nessas margens do rio. A agonia dela supera a tradição dos que preferem ouvir, ficar em silêncio e tirar conclusões sem nada dizer.

As mulheres e os líderes das comunidades ribeirinhas e indígenas de todo esse trecho do rio e dos afluentes não sabem como lidar com o problema do alcoolismo. Quando falta dinheiro e a dependência leva ao desespero, os homens recorrem aos tambores de óleo diesel para se embriagar.

A alguns quilômetros daqui, fica a ilha de Macaiani. Possivelmente neste trecho o rio tem a maior largura desde os Andes.

42

Omar

A pequena e confusa cidade vive uma explosão econômica. Juruti cresce de forma desordenada desde a chegada da multinacional Alcoa para explorar uma mina de bauxita. No porto, barcos de todos os tamanhos despejam migrantes atraídos por empregos que só serão oferecidos a gente de fora, com qualificação profissional.

A casa do início do século XX fica na ladeira de quem sai do cais e segue para a parte antiga da cidade. A suntuosidade de outros tempos está nos detalhes das três janelas da frente. O presente, na umidade das paredes enegrecidas, no vidro quebrado, no pedaço de reboco despregado. Com o cachorro Luxe, Omar Guimarães Cantanhede, 72 anos, passa boa parte do dia e da noite numa das janelas.

O nome dele é o mesmo de um dos protagonistas de *Dois irmãos*, romance de Milton Hatoum. A obra descreve uma relação de ódio entre os gêmeos Omar e Yaqub, filhos de uma família libanesa radicada em Manaus.

Halim, o pai dos gêmeos, sente saudades da época em que não era pai e podia viver o amor com Zana. É a vontade máxima de reviver o passado, a juventude. O livro fala da construção e destruição da casa de Halim e Zana.

O pai de Omar, personagem real de Juruti, também era um libanês que lucrara na fase da borracha em Manaus. Em álbuns empoeirados estão fotografias de pais, tios, avós, homens de negócios, advogados. Um desses tios construiu a casa onde Omar vive sozinho em Juruti, herdeiro único do clã.

— Deus me escolheu para marcar época. Sou uma pessoa Dele. Se minha fotografia chegar ao Rio e a São Paulo vai ser uma festa.

Nuvens encobrem o céu. Omar diz que as nuvens foram mexidas por sua causa.

A casa tem os cômodos tomados por jornais e revistas, gaiolas quebradas, caixas e mais caixas onde o homem guarda instrumentos para contar histórias. O quadro de moldura grossa e vidro quebrado é da tia Gilza, mulher com vestido grená com as mãos numa mesinha de centro. Era costureira. Certo dia, uma tesoura caiu e rasgou sua perna.

O narguilé dos ancestrais está jogado num canto.

Ao lado da casa, no quintal, árvores da Amazônia, uma minifloresta, para lembrar a grande floresta que a família árabe encontrou no Brasil.

Omar diz que consegue mudar o tempo, fazer chover e alterar as águas do rio com a expressão do rosto.

— A expressão do rosto muda tudo — diz, enquanto dá exemplos, mexendo os músculos da face.

Relata o dia em que cardumes deram meia-volta depois que ele fez uma certa expressão facial.

— O mundo nunca foi feito, sempre existiu. Nunca teve princípio e fim. Eu era diferente desde criança. "Omar é estranho, nem parece parente", diziam minhas tias. Mas eu não era parente mesmo. A chuva no inverno daquela época já era por minha conta. Em janeiro as cidades ficavam alagadas por minha conta também.

Ele diz ter projetos para o dia em que o mundo inteiro conhecer sua identidade.

— Vou dar dinheiro para todas as mulheres casarem. Logo, não vão ficar mais nos motéis. Esse é o meu trabalho.

Olha para o céu.

— Meu jeito não mexe só com o rio, mexe com todas as coisas — diz, como o caçula Omar do livro, cheio de si, orgulhoso, desprendido.

As sobrancelhas arqueadas lembram Yaqub. Como Yaqub, o Omar de Juruti fez fama na matemática, nos cálculos. Ele exibe desenhos de construções. Dezenas de janelas e portas, pisos e escadas numa mesma folha de papel. São esses desenhos que levam as pessoas da cidade a avaliarem que seu jeito e sua solidão são resultados da mania de fazer contas. Ficou diferente de tanto projetar casas.

Na história do morador de Juruti, porém, não há sinal de nenhuma loira feiticeira, de Lívia, a mulher que acirrou o ódio dos irmãos Omar e Yaqub do romance.

Um vizinho se aproxima, nos alerta que Omar, apesar de boa gente, não passa de um louco. Só isso. Assim, ele seria apenas um Arminto Cordovil, personagem de outro romance de Hatoum, *Órfãos do Eldorado*, um homem maluco de uma cidade do médio Amazonas que conta sua história a um viajante que aproveita a sombra embaixo de um pé de jatobá.

43

Senti que tudo era passado

Ficamos poucas horas em Juruti, o suficiente para abastecer a lancha voadeira e conversar com alguns moradores e um padre da Igreja Católica. Os relatos sobre exploração sexual nos levaram a voltar mais uma vez à cidade.

Quatro meses depois, em Manaus, entramos no barco *Amazon Star*, rumo a Juruti.

É a oportunidade de saber que o rio, em um extenso trecho depois da capital, não é chamado em momento algum de Amazonas nas comunidades ribeirinhas da região.

De manhã, depois de uma noite num camarote com baratas, o proeiro de uma canoa a motor cheia de gente se aproxima do *Amazon Star*, acenando com uma camisa branca. O piloto do barco desliga o motor para a canoa encostar.

As ondas provocadas pelo barco assustam a mulher que está na canoa. Ela abraça os filhos, demonstrando medo. O homem da proa joga a corda, um passageiro segura e amarra no barco. A mulher e quatro crianças são puxadas por outros passageiros para dentro da embarcação.

Antes de subir também, um segundo homem ainda tenta vender aos passageiros alguns peixes que estão na canoa. Na pressa, conseguiu negociar três tambaquis por 10 reais, para ajudar a pagar a viagem no recreio. As passagens dele, da mulher e das quatro crianças saíram por 70 reais. Ele pretendia vender um pirarucu por 50 reais, mas não conseguiu. O homem da proa retorna com a canoa para a sua comunidade.

Dentro do barco, Anilson Teixeira Cruz, o Chico, de 23 anos, conta que segue para Parintins onde vai tratar da mulher, Franciene, de 20 anos, com problemas de saúde. Francieli, de 3 anos, arde de febre. Anilton, de 4 anos, e Francenilton, de 9 meses, dormem no colo da mãe. Cristina, de 10 anos, uma sobrinha, acompanha o casal. A família vive na comunidade de Marajá, nome de uma palmeira espinhosa, a seis horas de Parintins. Sonha em se mudar para a cidade. Lá, porém, não há emprego.

Horas depois, ele conta que, na região onde mora, o rio se divide em três braços, recebendo três nomes diferentes. O Arari, o mais calmo, por onde navegam os grandes barcos, o Estirão das Onças, o mais largo e raso, e o Arquínio, o mais perigoso, onde a maré é forte.

Chico diz que ninguém aqui conhece o rio pelo nome de Amazonas, as pessoas o chamam simplesmente de rio.

— O rio que a gente conhece é tudo, todas as águas, menos as águas dos lagos e igarapés. É uma coisa só: o Estirão das Onças, o Arari e o Arquínio. Falou que é rio já entende. No Estirão das Onças, dá mais peixes, tambaqui, surubim. A cobra-grande dá lá também. O principal mesmo é o Arari, porque o canal é fundo e passa barco. A gente pesca dourada no Arari.

Todo o labirinto fluvial de canais, furos e paranás é o mesmo rio, especialmente na cheia, quando até a floresta fica submersa. Estão fora da lista os lagos e os igarapés no período da seca e água da chuva antes de cair no leito.

*

Vitória Pereira dos Santos, a sorridente e simpática mulher responsável pelas chaves dos camarotes, mostra a Chico onde é a enfermaria do barco. Ali, a filha pode ser atendida.

Os camarotes ficam no terceiro andar do *Amazon Star*, acima das áreas das redes. O camarote é confortável, contanto que você não se incomode com as baratinhas.

É na cobertura do barco que fica o cassino dos ribeirinhos. Um parceiro, morador de Parintins, e eu ganhamos duas rodadas de dominó e perdemos a terceira. O pessoal aqui diz que tem de bater forte na mesa ao jogar a pedra, caso contrário ficará explícito que você participa sem vontade. Tem de fazer barulho.

No convés, olhando as margens do rio, a moça destoa de outros passageiros. Os cabelos loiros, os olhos verdes e a pele clara, clara, constrasta com tudo e todos. Tem nas mãos um exemplar de *Ninguém escreve ao coronel*, romance de García Márquez, em que o protagonista passa anos esperando cartas que nunca chegam.

Ela se chama Anabel Lacey, Annie, uma professora inglesa de 29 anos, que leciona para crianças na cidade de Princeton. Está há duas semanas na Amazônia. Simples, se alimenta no refeitório do barco, junto com os passageiros das redes, o pessoal da chamada segunda classe. Não se incomoda em falar do livro que lê. Fala com entusiasmo, como se o romance não fosse apenas uma forma do desconhecido puxar conversa.

Manaus foi a primeira decepção dela.

— Esperava uma cidade misteriosa. Era uma cidade mágica que eu tinha construído na imaginação. Pensei que as pessoas fossem diferentes. Sabe o que a cidade me pareceu? Uma bebida sem gás. Você entende? A cidade era escura, veio a sensação de que tudo tinha passado. É muito louco. Não achei lindo o Teatro Amazonas. Embora tenha gostado das pétalas da cúpula nas cores da bandeira brasileira. Um teatro como aquele existe em cidades da Europa.

As críticas, embora fortes, são acompanhadas por um sorriso aberto, pelos olhos brilhando. Os cabelos loiros dela balançam diante do vento quente do Amazonas. Uma cena que não é efêmera na memória como a riqueza de uma cidade ou o gás de um refrigerante.

Segue para Belém, depois irá a São Luís, no Maranhão. No porto de Juruti, eu a convido para deixar o barco e nos acompanhar nas conversas com crianças exploradas sexualmente. Chega a sair do barco. O convite mexe visivelmente com a moça. Ela, porém, está com o dinheiro contado e decide recusar o convite.

Semanas depois, Annie me envia um e-mail. Ainda está em Belém, onde andou sem companhia pelas ruas e praças, na solidão dos trópicos. Quer saber das crianças de Juruti. Escreve que deveria ter aceito o convite e desembarcado na cidade. Antes de o barco chegar a Belém, o camarote de Annie foi arrombado enquanto ela estava fora. Perdeu os cartões de crédito. A moça passou alguns dias sem dinheiro na capital do Pará. No final do e-mail, perguntou quem era Camões.

Na resposta, disse a Annie que as meninas ribeirinhas de Juruti, cidade na margem do Amazonas, passavam por todos os tipos de sofrimento, inclusive a falta de água. Também escrevi que Camões é um poeta muito atual.

44

Meu nome é 50

Acerca de 200 metros do rio, três irmãs tentam driblar a vida sem água encanada, energia elétrica, comida e proteção contra adultos agressores. As meninas de 16, 14 e 12 anos foram abandonadas pela mãe prostituta e vivem num casebre de madeira de apenas um cômodo com o pai. No dia em que as visitamos, acompanhados da servidora pública Varluce Augusta dos Santos, que atuou como conselheira tutelar durante 6 anos, as meninas tinham assado um pacu, peixe da região, no fogão à lenha.

A geladeira desligada serve para guardar bonecas. Para encher as jarras e tomar banho, elas precisam caminhar quase um quilômetro até o poço de água do quintal de um vizinho. Trazem as jarras de água na cabeça.

A menina de 16 anos está grávida de dois meses. A menina do meio pode ter sofrido abuso sexual, segundo Varluce. É por isso que a ativista social voltou à casa das três irmãs. Na última vez, Varluce esteve na residência depois de ouvir denúncias de exploração contra a irmã de 16 anos.

A figura da mãe causa temor nas meninas.

— Uma vez papai saiu e ela trouxe um homem para casa. Eu botei para fora. Eu fechei a janela na cara dele. O papai dizia que não era para deixar macho entrar aqui. Mamãe ficou com raiva. Abriu uma janela, eu fechei, abriu outra, eu fechei. E ficava assim, fechando — conta a menina do meio, de 14 anos, visivelmente tensa, roendo as unhas, no quintal da casa.

Agitada, vai até uma bacia e começou a lavar roupas de crianças e de bonecas, pendura as peças num varal.

A menina de 16 anos diz que deixou de ir à escola em 2005, por causa da mãe:

— Ela me tirava da escola. Ela é muito malvada. Saía para a festa, deixava as minhas irmãs comigo. Com 14 anos eu comecei a beber como ela. Mamãe não sustenta a gente. Ela diz que não sustenta filho com mais de 10 anos. A gente nasceu no interior. Quando crescemos um pouquinho, mamãe trouxe a gente para cá. Quando saiu de casa, levou o fogão e muitas coisas. Mamãe bebe muito e fica descontrolada.

Na rua sem calçamento, tomada pela poeira e que acaba no rio, há outros casos de adolescentes exploradas. Uma vizinha das três irmãs, de 14 anos, tem um filho de sete meses. A menina abandonou a escola na quinta série.

— Saí da escola porque meu bebê adoeceu e tive de passar muito tempo no hospital.

Pergunto se tem planos de voltar ao colégio, a garota começa a soluçar e chorar. A conversa, acompanhada por Varluce, é interrompida. Em seguida, uma irmã da menina, de 16 anos, com um filho no colo, em tom intimidador diz que "o problema dela está resolvido" porque o pai da criança assumiu o filho. Varluce olha para uma terceira irmã, também adolescente, e diz que isso não resolve o problema.

*

Dirijo o carro pelas ruas escuras de Juruti. De frente para o prostíbulo da Gilda, o maior da cidade, acendo o farol. Sem que os frequentadores do lugar percebam, Celso, no banco do carona, faz fotos de adultos com crianças — algumas com cerca de 12 anos — na portaria.

Voltamos para deixar os equipamentos no hotel. Mais tarde, retornamos ao prostíbulo. Lá dentro, pelo menos 30 menores de 17 anos acompanham adultos, muitos com crachás de empresas que atuam nas obras da exploração da mina de bauxita. O crachá é o símbolo de status na cidade que, até recentemente, era uma pacata comunidade.

Homens altos para os padrões locais e de pele clara destoam no amplo quintal do prostíbulo. São os funcionários mais graduados das empresas, oriundos do Sul do país. Usam camisas e calças sociais. Outros funcionários, menos graduados, com roupas mais esportivas, formam a maioria. De uma hora para outra, 5 mil homens chegaram à cidade para as obras da mina de bauxita.

Um grupo artístico canta músicas eróticas, de incitação ao sexo. Vestidas com shorts curtos, crianças estão com latinha de cerveja na mão. Na pista de dança, uma menor é agarrada por um homem de crachá. Depois por outro. À 1 hora da manhã, dois policiais chegam ao prostíbulo. Meia hora depois, estaciona uma caminhonete com outros quatro agentes. Os policiais entram e ficam parados num canto. Um adulto segurando uma adolescente pelo braço passa por eles, que nada fazem. A menina tem 13 anos. Cada programa, que pode ser feito em cômodos de barracões de madeira nos fundos, sai por 50 reais. Traficantes vendem pasta de cocaína e maconha.

Juruti em 33 mil moradores. A Alcoa, destacada no Fórum Mundial de Davos como uma das empresas mais sustentáveis do mundo, investe 1,5 bilhão de reais na exploração de bauxita no município. Em parceria com a prefeitura, a empresa desenvolve o projeto Juruti Sustentável. Só no ano passado, a prefeitura recebeu da empresa 1,45 milhão de ISS, o Imposto sobre Serviços. A prefeitura e a Alcoa, no entanto, estão numa queda de braço. A empresa quer construir um condomínio fechado para funcionários. A prefeitura reclama que isso é *apartheid*.

— Não vejo onde está o sustentável do projeto deles — diz João Carlos Gonçalves Pereira, que nos últimos quatro anos acompanhou como conselheiro tutelar o problema das crianças. — É muita mentira, dizem que desenvolvem uma série de projetos, mas não vejo os resultados. O medo deles é uma revolta, as pessoas fecharem as estradas. Não culpo só o sistema Alcoa, mas o Poder Público que não investe em políticas públicas para crianças.

João Carlos montou um grupo teatral para encenar a vida de Cristo com meninos e meninas pobres, muitos tirados por ele do mundo da exploração.

*

Antes, elas percorriam, acompanhadas da polícia, bares, prostíbulos, hotéis e restaurantes de Juruti para combater a exploração sexual de crianças. Com o tempo, o grupo de mulheres ligado à Pastoral da Criança e ao Conselho Tutelar percebeu que os policiais escolhidos para acompanhá-las eram informantes dos donos dos estabelecimentos.

A professora aposentada Rosineide Barroso é uma das integrantes da ronda que desafia cafetinas, policiais corruptos e traficantes.

— A gente não pode confiar na policia, ela dribla a gente. Nosso município está com um desenvolvimento maior do que deveria ter. Não estávamos estruturados para a implantação desse grande projeto. Temos muitas adolescentes na exploração, nas drogas e no alcoolismo, temos sofrido um bocado.

A servidora pública Varluce Augusta dos Santos, outra integrante da ronda, diz que a exploração sexual de crianças estava "incubada". Com a chegada da empresa o problema se tornou maior e visível.

— A própria família jurutiense sofreu o impacto. Quem era agricultor no interior veio para a cidade. As empresas não dão trabalho para quem não tem instrução, nossa cidade não estava mesmo preparada. Na cidade, os pais, analfabetos, tapam os olhos e deixam as coisas acontecerem. Muitos homens que vieram trabalhar no projeto da mina, com família longe, se aproveitam das meninas. O projeto está sendo implantado há três anos. Nossos gestores públicos anteriores não se preocuparam com a questão da infância e adolescência. Os melhores trabalhos não são para as pessoas daqui, mas para os de fora, que têm qualificação profissional.

Rosineide lamenta que as preocupações da empresa não chegaram no tempo certo.

— Veio tarde. Ninguém agora sabe o que fazer com seus filhos. Temos também o problema da falta de estrutura da Justiça. Não temos um promotor, um juiz. Os casos são resolvidos na Vara de Óbidos.

Se você perguntar o nome a alguma menina de Juruti, poderá ouvir uma resposta estranha:

— Meu nome é 50.

Cinquenta reais.

A história da Alcoa em Juruti parece um resumo do romance *Os anões,* um clássico escrito pelo paraense Haroldo Maranhão. O livro descreve o perfil do diretor de uma grande empresa que explora recursos minerais na Amazônia e cria regras próprias numa cidadezinha da beira do rio. Palmar Demisso Colonho, o protagonista anão, manda subordinados buscarem meninas novas. Reclama quando chegam para ele "velhas" de 15 anos.

45

Deus é grande, mas o mato é maior

Só depois que a lancha faz a volta para atracar no porto de Óbidos, o Amazonas torna-se violento, com ondas. Do cais à outra margem, o rio tem menos de 2 quilômetros, precisamente 1.800 metros. É a parte mais estreita do Amazonas no território brasileiro, é a sua "garganta".

É com vento e água no rosto que o piloto atraca a voadeira próximo a grandes barcos, na margem esquerda. Com a arrebentação das ondas, as canoas e os barcos de diferentes tamanhos e modelos batem com o casco no muro do cais.

Ilhas e florestas submersas aumentam o risco de naufrágios. A cheia do rio isola a região e lhe dá um aspecto triste. Machado de Assis, que nunca esteve na Amazônia, escreveu, em *Relíquias de casa velha*, que a solidão neste trecho de Óbidos parece ter mais intensidade. Ao comentar *Cenas da vida amazônica*, livro de José Veríssimo, Machado disse que a floresta e a água envolvem e acabrunham a alma. "Tudo é inumerável e imensurável. São milhões, milhares e centenas os seres que vão pelos rios e igarapés, que espiam entre a água e a terra, ou bramam e cantam na mata, em meio de um conserto de rumores, cóleras, delícias e mistérios", escreveu.

Machado, depois de ler *Cenas da vida Amazônica*, observou que a rede era o principal móvel das casas de Óbidos. Os moradores dizem que, numa rede, a vida pode ser ainda melhor.

Foi para o obidense José Veríssimo que Machado disse, no Cosme Velho, no Rio de Janeiro, a última frase antes de morrer: "A vida é boa."

Pela ladeira se chega à parte alta da cidade. A antiga rua Bacuri, hoje rua Deputado Raimundo Chaves, descrita na resenha de Machado, parece viver uma sesta eterna. Era num desses casarões da rua que Severino de Paiva, protagonista de *O coronel sangrado*, romance de Inglês de Sousa, pitava seu cachimbo enquanto a política mesquinha se desenrolava na cidade.

Inglês de Sousa inaugurou o naturalismo no Brasil, com o romance *O cacaulista*, publicado em 1876. Hoje, sementes de cacau ainda são secadas na beira do cais. Está longe, porém, o tempo de fartura das grandes lavouras perto dos barrancos do rio. O romancista, esquecido pelos críticos, e José Veríssimo, que expôs teorias de raça agora ultrapassadas, chamaram a atenção, no seu tempo — final do século XIX e início do 20 —, com descrições detalhadas da Amazônia luxuriante. O próprio Veríssimo, num artigo sobre Inglês, reconheceu que o "painel" era vasto demais para a "pintura".

Na memória da nação, os dois escritores estão praticamente desaparecidos, como acontece com os bustos deles, lado a lado, numa praça quase tomada pelas águas do rio, na parte baixa de Óbidos. "O que vale é que Deus é grande... e o mato maior", diz o velho Inácio, personagem de *Contos amazônicos*, de Inglês.

46

Melancolia

Óbidos, do latim *oppidum*, significa cidade fortificada. Antes, era chamada de Vila dos Pauxis. Por ordem do marquês de Pombal, as vilas e povoados às margens do Amazonas ganharam nomes de lugares de Portugal.

Pombal, um déspota esclarecido, e o rei dom José I queriam transformar aldeias primitivas em povoados de homens assalariados e consolidar a presença portuguesa na Amazônia. Odiados pelos jesuítas expulsos da colônia na América, os dois tentaram reproduzir Portugal na selva. Assim, Gurupatuba virou Monte Alegre; Surubiu, Alenquer; Cumaru, Vila Franca; e Vila do Tapajós, Santarém.

Como a homônima europeia tomada pelos mouros em 1148, a Óbidos amazônica se localiza num barranco elevado. O castelo que protege a cidade portuguesa aqui, neste mormaço, pode ser associado ao Forte dos Pauxis, com seus nove canhões apontados para o rio.

O forte nunca teve condições de proteger a garganta do rio de invasores. No *Estudo sobre a livre navegação do Amazonas*, de 1866, já na época do Brasil independente, o deputado Aureliano Candido Tavares Bastos informava que os 11 canhões existentes à época no forte eram "peças de museu". Somados a outros quatro instalados em Tabatinga e 28 em Macapá, os canhões não eram suficientes para conter inimigos.

Bastos defendia a abertura do rio à navegação de barcos estrangeiros, o que acabou sendo aceito pelo imperador Pedro II, e maior intercâmbio entre países da bacia amazônica para desenvolver e proteger a região. "Para julgar conscienciosamente um país é mister percorrê-lo e viver com o povo que o habita", escreve, no estudo, o deputado.

Sargento Jesus cuida do policiamento na cidade amazônica e da conservação do forte, construído em 1697. "Consta", segundo ele, que são 21 homens para tomar conta do monumento histórico e dos 20 mil cidadãos, duas vezes mais que a população da Óbidos europeia. Mas tem soldado de licença médica, de férias, emprestado a outros comandos. E os canhões não funcionam. Um spray de pimenta é a mais eficiente arma da tropa.

O forte de Óbidos não tem a imponência do castelo e da muralha que cercam a cidade homônima portuguesa. As ruas estreitas, as ladeiras que levam à matriz e o casario colonial, com seus azulejos azuis e amarelos nas fachadas, sim, aproximam o que o oceano, o tempo e o desconhecimento afastam.

O cheiro de doce quente sai pelas frestas dos casarões e chega às calçadas íngremes de uma cidade ou de outra. Na Amazônia as frutas temperadas foram substituídas pelo cupuaçu, componente das tortas sofisticadas, das compotas e dos bolos. É por isso que o odor é forte, agrada ou desagrada na primeira inalação.

Valdeci Jordão de Aquino é dona de um quintal na beira do rio cheio de mangueiras e abiuzeiros, de onde se avista o melhor pôr do sol do médio Amazonas. Sinhazinha de uma família abastada de Óbidos, adaptou uma receita passada pela mãe Luiza da Silva, de origem portuguesa.

Torta de cupuaçu

Ingredientes:

1 cupuaçu

1 lata de leite condensado

1 lata de creme de leite

4 colheres de leite em pó

5 gotas de baunilha

5 ovos

1 copo de água

1 colher de manteiga

1 copo de doce de cupuaçu (receita a seguir)

3 colheres de maisena

Modo de preparar:

Primeiro faça o doce de cupuaçu, que servirá de recheio. Retire os caroços da fruta. Bata a polpa no liquidificador. Se for uma fruta grande, coloque um quilo de açúcar. Se for média, meio quilo. Mas o açúcar é a gosto.

Em seguida, prepare a torta. Faça, no fogo, um creme com o leite condensado, o leite em pó, a maisena, a manteiga e as 5 gemas. Retire do fogo e coloque o creme de leite. Depois de pronto o creme, unte uma travessa de vidro com a manteiga e ponha uma camada do creme, uma camada do doce de cupuaçu e, por último, as claras batidas em neve com seis colheres de açúcar. Enfeitar por cima com pequenas porções do doce e levar ao fogo para gratinar.

*

Como em outras cidades na beira do Amazonas, o pequeno hotel de Óbidos tem escada estreita, quartos em que mal cabem duas camas. Falta janela para entrar o vento que vem do rio.

Óbidos, a mais lusitana das cidades abaixo do equador, como se vangloriavam os cronistas antigos, da época em que o cacau estava em toda parte e monopolizava os odores e cheiros de Óbidos, não esquece os naufrágios no estreito do rio. Foram mais de cem mortos quando, numa madrugada, no início dos anos 1980, o barco *Sobral Santos* virou em frente ao cais. O cemitério de lápides brancas, quase caindo num barranco do rio, guarda os ossos dos mortos.

Esse e outros naufrágios marcam o passado da cidade. Falar do que se passou por aqui é como descrever apenas aqueles dias de tempestade. O poder dos coronéis do cacau, a farra dos donos de seringais, o colorido do carnaval de máscaras, os cordões com pássaros empalhados ou produzidos em madeira perderam força nas lembranças dos obidenses.

Bem longe do cais, bem longe do rio, as moças quase que se escondem no bar da Tia Marina. As moças são apresentadas pela tia.

— Diga oi aos visitantes! — pede Tia Marina a uma das meninas depois de um longo de silêncio.

— Oooi — diz a moça sem muito fôlego, lenta.

Um pescador está caído num canto do bar de poucas luzes. A folhinha do Sagrado Coração de Jesus e um cartaz da propaganda de cerveja se despregam da parede. A poeira da estrada de chão entra pela porta principal.

A simpatia quase se transformando em dor, a casa aberta como uma igreja barroca e o jeito melancólico da moça apresentada por Tia Marina evocam mais do que qualquer leitura de livro ou análise de azulejos e fortalezas.

47

À noite, a mulher vira pássaro

Súditos da Coroa portuguesa em missões no Pará compararam o Amazonas ao Tejo. Em cartas que enviaram ao rei, associavam águas e lendas dos dois rios. As correspondências não tinham a finalidade de descrever a nova terra, como as mensagens dos cronistas e viajantes europeus. Serviam para pedir ao rei clemência, autorização de retorno a Lisboa, troca de emprego.

Casarões ocupados por eles ainda estão de pé na costa de Óbidos. As construções são marcas de uma cidade que nem no auge da economia cacaueira deixou de lado um certo primitivismo, que causava repulsa a intelectuais da região. José Veríssimo chegou a comparar Óbidos a uma mulher sem sabedoria que cai nos mesmos "erros da mocidade" e acredita na magia de um muiraquitã.

A professora Edithe Carvalho, 67 anos, não dispensa talismãs nem se contenta com a vida de mulher da sociedade obidense. Tem a obsessão de fazer a biografia de cada casa da cidade e de seus ocupantes, os vivos e os mortos.

Num desses sobrados, ela acaba descobrindo nos baús a receita do sabão que rejuvenesce, feito de óleo de tartaruga e cipós, inventado por um italiano no início do século XX. A casa em que ele morou fica na parte baixa da cidade. Em outras construções, ela descobrirá vidas desagradáveis, sentirá odores desagradáveis.

No livro, Edithe conta as histórias do ponto de vista de uma menina de 6 anos. Ela antecipa a essência da narrativa:

— Tudo que era e não é mais, a holística sobre Óbidos. É como uma memória.

Edithe escreve de madrugada, sentada em uma rede azul que atravessa o pequeno quarto dividido com o marido Waldomiro, conhecido por Carivaldo.

Para a professora, a rede é um ubá, uma montaria, um casco, um popopô, uma rabeta ou outro tipo de pequena embarcação do baixo Amazonas que ela manobra com a agilidade dos camberas do Solimões, dos camatás do Tocantins e dos muras do Negro — três povos indígenas descritos pelos navegantes europeus como "fenícios" do Novo Mundo.

— Escrevo o que vem à cabeça, o que vejo e o que não vejo. Vou e volto. Escrevo e reescrevo minha vida. A vida é minha. Não sou rainha do lar. Sou rainha do mundo, deste meu mundo.

Enquanto não chega ao fim do livro, Edithe produz rosas com escamas de pirarucu — o maior peixe do rio — e cumpre suas obrigações de senhora obidense. Todas as manhãs, molha o jardim de plantas amazônicas e portuguesas, atende vizinhos necessitados de alguma ajuda, vai à Matriz de Santana, conversa com o padre. Em casa, passa horas diante do oratório ao lado da cozinha. Diz que a intensidade dos momentos em que está diante do oratório, rezando pelo rio ou pelas pessoas, é a mesma com que se entrega à poesia.

— Para nós, o Amazonas é o Nilo. É tudo. Sou católica e diariamente me vejo em orações diante desta mesa de santos pedindo proteção para o rio. Todo dia rezo pelo rio, para que Deus proteja quem sobe e quem desce de barco, enfrenta as ondas violentas, tão perigosas quanto as do mar. Mas rezo principalmente pelo rio.

Diz ter dois livros já prontos, mas não editados — *Minhas poesias* e *Nossos mitos e nossas lendas.*

*

Edithe conta a lenda do boto: o golfinho do rio se transforma num homem bonito e encantador que espera o ribeirinho ir para a salga e, todo vestido de branco, se aproxima da mulher dele e lhe faz um filho. É o chamado filho do boto.

Ela relembra a história da mulher morena que entrou em um cartório da região com uma criança clara nos braços e disse ao tabelião que o pai era um boto. De tanto a mulher insistir, o escrivão registrou a recém-nascida como filha de "Boto dos Santos".

A professora diz que acredita na história do boto, assim como na lenda da Matita Pereira, o ser que de dia é uma mulher de idade e à noite se transforma em pássaro. Em certas margens do rio, a Matita é violenta, em outras, um ser generoso.

— Como não vou acreditar em algo tão bonito?

Ao mesmo tempo, ela observa que a imagem que o povo criou para o boto se parece com a figura do europeu — o explorador dos castanhais, os juteiros das margens do rio, os negociantes dos portos, os castanheiros das colônias.

— O homem do rio é grosseiro, é bruto, não da brutalidade que vem da violência e da força, mas no trato. Então, a mulher precisa de um boto, de um homem carinhoso. Ah, estou saindo em defesa mesmo das mulheres — diz ela, sorrindo.

*

A paixão por histórias relatadas pela bisavó escrava — os dramas dos negros que fugiam, a loucura no cativeiro, a magia de pessoas que se transformam em bichos, o feitiço de mulheres que preparam juremas, puçangas e mandingas —, tudo isso diferencia Edithe da tradicional senhora obidense.

A cheia do rio era a época das senzalas revoltadas, o momento em que os negros tentavam fugir. Na cheia, os igarapés e riachos transbordam, novos rios são formados onde antes era terra e mata, nascem os igapós, que são as áreas de floresta alagadas, e os lagos se juntam aos rios. Os caminhos das águas se multiplicam.

A cheia significa também a escassez de alimentos, o tempo das doenças febris, como registra Von Martius — o naturalista que sobreviveu a um naufrágio no rio — em *Natureza, doenças, medicina e remédios dos índios brasileiros*, livro publicado em Munique, em 1844.

Muitos estudiosos ignoraram o papel do negro na cultura do baixo Amazonas. Era como se não existisse negro na floresta. Ignoraram seres humanos que tiveram os olhos furados, as mãos queimadas, correntes no pescoço, os pés queimados na tortura. As aldeias indígenas são retratadas geralmente como aglomerados isolados, sem contato com outras culturas. É como se nunca levas de *buser negroes*, os negros fugidos da Holanda — como chamavam o Suriname —, tivessem pedido abrigo nas tribos à beira do rio ou raptado índias para viverem em novas comunidades na selva.

Edithe fala da realidade:

— Minha mãe era neta de escravos que se refugiaram na Ilha Grande, em frente à cidade de Óbidos, do outro lado do rio. Aquilo ali era uma área negreira. Não me pergunte datas.

Edithe fala de ficção:

— Na literatura, mentira é passável. Se você me perguntar "isso é verdade?", vou responder: "Eu escrevo." Gosto da história do pescador que jogou a malhadeira e, de tanto peso na rede, teve de pedir ajuda aos filhos e amigos. Veio na malhadeira uma mulher com uma cabeleira loira.

Ela ri.

— Tudo isso está na "biblioteca", na memória do ribeirinho, coisas gostosas que ele criou. Ele vive numa beleza natural que não está só na paisagem. Não vou contestá-lo.

Edithe descreve ainda a Cobra Norato. O mito da gigantesca serpente do Amazonas dá nome ao livro de poemas de Raul Bopp, que disse que o Brasil é uma dádiva do rio Amazonas, assim como Heródoto escreveu que o Egito é uma dádiva do Nilo.

Há outras serpentes gigantes na cultura do baixo Amazonas. Mais temida que a Norato é a Cobra Grande. Há também a Cobra Caninana, a Cobra Manoel, a Cobra Carolina, a Cobra João Guimarães, a Cobra Osana.

Pergunto se a Cobra Carolina é temida pelos ribeirinhos.

— Olha, meu amigo, a variedade dessa cobra é muito grande. Algumas podem ajudar alguém, outras são malvadas. Vai depender de cada uma que vive nos fossos, nos grandes buracos do rio. Não acredite que sejam todas iguais.

No livro, Edithe se refere ao Amazonas como rio Realeza. Ela lamenta que a cada dia as pessoas respeitem menos o rio.

— Você não calcula o tamanho do desrespeito. Vou falar do que vi, e não como outros que olham pelo ouvido.

Um dia, ela fez uma viagem a São Paulo. Lá, sentiu que a tratavam como "mulher selvagem", até lhe perguntaram como era fazer sexo na rede.

— Meu amor, respondi, para isso nem precisa de rede.

*

A biblioteca de Óbidos, que funciona num casarão de uma das ladeiras da cidade, tem uma edição amarelada de *Cenas da vida amazônica*, escrito em 1886 por Veríssimo. Um dos contos do livro, "O crime do tapuio", é a história do índio José, que põe a menina negra Benedita na canoa e a leva embora para livrá-la da opressão de uma velha branca chamada Bertrana.

Na tentativa de evitar que a Justiça traga a menina de volta para as garras de Bertrana, ele diz ao juiz que matou Benedita. Aceita ser condenado por um crime inexistente. A garota é vítima de um meio "rude", observou Machado de Assis.

*

Para posar para fotos, Edithe entra na sala vestindo um longo azul.

48

O verde do deserto

Por Óbidos passou o padre espanhol Cristóbal de Acuña, qualificador da Inquisição, em 1639. Acompanhava o capitão português Pedro Teixeira, que voltava de Quito para Belém, depois de colocar marcos na foz do Javari para estabelecer os limites entre os reinos de Portugal e Espanha e ser o primeiro europeu a explorar o Amazonas da foz ao Peru. Orellana tinha sido o primeiro europeu a descer o rio.

Acuña critica os homens da expedição de Teixeira por estuprarem índias da foz do Tapajós, se rebela contra as guerras macabras que os portugueses faziam aos nativos de "paz" e procura registrar cada planta, cada homem e cada bicho das margens do rio. Sua missão consistia em registrar para a coroa espanhola detalhes do mundo desconhecido do Amazonas, onde, segundo ele, seria possível ganhar dinheiro com plantações de cana e trigo.

Antes dessa viagem, Acuña estivera no Chile e no Peru com a missão que lhe fora atribuída pela Inquisição de censurar livros. Quando voltou a Madri depois da viagem com Teixeira, Acuña já havia concluído o seu próprio livro, o *Nuevo descubrimiento del gran rio de las Amazonas. Por el padre Christóbal de Acuña. Religioso de la Compañia de Jesus y Calificador de la Suprema Inquisición.* Mas a Espanha, que perdia, na época, o domínio sobre Portugal, não tinha mais interesse em tornar públicos os detalhes das terras da Amazônia nem apontar um caminho do Atlântico para os Andes e proibiu a obra. Os portugueses agora eram inimigos. Em audiência no palácio real, em 1640, ano do fim da União Ibérica, o rei espanhol Filipe IV o recebeu friamente.

Agora, o antigo censor de livros começa uma batalha contra a censura. No ano seguinte, ele publica uma versão da obra. Consegue imprimir poucos exemplares. Só depois de sua morte, possivelmente em 1675, o livro é editado integralmente em versões francesa e inglesa.

Na obra, o religioso mantém a visão colonialista e afirma que descobriu um novo rio, um curso maior que o registrado pelo frei Gaspar de Carvajal um século antes. Acuña sustenta que o Amazonas é o mais caudaloso do mundo.

*

Batista, agenciador de barcos de passageiros, vende a 20 reais uma passagem de Óbidos a Santarém no navio *Onze de Maio*.

Conta que era centroavante do Paissandu em 1958 quando, numa final do Campeonato Paraense de Futebol, em que seu time perdia de 1 a 0 para o rival Remo, marcou um gol olímpico no segundo tempo. O empate deu título ao "Papão", como o Paissandu é chamado por sua torcida.

Hoje, Batista é um maratonista. Corre três vezes por semana pelas ruas e ladeiras de Óbidos. Considera que sua maior façanha no esporte foi a participação numa corrida de São Silvestre, em São Paulo. O prefeito de Óbidos todo ano promete pagar suas despesas para retornar às avenidas paulistanas. Mesmo sem acreditar na promessa, Batista treina.

— Não bebo nem fumo. Vou morrer com 100 anos no dia 5 de janeiro de 2037. Vocês estão convidados — diz, no cais da cidade, numa noite clara, antes de o navio seguir rumo a Santarém.

Às 23h, o *Onze de Maio* deixa o porto de Óbidos. O navio tem capacidade para 242 pessoas. Mais de duzentas estão no convés. Pergunto a uma funcionária do barco se existem coletes salva-vidas a bordo. Não é comum as pessoas fazerem essa pergunta, por isso ela ri. Havia coletes, mas estavam presos por arames no segundo piso da embarcação. Uma semana depois dessa viagem, os jornais noticiam o naufrágio de um barco em Manacapuru e a morte de 45 pessoas, inclusive adultos que sabiam nadar, mas, sem os coletes salva-vidas, não tiveram fôlego suficiente para alcançar a margem.

Cai uma chuva fina. As ondas, que aqui chamam de "maresia", balançam o barco. Por volta de uma hora da madrugada, o céu se abre, estrelado. Usamos mochilas balançam como travesseiros no chão frio do piso superior da embarcação.

Meninos que estavam no barco quando entramos contam que fizeram uma aposta. A maioria deles afirmava que Celso era árabe, e eu, israelense.

Na noite que se aproxima, a cor das margens vai-se resumindo ao verde. De dia, há muitos tons de verdes: verde-raio, verde-palha, verde-palma, verde água-caindo-folha, verde-chuva, verde-chuva-musgo, verde-chuva-limo, verde-chuva-lodo, verde-entrando-na-mata, verde-água-estagnada, verde-água-entrando-pela-mata, verde-som, verde-gosto, verde-tato, verde-terra, verde-céu, verde-quase-em-tudo, verde-correnteza-braba, verde-estirão-em-reta, verde-fechando, verde-aberto, verde-fechando-o-mundo.

A escuridão impede que os viajantes vejam, na margem esquerda do rio, a cidade de Alenquer, antiga vila de Santo Antônio de Alenquer. É o cenário do romance *Verde vagomundo*, um dos tomos da tetralogia de livros desarticulados, amarrados pela fixação de um único protagonista, do escritor Benedicto Monteiro, responsável pela lista de tantos verdes.

O deserto amazônico, a superioridade das águas em relação ao caboclo e a chegada do cristianismo, dos portugueses e, recentemente, das estradas, dos caminhões e das motosserras, compõem a obra de Monteiro considerada uma vigorosa e sincera continuação de *Grande sertão: veredas*, de Guimarães Rosa.

Deputado várias vezes, procurador, advogado e escritor, Benedicto Monteiro foi cassado pelo regime militar e expulso da vida pública. Além disso, foi caçado fisicamente por soldados nas barrancas do Amazonas próximas a Alenquer.

O último livro publicado por ele conta detalhes da história do caboclo "cabra da peste" e "afilhado do diabo" Miguel dos Santos Prazeres. Personagem de muitas de suas obras, é um procriador das margens do Amazonas, conquistador de mulheres, um homem que sabe manusear como ninguém o terçado 128* e que não suporta o avanço da civilização branca. Não suporta o cosmopolitismo de Belém, é uma fera que não se adapta à cidade das injustiças e da falta de liberdade. "Só que, o senhor veja, eu não consegui fazer das ruas os meus rios", diz Miguel, no romance *O homem rio*.

"Nunca imaginei que eu ia me sentir sufocado pelo silêncio. Pois o silêncio da cidade é muito doído. Nas matas, nos rios, durante o silêncio, tudo fica vivo. Mas aqui, parece que tudo fica morto-vivo", afirma. O caboclo Miguel, prisioneiro da cidade, sonha que os asfaltos são águas. "Só que a água do rio não para nunca. E a da rua é passageira", diz. "Num rio cabe tanta coisa que ninguém pode imaginar."

Ele é um personagem que permite ao escritor se entregar por inteiro à literatura e à filosofia em *O minossauro*, romance que compõe uma tetralogia amazônica, junto com *Verde vagomundo*, *A terceira margem* e *Aquele um*. "Para mim o que ele é? Personagem? Mito? Testemunha? Se existisse a palavra talvez ele pudesse ser o minossauro. A palavra inventa o homem? Ou é o homem que inventa a palavra?", escreve na última página de *O minossauro*.

---

* Um tipo de espada.

Por fim, no livro *O homem rio*, Benedicto Monteiro publica sete fotos da fera Miguel dos Santos Prazeres. São fotos de diferentes estágios da vida do próprio Monteiro. O escritor é o caboclo, que retira do rio o material de sua literatura. É o homem que decide construir sua própria identidade, viver o mundo que ele escolheu, edificando-o com restos de uma Amazônia cada vez mais rara. "Ah, meu senhor, a coisa mais triste que aconteceu comigo nesta viajada toda foi descobrir esta maior lacuna da minha vida: sou um homem que não tem um lugar, não tenho um lugar pra donde eu voltar. Posso lhe dizer, que essa é a maior solidão. Partir, chegar, viver. Eu já estou cansado. Mas voltar? Para onde, meu Deus, eu posso voltar? Sigo viagem", diz Miguel.

*

Em entrevistas, Benedicto Monteiro afirmava que o baixo Amazonas era onde a Amazônia era mais Amazônia. Na avaliação dele, os costumes, toda a ciência da selva, resistiam nessa parte do Pará. Na região de Marabá, lembrou, a floresta virou pasto.

Faz frio à noite no convés do barco recreio que segue para Santarém. O som que vem do bar, de um bolero, arrastado, típico das boates da selva, torna o ambiente tedioso. Pela madrugada, ainda na escuridão, o barco se aproxima do porto de Santarém. Duas construções chamam a atenção de quem chega à cidade pelo rio: a igreja matriz, com suas torres, e o silo de soja da Cargill. Alvo de entidades ambientalistas, a multinacional usa o porto para escoar a produção de grãos do oeste paraense e de Mato Grosso. Ali onde está o cais da empresa existia uma praia tradicional, lamentam moradores.

No baixo Amazonas, o mundo das estradas chegou à "civilização fluvial", ao último refúgio de Miguel ou Benedicto Monteiro. Verde-soja, verde-dólar, verde-morte.

49

A baleia no encontro das águas

O salão principal do museu em que foi transformada a antiga intendência e cadeia de Santarém, um prédio amarelo com janelas verdes construído no século XIX à beira dos Tapajós, no trecho em que corre paralelo ao Amazonas, foi reservado para o esqueleto do pesado senhor dos mares do hemisfério sul.

Com 5,5 metros de comprimento e pesando 5 toneladas, o macho da espécie de baleia minke antártica nadou quase mil quilômetros da foz do rio até encontrar, em novembro de 2007, a morte no Tapajós, cerca de 300 quilômetros acima de Santarém. É a maior distância, já registrada, que uma baleia percorreu em águas fluviais.

É de quase 6.300 quilômetros o percurso das nascentes do Amazonas até Santarém. Daqui à foz do rio ainda são mais de 700 quilômetros.

Nos ossos da baleia, pequenos seres visíveis a olho nu ainda devoram a cartilagem, um resquício de vida. No conto "Alto mar", da obra *Mulher de Porto Pim*, de Antonio Tabucchi, uma criatura semelhante encalha na praia de uma cidadezinha alemã no final da guerra, e pessoas famintas começam a retalhá-la, mas ela se mantém viva por muito tempo.

"A constelação da Ursa Maior e a baleia fascinam mais que qualquer fantasia", diz Marcel Proust, em *No caminho de Swann.* Em Santarém, as crianças olham fascinadas para aquele ser imenso, maior que um boto ou que o maior dos pirarucus. Uma plaqueta informa que a baleia tem cabeça achatada e coloração preta e cinza-escuro no dorso e branca no ventre. A nadadeira dorsal é curvada. Esta espécie, quando adulta, chega a ter 10 metros e 9 toneladas.

No verão do hemisfério sul, as minkes viajam sozinhas ou em grupos reduzidos. Lutam contra as baleias orcas, suas principais predadoras.

No antigo prédio da cadeia de Santarém, o esqueleto exposto ofusca cerâmicas tapajônicas e peças do tempo da escravidão.

No Tapajós, a baleia encalhou em frente à comunidade Piquiatuba, na cidade de Belterra. Estava ferida, possivelmente por algum choque com uma embarcação. O esforço de cientistas e ribeirinhos para salvá-la foi em vão. Ela acabou desencalhando sozinha e, três dias depois, foi encontrada morta no trecho do rio próximo à comunidade de São José do Arapixuna, no município de Jaguarituba. A necropsia concluiu que a baleia sofrera uma hemorragia abdominal.

Nas margens do baixo Amazonas, ainda que raramente, ribeirinhos recolhem conchas do mar e capturam peixes de água salgada, e tubarões são encontrados no alto Amazonas. A presença do oceano no rio é nítida no dia a dia dos ribeirinhos: eles chamam de mar a parte mais piscosa do rio e os grandes lagos de água doce.

É no movimento das águas do rio que está a mais forte evidência da presença do mar. O assunto foi analisado no século XIX pelo naturalista Alfred Russel Wallace, que esteve em Santarém, na histórica viagem pela Amazônia. Ele escreveu em *Viagem pelos rios Amazonas e Negro* que, durante a maré alta, o Amazonas fica mais elevado que o Tapajós.

Wallace avaliou que, mesmo em Óbidos, cidade mais a montante, há influência do mar sobre as águas do rio, embora não chegue a torná-las salobras. As águas do rio ficam mais altas, com a pressão do oceano, formando uma espécie de paredão que as separa das do mar.

Um dos bares da beira do rio, em Óbidos, se chama Beira Mar. Mesmo mais acima, em Tabatinga, o Amazonas é tão largo que é impossível não chamá-lo de rio-mar. Daqui de Santarém para baixo, porém, a palavra "mar" deixa de ser uma forma de expressar a grandiosidade do rio e passa a ser usada como referência ao impacto do oceano sobre as águas fluviais.

Wallace, durante a estadia em Santarém, observou que a vitória-régia raramente é encontrada no leito principal do rio. É nos igarapés, lagos e afluentes que costuma ser vista a espécie, cujo nome é uma referência à famosa rainha inglesa Vitória.

Aparece um Jonas neste capítulo sobre a baleia. No cais de Santarém, Jonas da Silva Almeida, 19 anos, oferece serviço de passeio turístico aos igarapés e igapós de Ponta Negra. Aos visitantes, ele anuncia o local como uma "maternidade" de vitórias-régias.

O tempo nublado não permite ver o contraste entre as águas amarelas e barrentas do Amazonas e as verde-escuras do Tapajós nesta época de cheia. Sem a luz do sol, toda a imensidão líquida apresenta apenas uma cor, um cinza amarronzado.

À tarde, o sol aparece, e surge nítida a divisão das águas neste trecho do rio. Jonas e seu primo Daniel Almeida dos Santos, 21, estão no porto, em uma bajala, com motor de popa. É nesta pequena embarcação que vamos passar das águas do Tapajós para as do Amazonas.

O dono da bajala paga um salário mínimo para cada um. Como a maioria dos garotos da idade deles no vale do Amazonas, gostam de bermudas abaixo dos joelhos e camisas com cores fortes.

O sol abrasador nos obriga a usar os coletes salva-vidas como sombreiros. As águas barrentas e amarelas estão bem claras e contrastam com o verde-escuro das do Tapajós. Santarém tem a peculiaridade de ser banhada num mesmo trecho por dois rios diferentes. Em determinados dias da cheia, o Amazonas chega à beira da avenida Tapajós, tomando o lugar do rio de águas verdes.

O que impede que os rios se misturem é a diferença de temperatura e densidade de suas águas. Por mais de 5 quilômetros, os dois correm lado a lado. No percurso, o movimento das águas também é diferente. O Tapajós é calmo, tranquilo, e o Amazonas, cheio de ondas. Agora mesmo, já estamos sobre o Amazonas, e a bajala enfrenta essas ondas.

Daqui, no meio do Amazonas, se tem boa vista da cidade. A matriz de Nossa Senhora da Conceição é o prédio na beira do rio mais imponente dos que encontramos desde que saímos dos Andes.

O rio por aqui costuma ficar revolto, diz Jonas no comando da bajala. O barco entra no igarapé dos Padres, depois, num igapó — área de várzea inundada na cheia —, e chega a Ponta Negra, uma península que separa o Amazonas do Tapajós. A Ponta Negra é repleta de garças brancas e roxas. Bandos de patos sobrevoam as margens do igarapé dos Padres. Nessas águas paradas, os ribeirinhos pescam matrinxãs, curimatãs e piranhas.

A água da cheia encobre boa parte dos troncos das árvores. Nas copas, se refugiam os bichos. Numa sapupira cheia de galhos e bastante frondosa, estão duas iguanas com crinas, que se destacam nas anotações de Wallace. Um gavião voa ao redor da árvore.

Mais à frente, um pé de mari com vagens de 50 centímetros. Os frutos da vagem, num primeiro momento, são doces. Depois, ficam azedos.

Um corrupião, pássaro todo preto e com barriga de um amarelo intenso, disputa espaço, nos galhos de um cacaueiro, com um pica-pau de cabeça vermelha e asas pretas com pintas brancas. Quando cai na água, o fruto do cacaueiro é um dos preferidos dos tambaquis.

Jonas conta que ele e seu primo Daniel, recentemente, pararam o serviço de transporte de turistas por causa de reclamações e ameaças de um morador da área. O homem os proibiu de passarem pelo canal de acesso ao viveiro das vitórias-régias, alegando que a área ficava em sua propriedade. Os dois barqueiros pediram autorização a outro morador e, durante dois dias, abriram com foices um caminho num igapó tomado de pemembés — um tipo de cana — e mururus que formavam uma camada sobre a água.

É por esse novo caminho que seguimos até as vitórias-régias. Há centenas delas na margem de um lago, muitas com mais de um metro de diâmetro. Servem de repouso para piaçocas — pássaros de canto estridente — e gaviões, que deixaram nas plantas restos de caramujos que comiam. As vitórias-régias, com suas camadas finas, não ficam soltas, à deriva, são presas ao chão por uma raiz comprida. Suas bordas são paredes espinhentas com cerca de 30 centímetros de altura.

Os nanais — pequenos patos amarronzados — e um maçarico — ave de pés finos e compridos — descansam em uma das vitórias-régias e não se incomodam com os intrusos. Nossa volta é pelo Igarapé-Açu, margeado por touceiras de jauaris, uma das muitas palmeiras da Amazônia.

Na volta ao Tapajós, vemos milhares de garças e mergulhões que começam a chegar para dormir nos galhos secos e ainda não tomados pelas águas da cheia. O sol se põe por trás da galharia e da revoada das aves, tingindo o céu de vermelho, azulado, alaranjado.

Uma nuvem de *acuraus* — um pássaro de boca grande que devora mosquitos cu-de-moleque, como são chamados aqui os *carapanãs* — e morcegos nos acompanha no retorno a Santarém. Anoitece. O Tapajós está calmo. O Amazonas, cheio de ondas. Não há sol, há um vento fresco e agradável. Nas luzes da cidade destacam-se a igreja matriz, os novos prédios, o silo de soja. Bem perto do cais, um pescador joga a malhadeira. Uma brisa vem da boca do Tapajós.

Quem viaja pelo Amazonas não deve ser exigente, escreveu Wallace no livro *Viagem pelos rios Amazonas e Negro*. Foi em Santarém que ele demonstrou fascínio pela região, apesar do calor intenso e da mosquitada: "Particularmente, estou certo de que nunca me senti assim tão bem em toda a minha vida."

*

No interior da matriz de Santarém, o cristo de ferro dourado, com 1,60 metro de comprimento, olhos abertos, pregado em uma cruz de itaúba, foi doado por Carlos Frederico Felipe de Martius (1794-1868), naturalista que percorreu o Brasil no século XIX em busca de espécies novas da zoologia e da botânica.

A escultura, fundida em 1846, reproduz uma obra de Albert Duver, de Nuremberg (1471-1528). Uma placa perto do altar da igreja informa que Martius fez a doação após sobreviver a um naufrágio no Amazonas:

> O cavaleiro Carlos Fred. Phil. De Martius, membro da Academia R. das Ciências de Munich, fazendo de 1817 a 1820, de ordem de Maximiliano José, rei da Baviera, uma viagem científica pelo Brasil, e tendo sido, aos 18 de setembro de 1819, salvo por misericórdia divina do furor das ondas do Amazonas, junto à Vila de Santarém, mandou, como monumento de sua pia gratidão ao Todo Poderoso, erigir este crucifixo nesta igreja de Nossa Senhora da Conceição, no ano de 1846.

A raridade da imagem, dizem, é o Cristo estar com os olhos abertos, ainda vivo na cruz.

50

É preciso fibra

Cristovam Sena deixou Santarém nos anos 1960 para estudar em Belém. A vida de estudante pobre, filho de um alfaiate, ficou menos difícil quando um olheiro do Paissandu o viu jogar futebol num campo de várzea da cidade. Em 1969, ele se tornou campeão estadual pelo clube, no meio de campo.

Formado em engenharia ambiental, passou num concurso da Petrobras. No período em que trabalhou na estatal, navegou pelos rios amazônicos em busca de novos campos de exploração. Para espanto de amigos e parentes, pediu as contas e, logo depois, entrou para a Emater. Ali passou a trabalhar no programa da borracha.

De volta a Santarém como funcionário do órgão do governo do Estado, passou a conciliar pesquisas sobre plantas da Amazônia com outro prazer, o resgate da memória. Quando criança, lia trechos de romances de Eça de Queiroz, Jorge Amado e Machado de Assis para o pai, Boanerges, que ficava com as mãos e os olhos na máquina de costura.

Aos poucos, recolhia jornais antigos, livros e fotografias dos moradores mais velhos. Toda vez que um jornal de Santarém morria ou se desfazia de seu arquivo, Cristovam recebia coleções inteiras de periódicos, negativos e imagens. Fotografias do *Jornal de Santarém* dos anos 1970 registram os últimos dias do Castelo, uma imponente construção na orla, onde o Marechal Rondon ficou hospedado. Mário de Andrade fez foto do prédio, publicada em *O turista aprendiz*. "To be or not to be Veneza", escreveu. O Castelo cedeu lugar para o supermercado Concha.

Cristovam passou a fotografar casas e becos de Santarém. As viagens a trabalho a Belém e a outras capitais serviam para adquirir em sebos livros raros de naturalistas que navegaram o Amazonas. Com os registros, foi atrás de marcas deles. Restaram poucas. O rio, observa, sempre está em mudanças, tornando impossível identificar trechos relatados pelos cronistas. Ao juntar 6 mil obras sobre a Amazônia, abriu uma biblioteca em sua casa para estudantes pobres da cidade.

Não se contentou com fotografias, livros e jornais. Cristovam passou a registrar vozes e imagens em vídeo dos mocorongos, os habitantes de Santarém. Eternizou o maestro Isoca, nascido Wilson Dias da Fonseca, um entusiasta do rio, dedilhando ao piano a valsa "Canção do Peru", uma das 800 composições feitas nas margens do Amazonas.

Isoca morreu em 1982, aos 80 anos. Ele é o autor das óperas "Vitória-régia" e "Amor cabano". No registro de cinco horas em três fitas de duas horas de videocassete, Isoca conta que o pai, José Agostinho da Fonseca, um amazonense de Manaus, estava de passagem por Santarém quando se casou com Anita, filha de um pastor dos Estados Unidos que se exilou na amazônia após guerra civil norte-americana. A propósito, muitas famílias de Santarém — como os Henington, Riker, Waughan, Wallace e Mendenhall — são de origem estadunidense.

A casa de José Agostinho em Santarém se transformou numa escola de música.

De camisa branca e mãos firmes no teclado, Isoca dá o seu depoimento no vídeo sobre a origem do jazz no baixo Amazonas. Ele conta que, em 1922, passou a tocar na banda do pai. Em 1924, ano de revolução, apareceu no rio uma esquadra de 24 navios e, num deles, vinha uma banda de jazz. José Agostinho conseguiu partituras e informações sobre aquele estilo musical e logo tocava jazz na casa do coronel Joaquim Braga. "Assim, a gente inaugurou o jazz", relembra. Em pouco tempo, a banda de José Agostinho executava o "jazz Barroso", título de uma das novas composições.

O maestro começou a ganhar dinheiro com a música como artista do cine Olímpia, à época do cinema mudo. Os filmes chegavam em latas a Santarém sem indicações das músicas apropriadas. Isoca, então, assistia aos filmes antes de serem exibidos e escolhia as músicas que se encaixavam ao enredo.

Quando a película *Aurora*, o título português de Sunrise, do diretor F.W. Murnau, chegou a Santarém no final dos anos 1920, Isoca escolheu "Amapola" como música principal do filme. *Aurora* conta a história de um fazendeiro que se apaixona por uma jovem da cidade e, junto com a amante, decide matar sua mulher. Na hora do assassinato, volta atrás. A partir daí, o homem busca resgatar quem realmente é e o amor que nunca teve pela mulher. Ela não acredita mais no marido. "Amapola, lindísima amapola, será siempre mi alma tuya sola/Yo te quiero, amada mia mia, igual que ama la flor la luz del día."

Ao mesmo tempo que buscava registros sonoros da ópera "Vitória-régia", de Isoca, Cristovam coletava diários escritos e guardados com zelo por antigos fazendeiros e homens dos barrancos do rio e seus afluentes. *O Tapajós que eu vi*, de Eimar Franco, foi o primeiro livro publicado pelo editor Cristovam Sena, em 1998.

Franco descreve a vida na fazenda Urucurituba, na margem direita do Tapajós. Era menino quando um tio vendeu a Henry Ford um pedaço de terra na margem do rio de águas claras. Ali, o magnata da indústria automobilística fundou uma cidade, a Fordlândia, e tentou sem sucesso um plantio comercial e racional de seringueiras.

Sem dinheiro, Cristovam vendeu antecipadamente 1.500 exemplares de uma nova edição do clássico *Tupaiulândia*, esgotado havia 25 anos. Assim, colocou na praça de Santarém o livro de Paulo Rodrigues dos Santos, em 1999. De lá para cá, Cristovam editou 31 livros, entre memórias, romances e poesias.

Guarda pastas com fotografias e recortes de jornais que registram a Ponta Negra, primeiro ponto onde o Tapajós e o Amazonas se tocam.

— O Amazonas é um rio sem declive, um rio novo. O leito dele não está definitivamente formado. Por isso que em Belém os pilotos de navios têm de pegar um prático local para ancorar, pois os canais vão se modificando.

Lembra o "fenômeno das terras caídas", margens engolidas pelo rio, ilhas submersas, novas ilhas formadas. O rio segue às vezes sem rumo, refaz caminhos, opta por velhos caminhos, sem regras. É com violência que ocupa o trecho que não era seu.

Cristovam Sena ajudou gente famosa do mundo científico. Foi guia da antropóloga Ana Roosevelt. Lembra que ela derrubou a teoria do estreito de Bering, que considerava que o homem chegou ao continente americano apenas por esse local. As pesquisas de Ana, na sua avaliação, contrariavam interesses dos próprios norte-americanos, daí as dificuldades que a pesquisadora enfrentava para conseguir patrocínios.

— Ela cavava o interior das cavernas para encontrar restos de tinta a um metro de profundidade. Quem pinta suja. Recolheu indícios da presença do homem aqui há dez, onze mil anos. Quando outros tentavam atravessar o estreito de Bering, muitos estavam fazendo roças na Amazônia.

Entre os documentos guardados por Cristovam está uma carta de 9 de setembro de 1970 escrita por Carlos Castilho, treinador do Paissandu e do Sport do Recife, apresentando-o ao Vasco da Gama. Não queria jogar bola nem ficar muito tempo no Rio de Janeiro.

O mundo dele era Santarém, os ídolos de barro, a história escondida, enterrada ou submersa no rio ou em seus tantos afluentes. É craque ao descrever com detalhes a cerâmica marajoara, mais utilitária, e a tapajônica, mais trabalhada, artística, feita para ser admirada. A cerâmica, como avaliam alguns arqueólogos, ajuda a contar a história de povos que migraram dos Andes e, próximo à foz do rio, tiveram um rápido apogeu.

Tira um livro antigo da estante, *A Amazônia que eu vi*, um relato do médico Gastão Cruls, que fazia parte da equipe do Marechal Rondon responsável pela demarcação dos limites do Brasil com a Guiana.

No livro, Cruls se diz espantado com as pessoas que chamam os índios de selvagens. Não conseguia entender, diz, tamanho preconceito, pois conhecera uma mulher nativa que falava mais de dez línguas.

Cristovam passa boa parte do tempo fora da biblioteca, no campo. Há anos ele desenvolve pesquisas e incentiva o plantio de curauá, uma planta que fornece uma fibra de utilidade para revestimentos de automóveis. As folhas são passadas numa máquina chamada periquita e depois transformada em mantas de várias espessuras. O sonho dele é que o governo invista no curauá como investe no plantio de soja.

O curauá é a alternativa econômica capaz de impedir, na visão dele, o avanço da soja e do gado. Qualquer ribeirinho pode plantar a fibra. O processo envolve muita gente, emprega muita gente. Cristovão conheceu o curauá no Lago Grande, nas proximidades de Santarém, numa viagem em 1986. Ficou impressionado com a planta que dava numa região de solo fraco e arenoso. Atualmente, 500 pessoas da terra firme estão envolvidas nessa produção. Também tenta convencer grandes indústrias a entrar no processo. Além de sua resistência, o curauá pode ser um marketing empresarial. Uma fábrica da Pematec já funciona nos arredores da cidade.

Cristovam incentiva os ribeirinhos a fazer plantações de curauá consorciadas com mandioca, base da alimentação cabocla, e árvores da Amazônia de interesse comercial, como andiroba, pau-rosa e cumaru.

— Enquanto ele produz o curauá, os pés de cumaru e pau-rosa estão crescendo. Em sete anos, o ribeirinho tem uma nova floresta. As autoridades querem, no entanto, os assentamentos que só produzem miséria. Quem ganha dinheiro com o modelo tradicional de assentamento são as construtoras, que fazem as estradas. Mesmo com tanta modificação, as pessoas não ficam na terra, porque as culturas agrícolas não são propícias, nem estão de acordo com o universo do caboclo. O caboclo não tem muitos desejos, muita ambição. Produz o que vai comer. Ele tem mais a ver com a floresta, as plantas da própria região. Os ribeirinhos seriam mais felizes com plantios de curauá, permanecendo nas suas próprias casas, em instalações típicas daqui. Nada de obras, de estradas.

As pesquisas de Cristovam Sena chegaram a *Macunaíma*, de Mário de Andrade. No livro, um dos marcos da modernidade das letras brasileiras, o herói chora porque o irmão Jiguê não lhe dá um curauá, a fibra que usa em armadilhas de caçar anta. "Aquilo não era brinquedo de criança", explica o irmão. De tanto insistir, Jiguê dá curauá para Macunaíma, que manda fazer uma corda com a fibra e pede ao pai de terreiro para abençoar.

— A minha briga é para criar um modelo de Amazônia que não é o arroz, o milho, a soja. A Embrapa quando vem para cá não sabe porra nenhuma, só sabe de milho e soja. Meu discurso aqui não tem eco — diz num raro momento em que perde a tranquilidade ribeirinha.

Há pouco tempo, numa parceria com o professor da Unicamp Lauro Barata, Cristovam desenvolveu uma técnica para extrair o óleo do pau-rosa sem derrubar a árvore. O linanol, um elemento retirado do óleo, usado como fixador do perfume Chanel Nº 5, criado por Ernest Beaux, em 1921, pode ser obtido apenas com as folhas das árvores. Um equipamento criado por eles retira a substância.

Se depender de Cristovam, florestas de pau-rosa serão formadas nas margens devastadas do rio. Pode não ser a salvação da Amazônia, mas essas árvores permitiriam ao mundo, no mínimo, não esquecer que Marilyn Monroe enlouqueceu os homens ao revelar que, para dormir, não usava roupas, apenas duas gotas de Chanel nº 5.

51

O encontro das águas

— Isso tudo vai sair no meu livro — conta a estilista Raimunda Rodrigues Frazão, a Dica Frazão, que vestiu a rainha Fabíola com patchuli, uma raiz de cheiro forte, palha de buriti, capim canarana e fibras de malva.

Aos 87 anos, 1,39 metro de altura e uma conversa que flui sem deixar espaço para o interlocutor, a estilista diz que tem duas opções de título para o livro: *A história real de minha vida ou A órfã mais órfã de todas as órfãs.*

— Não posso deixar de escrever a história da minha vida. Me dá uma dica, qual é o melhor título? Minha biografia é linda. Digo para os estilistas: "Vocês são preparados para ser estilistas. No meu caso é dom." Veja esse casaco feito com fibras vegetais. Isso é alta-costura, não tem defeito. Um dia um casal belga passou por aqui e me comprou um mantô. Tempos depois, a rainha Fabíola me mandou um cartão. Queria saber como se lavava o mantô de fibras, pois tinha usado muito e sujado. Aí fui saber que costurei para ela. Minha arte foi uma, minha infância foi outra. Fiquei órfã de mãe aos 12 anos. Fiquei sozinha para cuidar de sete irmãos menores. Recortei as roupas de meu pai para fazer roupas para meus irmãos.

O terno dele também foi recortado. Queria entender como se fazia um terno. E consegui. Trabalhava na roça, onde só comia farinha molhada. Passei a salgar os frangos, os peixes e as pacas que as pessoas me davam. Também comecei a pegar costura. As pessoas começaram a gostar dos vestidinhos que eu usava. Me tornei a maior costureira de Capanema. Era pouco para mim. Comecei a reproduzir plantas e flores da floresta com tecidos e depois com fibras: angélicas, flor de igapó, gogó-de-guariba.

Numa entrevista recente a um jornal da cidade, contou que Manoel Franklin, o pai, deixou uma nota de 20 mil-réis e abandonou os filhos. Ela o teria encontrado anos mais tarde num garimpo abandonado.

Dica reproduziu o encontro das águas do Solimões com o Negro em um vestido longo, com fibras claras e escuras.

— Aqui os dois rios sempre estão juntos, nunca se separam, mas nunca se tornam da mesma cor. O tempo só passou por mim. Não perdi nada. Como estava dizendo, minha infância só não foi pior que meu casamento. Tinha dificuldades para produzir. Tive sete filhos. Cheguei em Santarém em 1943, comprei essa casa no ano seguinte. Eu insisti com minha arte. Quem me ensinou a utilidade dessa casca de árvore que está em muitos dos meus vestidos, que não vou revelar, foram os índios mundurucus. Um segredo, um segredo. Meus vestidos não dão traça, bicho. A fibra que uso é melhor que tecido. Esse mantô, uma cópia do usado pela rainha Fabíola, é para o frio. Veja os punhos, parecem pele de animal. São pura fibra. Faço como ninguém vestidos de noiva. Todas as flores são naturais, feitas de fibra. É um luxo. A renda do chapéu é de palha de buriti. É só o começo, imagina o que vem aí pela frente.

Ela conta que, com o tempo, chegou às melhores fibras para fazer os vestidos que lembram o encontro das águas. Há um forte contraste nas cores, muito diferente da pintura do pano de boca do Teatro Amazonas, feita no início do século XX pelo artista pernambucano Crispim do Amaral. No pano do teatro, a cor das duas águas é a mesma.

Dica Frazão só demonstra uma certa tristeza ao falar de um sonho que não poderá realizar: um grande desfile no Castelo, casarão imponente na orla de Santarém.

— Me deu uma tristeza, 30 quilos de dinamite foram usados para implodir o Castelo, que ficava dentro do Tapajós.

52

Vivos e fantasmas moram no mesmo castelo

O Castelo de Santarém aparece no romance *Chão dos lobos*, de Dalcídio Jurandir. "O comandante, puxando sapiência, aponta a pensão do Castelo cercada pela maré: Lembra ou não lembra Veneza?"

Não é apenas a memória do casarão de pedra que remete à mágica cidade italiana, arrasada para ceder lugar a um supermercado que ficou na obra de Jurandir. O mundo que se vê numa viagem em nossos dias pelo rio está completo, com todos os detalhes e sentimentos, nos 11 livros ambientados na Amazônia escritos pelo romancista, que viveu em Santarém nos anos 1940 como funcionário da Delegacia de Recenseamento.

É o caso dos meninos e das professoras dessas escolinhas em cima das águas, nos barrancos. "Meninos, o Brasil é muito, muito, muito rico. Tem riquezas colossais... escreva no quadro", pede a professora a um aluno no romance *Chão dos lobos*. "Mas, professora, e o giz?", responde a criança. Não há giz.

O romance conta a história do jovem Alfredo, que segue de Belém para o baixo Amazonas numa gaiola, antigo barco de passageiros. Santarém é Guimarães, uma cidade mítica da beira do rio. "Os silenciosos pianos de Guimarães, tão silenciosos, com seus panos rendados, até parecem tocando. Dentro do rio o Castelo. Era um ingênuo sobrado de aventura, estalagem de folhetim..."

Santarém aparece nas obras de Jurandir como uma cidade em que não há divisões de tempo. Fantasmas e vivos ocupam os mesmos logradouros e as mesmas casas azulejadas. "Na rua o sol roía as pedras e a língua dos velhos cachorros. Há hoje na palma da mão a maciez dos azulejos da velha pensão de D. Quitéria, janelas e portas portuguesas, a bilha d'água no parapeito, o beco empedrado de onde apontava a sege lenta em que viria o capitão-mor. Os sinos da matriz anunciavam caravela, notícias de Portugal. Na missa de domingo ia ouvir um sermão de Vieira? Junto ao Cristo de Martius, na igreja escutava o naturalista contar do seu naufrágio no Amazonas."

Há ainda o drama psicológico da professora Nivalda, que viaja de barco pelo baixo Amazonas. "A viajante aqui na cadeira de couro de jacaré, sozinha, em busca de sua viagem, armada de solidão e espera, a ouvir saindo de Manaus ou de onde nunca se sabe o navio que vem buscá-la. — Óbidos, Nivalda."

Numa noite tensa no barco, a professora solitária se vê cercada de homens brutos. "Quanto rio, naquela vertigem, correu o gaiola?", pergunta Jurandir, o escritor que registrou a barbárie contra as jovens índias violentadas nos barcos, das famílias arrancadas dos barrancos. Uma viagem pelo rio é também um delírio. "Bom é viajar trancada no camarote, o rio passando dentro do sono, passam os estirões, as vilas mortas, os trapiches caindo, as várzeas escorrendo maré."

Autor de personagens que enfrentam uma eterna condenação como nos romances de Dostoievski, Jurandir teve relativo destaque no cenário da literatura. Hoje, porém, a transição do mundo dos jornais impressos, dos livros, das bibliotecas de papel e dos encontros literários e pessoais para a realidade virtual, da internet, dos e-mails e suas correntes, dos sites e portais, da blogosfera e das mídias unificadas deixou de fora os romances de Jurandir.

*

É na altura da cidade de Gurupá, no meio do caminho entre Santarém e Belém, que o rio tem sua parte mais larga antes da foz. Em época de seca o Amazonas apresenta uma largura de 11 quilômetros. Na cheia, são cerca de 50 quilômetros de uma margem a outra.

As ruínas do forte de Santo Antônio do Gurupá, erguido em 1623 por um certo Bento Manuel Parente, português que se intitulava conquistador dos rios amazônicos, são marcas de um tempo de batalhas de ingleses, holandeses e portugueses pelo controle do comércio das ervas do sertão.

Numa carta ao rei D. Afonso VI, em 28 de novembro de 1659, o padre António Vieira relatou derrotas de holandeses neste trecho do rio e aproveitou para reclamar da cobiça dos súditos de Sua Majestade numa aldeia da margem do Amazonas, que não se contentavam com o número de índios escravizados. "Nem por isso ficaram, nem ficarão jamais, satisfeitos os seus moradores, sendo os rios desta terra os maiores do mundo, a sede é maior que os rios." O roqueiro Renato Russo, na música "Índios", se queixa como Vieira da cobiça. "Quem me dera, ao menos uma vez/ Provar que quem tem mais do que precisa ter/ Quase sempre se convence que não tem o bastante/ E fala demais por não ter nada a dizer."

Em Gurupá, o rio Xingu, ameaçado hoje pelas plantações de soja e pelos projetos de hidrelétricas do governo, joga suas águas esverdeadas no barrento Amazonas. O agronegócio se aproxima do Amazonas, entra nas terras das comunidades tradicionais, invade lugares sagrados, muda estruturas de sociedades.

A partir de Gurupá, o Amazonas se divide em canais, furos, paranás. Milhares de ilhas, de todos os tamanhos, se formam no espaço disputado pelas águas doces e salgadas. É aqui a divisa imaginária dos hemisférios norte e sul. A bacia do Amazonas é influenciada pelos regimes de águas dos dois hemisférios. Quando é época de cheia no norte começa a vazante no sul.

Quem segue pelo rumo do Amapá entrará no canal Norte, que terá continuidade no canal de Gurijuba, onde está o arquipélago do Bailique. O canal Norte é separado do canal Sul pela Ilha Grande do Gurupá. Os canais de Santa Rosa e do Perigoso são interligados ao canal Sul, que banha cidades da Ilha de Marajó voltadas para o mar, como Afuá e Chaves. O canal Bem-te-vi, ligação dos canais Norte e Sul, passa pelas ilhas Caviana de Dentro e Caviana de Fora. Tudo é água do Amazonas.

A Ilha de Marajó está entre os canais Norte e Sul e a baía do Marajó. O canal de Breves, que separa a ilha do continente, levará ao rio Pará, que se abre para a baía, chamada de canal de Soure pelo naturalista Wallace, tudo água de um mesmo rio, tudo o mesmo Amazonas. É pelo canal de Breves que se chega a Belém, cidade a 348 quilômetros de Gurupá.

53

Belém

Pela ótica de parte dos cientistas, Belém está fora da rota do Amazonas. Há quem considere o rio Pará, que banha a cidade, formado por águas do Tocantins e de outros rios menores, um braço do Amazonas. Na visão de outros, o Pará estaria apenas ligado por canais ao Amazonas, que segue seu curso para o oceano beirando o Amapá. Uma coisa é certa: o Pará não é um rio, mas um canal natural, um paraná.

É uma cidade escura. Quem anda na parte antiga tem dificuldade de enxergar de longe a grandiosidade do conjunto arquitetônico. Essa pouca luminosidade permite ao visitante, porém, se surpreender ao dobrar uma esquina, ao entrar numa travessa. As igrejas coloniais, os sobrados azulejados surgem de repente, a curta distância.

Paulo Santos, fotógrafo que se dedica a registrar três das Amazônias — a dos bichos e plantas, a dos conflitos e violência e a da industrialização —, sugere uma volta pelo centro antigo. Luzes amarelas iluminam o forte, que recebeu os nomes de Santo Cristo, Presepe e Castelo e deu origem à vila Feliz Lusitânia. A construção de 1616, originalmente de madeira e palha, era o início do projeto de Portugal de dominar a região da foz do Amazonas. Dali, os portugueses travariam uma série de batalhas para tirar de mercadores holandeses e ingleses o comércio com os nheengaíbas de compra de "gados do rio", como eram classificados o peixe-boi, a tartaruga e o pirarucu.

O fundador do forte e da cidade de Belém, o capitão Francisco Caldeira Castelo Branco, e o também capitão Pedro Teixeira, são os dois homens fortes de Portugal que vão fechar a foz do Amazonas, expulsar das ilhas holandeses, ingleses e irlandeses e ampliar os limites do território português.

Numa época de crise, de falta de crédito e dinheiro na praça, Teixeira não recebeu moedas pelo serviço de aumentar os domínios portugueses na Amazônia e navegar o rio do Peru à foz. Ele ganhou de recompensa 300 casais de índios escravos.

As aventuras épicas de Teixeira, que além de desbravar o rio afundou naus holandesas na foz do rio Xingu, são as mais importantes da história da nova nação portuguesa, que surge, em 1640, livre do domínio de 60 anos da Espanha.

Mais de cem anos depois, a Amazônia portuguesa definida por Castelo Branco entra nos planos do Marquês de Pombal, que pretende recriar novamente Portugal. Muitos são os indícios de que o forte primeiro-ministro de rei José I desejava transferir o império português para as margens do Amazonas, com Belém como capital, mas não queria que fosse uma cópia de Lisboa na selva. Pelo jeito, Pombal tinha fascínio pela Itália.

A noite de Belém torna mágicas essas velhas igrejas com traços do bolonhês Giuseppe Antonio Landi, que chegou ao Pará na comitiva de Francisco Xavier de Mendonça Furtado, meio-irmão de Pombal, designado governador do Grão-Pará e Maranhão, uma colônia separada do Brasil, o embrião do sonho pombalino.

Arquiteto formado pela Universidade de Bolonha, uma entidade criada em 1088, Landi se empenhou em dar uma feição italiana à cidade que abrigaria o novo e gigante império português. As torres da Catedral da Sé, tão semelhantes às das igrejas do norte italiano, se diferenciam de outras construídas nas colônias portuguesas. É do arquiteto o projeto neoclássico da Basílica de Nazaré, semelhante à Igreja de São Paulo de Fora, de Roma.

As ruas do centro de Belém antigo têm a escuridão da Roma de Fellini e Rossellini. No largo da igreja do Carmo, onde Landi trabalhou, funciona o boteco Nosso Recanto Bar. É um dos lugares da noite de Belém preferidos de Paulo Santos.

O comerciante Salomão Casseba, um senhor de bermuda e sandálias, colecionador de vinis dos anos 1940, 1950, 1960 e 1970, fica na porta, à espera dos pedidos. Ele é descendente de uma das tantas famílias de judeus marroquinos que povoaram as margens do rio.

O camarão no óleo e a cerveja demoram o tempo que Casseba leva para rodar duas músicas de Jackson do Pandeiro, uma de Elizeth Cardoso e uma de Caetano Veloso.

O prato está servido quando se aproxima da nossa mesa Aldo Jorge Rodrigues, o Abaeté.

— Desculpe-me o estresse — diz com olhar expressivo, voz mansa, mãos na mesa. E emenda frases que soam desconexas: — Deus ilumine a sua juventude, a sua dignidade. Não julgue para não ser julgado

Abaueté, o homem da noite, que diz ser pescador de dia, fala sem parar!

— Não quero cerveja, cigarro, não quero nada. Só dizer o quanto você é importante. Você pode não estar lembrado — diz a Paulo. — Mas eu me lembro muito bem de como você foi correto naquele dia.

E como todo mundo tem "aquele dia" na memória, Abaeté vai ficando, proseando.

Antes que Paulo, na mesa, conclua qual é mesmo o dia referido, Abaeté acrescenta, sempre sem explicações!

— O que você fez ninguém faz, você é demais!

Depois, afirma que enfrentou maresia do tamanho de um poste.

— Não é fácil pegar peixe onde o rio se encontra com o mar.

A estratégia dele é arrancar a "gorjeta" por livre e espontânea vontade de quem está na mesa.

Um outro sujeito da noite de Belém, que, dizem, é filho de família tradicional da cidade, se aproxima. O moço, parece, está viciado em crack e vive a escuridão mais profunda desses becos e travessas. O garçom tenta afastá-lo, ele reclama da rotina:

— Não aguento mais ser escorraçado.

Há uma boa banda de jazz, a Calibre, no Casanostra Caffé, na travessa Benjamim Constant.

É madrugada. Enquanto os clientes aplaudem a banda, que toca num mezanino, entra uma jovem de cabelos loiros e encaracolados, alta, esbelta, sensual.

Ela sobe a escadaria, vai até o mezanino. Espera os músicos da Calibre tocarem mais uma música para tomar o microfone. A voz da moça é grave. Ela canta uma música eletrizante em espanhol, depois uma canção mais lenta em inglês e, finalmente, em português.

O canto de Adriana Cavalcante, o nome da cantora, é um momento de jazz prolongado, que não termina enquanto ela não ergue o copo de água até a boca.

Num desses intervalos entra uma menina morena, também alta, com pernas compridas. Usa um vestido curto dourado. Os cabelos são tingidos de azul. Cola numa das paredes do pub um cartaz de uma festa programada para o fim de semana seguinte e vai embora.

Do lado de fora, a escuridão. Voltar a andar pelas ruas de Belém é revisitar as fachadas dos casarões da época da borracha, as mangueiras centenárias. Pelas calçadas, mendigos catam restos do dia, meninos cheirando cola, meninos brigando por um motivo qualquer. Carros potentes em alta velocidade quebram o silêncio nas avenidas largas. A sujeira nas ruas, uma chuva fina na selva da cidade. Os ônibus passam lotados, com pessoas penduradas nas portas. A periferia é um mundo vasto mundo de casebres, onde falta água encanada, o esgoto não é tratado, as águas são sujas, podres.

Essa metrópole de gente perdida está nos poemas de Max Martins. Um deles tem como título a última palavra de Riobaldo, personagem do livro *Grande Sertão: veredas*, "Travessia":

> Acabo da esperança
> Fomos ao Equador
> (...) Dali parti para Babilônias,
> a seus chamados Ecos; Eros irradiava
> postais de Circe pornográficos.
> E veio Amor, este Amazonas
> fibras febres
> e mênstruo verde
> este rio enorme, paul de cobras
> onde afinal boiei e enverdeci
> amei e apodreci.

*

Os livros de Max Martins estão esgotados. Numa livraria estilosa do novo point da cidade, os armazéns do porto reformados e que abrigam restaurantes sofisticados, há apenas um livro de escritor da Amazônia, *O homem rio*, de Benedicto Monteiro. "O pessoal diz que Belém tem mais do que um milhão e quinhentos mil habitantes. Acho que durante o Círio* essa

---

* O Círio de Nazaré é a principal festa da Igreja Católica no Norte do país.

população dobra", fala o caboclo Miguel dos Santos Prazeres, personagem do livro de Monteiro. "Mas eu, o que posso fazer numa cidade como esta? Sem rios, com seus igarapés reduzidos ao estado de valas e com suas matas aprisionadas em bosques? Uma cidade, uma grande cidade, sim senhor, mas, onde, infelizmente, se fecharam os horizontes. E eu tive que perder os meus rumos e todas as minhas distâncias."

54

O sábio não lamenta os vivos nem os mortos

A casa do filósofo Benedito Nunes, na rua Maris e Barros, no tradicional bairro do Marco, em Belém, é cercada de arranha-céus.

Pássaros de madeira e plantas se espalham pela varanda da residência. Enquanto o aguardamos, não resisto e leio numa folha sobre uma mesa, de longe, um artigo de Nunes sobre os livros de Monteiro Lobato para crianças. "De escrever para marmanjos já me enjoei. Bichos sem graça", diz uma frase do escritor anotada por Benedito.

O filósofo chega à varanda. De bermuda e tênis, não disfarça a timidez, característica que chamou a atenção da escritora Clarice Lispector num jantar nesta mesma casa nos anos 1970. "Tímido ele, tímida eu", escreveu Clarice no livro de entrevistas *De corpo inteiro*. "Fiquei surpreendida quando ele me disse que sofreu muito ao escrever sobre mim. Minha opinião é que ele sofreu porque é mais artista que crítico: ele me viveu e se viveu nesse livro", comenta.

Numa carta para um amigo, Clarice escreveu que Benedito a conhecia mais do que ela mesma. Benedito foi o primeiro a escrever um livro sobre a obra da escritora — *O mundo de Clarice*.

A amigos, a escritora disse que tinha receio de conhecê-lo. "Ele vai me considerar existencialista." Benedito, por sua vez, dizia a seus amigos que seguia a regra de não conhecer escritores pessoalmente. No entanto, marcou um jantar com ela.

Clarice conhecia a capital do Pará havia anos. Na década de 1940, ela havia morado seis meses no Hotel Central, hoje uma loja de roupas.

— Ela passou por aqui no tempo da guerra. O marido, o diplomata Maury, era elemento de conexão entre as forças armadas e o Itamaraty. Eu tinha 12 anos, só lia gibi. Depois, na década de 1960, comecei a ler Clarice. Me apaixonei. Não gosto de me relacionar com autor, nunca. Guimarães Rosa eu conhecia, mas fui forçado por um amigo. Em relação a Clarice foi diferente, ela veio para cá. E já veio com meu endereço. Ela esteve na minha casa, reuni os amigos dela de Belém.

Pergunto se a mulher que chegou a esta casa era a mesma que ele idealizava.

— Ela é muito Melusina, mutável. Melusina é uma personagem de conto de fadas que mudava muito de cara — conta, sorrindo.

A personagem Melusina, meio mulher, meio serpente ou meio peixe, está representada nos brasões de nobres do Império Romano e de famílias antigas da Escandinávia. É o espírito feminino que se transforma. Goethe dedicou à personagem o conto "Die Neue Melusine", em 1807. O artista Ludwig Michael von Schwanthaler, em 1845, a esculpiu em mármore. É a sereia da Sicília da capa de *Mulher de Porto Pim*, de Antonio Tabucchi. Melusina é ainda a figura que aparece nos letreiros da rede de cafés Starbucks.

— Quando passou por aqui, Clarice estava abatida. Era uma mulher muito angustiada, tanto que escreveu *A hora da estrela*, que é muito angustiante, em que se põe na posição de uma nordestina. Ela dizia que tinha medo até do Mickey Mouse. Uma angústia com humor.

O filósofo diz que vê "afinidades espantosas" entre trechos do livro *A paixão segundo GH* e as histórias de São João da Cruz e Santa Tereza d'Ávila.

O filósofo que vive na Amazônia, lugar de tanta água, considera o improviso ficcional como o ponto alto do livro *Água viva*, de Clarice. Observa que há um esvaziamento do sujeito narrador e da própria narrativa.

Ao publicar nos anos 1960 e 70, em *O Estado de S. Paulo*, artigos sobre Clarice, ele não imaginava que a escritora chegaria ao topo da literatura, sucesso de crítica, sucesso nas universidades, ganharia uma legião fiel de leitores. Até porque muitas obras dela são herméticas, como *A maçã no escuro*, observa.

Em 1974, Benedito estava num hotel em Brasília, para um congresso literário, quando a escritora telefonou de madrugada para ele. Hospedada no mesmo hotel, Clarice contou que iria entrevistar o então ministro da Educação do governo militar, Ney Braga, para o *Jornal do Brasil*. Ela estava angustiada, com problema de consciência, por ter de entrevistar um homem da ditadura. "Estou fazendo umas coisas para ganhar dinheiro, preciso viver", disse a Benedito.

Ele diz que o lado ruim de viver em Belém, distante dos grandes centros, é a dificuldade de comprar livros. O ponto positivo de morar na capital do Pará é que está livre de "fofocas", "encrencas" e "confusões" do meio intelectual. Discorda da minha sensação de que o transcorrer do tempo na Amazônia é diferente.

— Antes sim. Agora, não mais. Quando atravessou as ruas, você viu o trânsito?

Ele diz que não deixa Belém, porque teria de levar junto sua biblioteca.

— É difícil para quem tem muitos livros fazer uma mudança.

Outra paixão dele é o estudo da obra do filósofo Heidegger. Há anos se dedica à relação entre literatura e poesia.

Nos livros *Heidegger e Ser e Tempo — Filosofia passo a passo* e *Hermenêutica e poesia*, Benedito escreve: "Os poetas podem aprender com os filósofos. Vejam a ironia e o humor que há nisso, a arte das grandes metáforas."

— O filósofo usa certas metáforas, são metáforas recônditas, que existem na língua — explica.

Ele comenta a metáfora do rio descrita por Heráclito.

— É a fluência, o movimento de todas as coisas. O grande problema dos gregos era o movimento: como uma coisa é agora, e outra, depois. Não apenas o movimento físico, local, como a transformação numa outra coisa. O que une a filosofia e a literatura é que a filosofia não está isenta de metáforas. Quando se faz uma filosofia da ciência, você exime a linguagem de metáforas. A ciência moderna usa outra linguagem. Galileu foi o primeiro a usar a linguagem matemática. Descartes também usou. A matemática torna-se a grande linguagem da ciência, e a filosofia não abdica das metáforas, porque está mais ligada à linguagem de todos os dias. Na ciência, se extrema essa depuração da linguagem, a matematização da linguagem, característica dos tempos modernos.

Um dos poucos filósofos no Brasil que desenvolve teorias próprias, sem limitar seu trabalho à interpretação de outros pensadores, ele discorda da versão de que o brasileiro teria receio de pensar por si só. Observa que a universidade brasileira surgiu tardiamente, nos anos 1930, bem depois que em países como o Peru, e que o Brasil só deixou de ter escravos em 1888. No Brasil, predominou, durante muito tempo, segundo Benedito, o autodidatismo. Ele próprio se considera autodidata.

Benedito prega uma prática meditante.

— Essa expressão me foi sugerida pelo texto de Heidegger, o *Ser e Tempo*. Ele fez interpretação de Heráclito e Parmênides. Essas interpretações são uma espécie de diálogo. É preciso sempre um esforço interpretativo. Você não pode se limitar à origem filológica da palavra. A prática meditante não se limita ao alcance teórico sistemático. Nesse sentido, ela é anti-hegeliana. Hegel foi o autor do último grande sistema. Quase todas as filosofias depois de Hegel são uma crítica a ele. A primeira grande crítica a

Hegel veio da filosofia da existência. Hoje, estamos em outra fase de crítica da filosofia, que critica a própria linguagem. É a linguagem objeto de uma reflexão. Eu vi Clarice nessa reflexão da linguagem.

Também ressalta a importância da "errância do pensamento" de Clarice.

— Essa errância é um pensamento que parece o pensamento de um viandante, uma pessoa que anda. Nietzsche é o primeiro errante. Ele destrói, constrói, destrói. Tem um livro dele muito bom sobre isso, *O viandante e sua sombra.*

Em um trecho do livro *Hermenêutica e poesia*, Benedito diferencia o que é morar e o que é habitar no mundo. Ele escreveu: "O homem precisa aprender a morar. Ter que morar não é mais estar-no-mundo, mas habitar, modificando-se aí a noção de mundo. Heidegger diz que moramos na linguagem. É poeticamente que o homem habita a terra."

No livro sobre Heidegger, ele escreve que "ser no mundo implica transcender o mundo".

— Nós resistimos transcendendo o mundo. Ser para o homem é transcender.

Ele afirma que o pensador diz o ser e o poeta nomeia o sagrado. Comento que isso lembra dois trechos de livros — de *Cem anos de solidão*, em que García Márquez diz que as coisas careciam de nome, e de *Grande Sertão*, em que Guimarães Rosa fala da falta de nomes para as coisas.

Benedito concorda:

— É nesse sentido poético. A arte é a verdade, se nomeia poeticamente, como Homero fez, como Hesíodo fez também. É como se chamasse as coisas à existência, as coisas passam a existir historicamente. Nomear não é apenas dar uma rubrica. É como se fosse uma chamada, um diálogo.

Ele escreve em seus livros que a serenidade não deve ser confundida com passividade.

— Passividade é a entrega completa ao que está acontecendo, a pessoa é sempre uma vítima. A serenidade tem uma questão de compreensão do que se está vendo. Como se pode conceber isso? Quando o pensamento avança sobre a coisa, há a união da filosofia com a poesia. A serenidade é uma atitude que mobiliza o pensamento. A serenidade pode até ser o resultado da ciência. Você compreendeu algo, conquistou uma explicação, se satisfez com ela e pode estar num estado de contemplação. Contemplar aquilo que ocorre, o que se chama de serenidade, sem interferir, como dizem os orientais, que têm uma sabedoria muito diferente da nossa. É o *Bhagavad Gita*, texto sagrado do hinduísmo, que deixa as coisas serem como elas são.

— Gosto da filosofia hindu. Há um versinho muito bonito do *Bhagavad*: "O verdadeiro sábio não lamenta nem o que vive nem o que morre." É muito bonito.

Este trecho lembra o narrador de *A hora da estrela*, de Clarice, que comenta o fim da protagonista Macabéa: "Mas que não se lamentem os mortos."

— A serenidade é poética. A contemplação é da poética.

Benedito ressalta que o homem sempre caminha para a morte, é como se tivessem muitas mortes durante uma vida.

— Tem um livro que esclarece muito isso, do Tolstoi, é o único livro literário citado por Heidegger em *Ser e Tempo. A morte de Ivan Ilitch.* Trata-se de um sujeito muito bem situado que sabe que está com uma coisa venenosa no corpo, parece ser um câncer. Ele acha um absurdo morrer. Como ele, um juiz de direito, poderia morrer? Em Heidegger a morte é o amadurecimento. A morte amadurece em nós, um fruto que chega ao seu tempo, amadurece. A morte é inerente à nossa condição humana. Cito um provérbio alemão: "Basta o homem nascer que ele já é bastante velho para morrer." Não é uma ideia funesta da condição humana. Agora, como é o outro mundo é outra coisa. Não há meios sensoriais e intelectuais para conhecê-lo.

Ele afirma que uma obra de arte não é apenas o reflexo do que o artista pensa.

— Quando ele produz a obra, pode transmitir o seu pensamento, mas há um processo de elaboração que o supera. Daí porque a obra pode ser interpretada diferentemente em várias épocas. Sempre é possível uma nova interpretação de Shakespeare, por exemplo. Prefiro o Rei Lear ao Hamlet. O Hamlet tem um recurso extraordinário. O Hamlet sabe o que aconteceu, porque aparece o fantasma do pai dele. No Rei Lear, não tem fantasma. Foi um rei muito apressado que dividiu o seu reino antes de morrer. Então, numa arguição com as filhas, as duas primeiras disseram que o amavam muito. A terceira disse que era obrigada a amá-lo, porque ele era seu pai. O rei fica furioso e não dá nada para esta. O velho enlouquece. As filhas o abandonam e ele vai cair na mão daquela que tinha rejeitado, a Cordélia. É um grande drama.

O filósofo parece um naturalista às avessas. Vai ao exterior pesquisar as plantas do mundo e volta para a Amazônia, onde reflete sobre as viagens. Ele fala da importância do distanciamento na filosofia e na literatura.

— E na vida prática, é importante se distanciar das pessoas para facilitar a compreensão?

— É muito importante. Se você não se distancia, você não pode se dedicar àquilo que gosta. O distanciamento tem um aspecto de reclusão, mas é também um modo de depurar a experiência que você tem, experiências que já passaram, que depuram a memória.

Folheia o livro escrito em parceria com Milton Hatoum, *Crônicas de duas cidades — Belém e Manaus*. Mostra fotografias antigas de Belém publicadas na obra. Revela que o amigo não gosta de Manaus e sempre reclama do provincianismo da cidade onde nasceu. Na avaliação do filósofo,

Belém lucrou com o contato com as tropas americanas durante a Segunda Guerra, tornou-se mais cosmopolita.

Ele mostra a sua biblioteca, que ocupa uma construção com mezanino ao lado da casa.

— De todos estes livros da biblioteca, qual o senhor mais gosta? — pergunto a Benedito.

— Livro você gosta por obrigação ou gosta por devoção.

— Falo de livro de curtir.

— Gosto de curtir o *Grande Sertão.* Já li várias vezes o *Grande Sertão* e sempre encontro novos significados, o livro de Riobaldo, o rio represado.

55

Tudo é água

É madrugada no Hidroviário das Docas, um conjunto de galpões metálicos, no centro de Belém. As luminárias tornam visível a poeira. Uma fila longa em frente ao guichê. Custa 13 reais a passagem até Camará. Dali até Soure, cidade já na Ilha de Marajó, o trajeto pode ser feito em vans, informam as pessoas.

Às 6h40, o barco segue para a ilha. Dois canoístas estão nas águas calmas do rio Pará, braço do Amazonas. De súbito, o sol aparece, iluminando os armazéns. Um vento fraco no convés.

Gisele Silva, 25 anos, está de óculos escuros. Cantora de tecnobrega, vai se apresentar neste fim de semana nas cidades de Marajó.

— Um colega me sugeriu usar o nome artístico Gisele Marvel, por causa da história em quadrinhos, lembra do Capitão Marvel? Então. Eu gosto, é diferente. Uso capa e botas longas nos meus shows, uma verdadeira Mulher Maravilha. É para todas as idades. Tentei muita coisa, mas tudo torce para a música. Canto e danço brega porque aqui as pessoas só gostam disso, não permitem que você faça outra coisa. Gosto mesmo é de algo mais lento, reggae, MPB, sou puro sentimento. Gosto das mensagens do Renato Russo. Ah, mas aqui o povo é povão mesmo, não é igual no sul.

Você sai de botas em Belém e eles te chamam de tudo que é nome. "Olha o caubói, olha o caubói", quanto atraso! Conheci a Índia do Marajó, a maior empresária de lá. Ela dá oportunidades para quem vive da música. Minha banda tem quatro pessoas. As apresentações duram de quatro a seis horas, em três dias da semana.

— Faço o brega porque não tem jeito mesmo. Meu sonho é gravar um disco eclético. É aquilo que disse: sou puro sentimento. Você aceita um bombom?

— Obrigado.

Três horas de viagem até Camará. Dali, os passageiros entram em vans rumo a Salvaterra. São apenas 30 minutos de viagem. A cidade é separada de Soure pelo rio Paracauary, que atravessamos em balsa.

Soure é uma cidade com ruas largas, quintais grandes. Faz calor, há búfalos soltos nas ruas, dando uma impressão de Índia. Essa raça chegou a Marajó em 1895. Um certo Vicente Chermont de Miranda, fazendeiro paraense, embarcou no porto de Nantes, na França, duas fêmeas e um macho da raça mediterrâneo. Os animais eram da criação do conde italiano Camilo Rospigliosi.

*

No tempo do padre Antonio Vieira, que esteve em missões na desembocadura do rio, a Ilha de Marajó era chamada de Joanes. O religioso, em correspondência ao padre provinçal do Brasil Francisco Gonçalves, em 1654, incluída no livro *Cartas de Antonio Vieira I*, relata que a ilha na boca do rio das Amazonas abrigava 29 nações nativas e era maior que o reino de Portugal — historiadores relatam que a chegada do padre, reconhecido pela defesa das comunidades nativas, a Marajó coincide com o início do processo de matança dos índios.

Na ilha, diz Vieira na carta, o irmão Luís Figueira e outros 12 religiosos foram mortos pelos índios e deram seus nomes para os "bárbaros".

O guerreiro, ao matar o inimigo, acrescentava ao próprio nome o nome do adversário. Aqui, a realidade, diferentemente do poético, não nomeia, mas se apossa de nomes. Vieira relata:

> (...) é costume universal de todas estas gentilidades não poderem tomar nem ter nome senão depois de quebrarem a cabeça a algum seu inimigo, e quanto o inimigo é de mais nobre nação e de mais alta dignidade, tanto o nome é mais honroso. (...) Desta maneira tomaram nome estes bárbaros nas cabeças dos nossos treze padres. Depois de mortos, os assaram e comeram, como costumam...

*

Manuel é um ribeirinho diferente. Não tem a discreta e silenciosa arrogância de quem conhece a fundo a floresta. De canoa a remo nos mostra o igarapé do Manguinho, um dos canais que chegam à praia do Arauanã.

— Ontem, estava aqui sozinho e começou a relampejar. Eu voltei para casa, deixei os camarões nos matapis. Saí correndo, remei depressa.

Ele tem medo de entrar no mangue ou na mata sozinho. Sempre procura alguém para acompanhá-lo de canoa pelo igarapé. Sente medo do barulho das margens, da chuva que cai na folhagem, dos bichos que rastejam perto do manguinho.

Conhece todos os bichos e plantas, sabe como é o barulho dos camaleões, dos macacos-de-cheiro, o canto ou o pio de cada pássaro. Sabe o jeito de se movimentar das saracuras e dos guarás, percebe quando um búfalo se perde das manadas e entra no mangal. Assim, sabe que não é de gente nem de visagem o barulho que vem da margem. Porém, até associar um pio a uma ave, lembrar do macaco de pele marrom que bate nos galhos antes de saltar de uma árvore para outra, vem o medo. Um medo danado, confessa.

— O senhor estava com medo ontem?

— Era medo.

O medo para ele virou um ser, um habitante deste lugar, como um homem ou um bicho que ele deixa viver nas conversas mesmo com pessoas com quem não tem intimidade.

Com uma mão no remo e outra na galharia que aparece à sua frente, Manuel leva a canoa pelo igarapé. Os arbustos podem bater nos rostos, machucar. O ribeirinho diz que o chá de casca da verônica, uma árvore da beira do igarapé, com cachos cheios de pelos é bom para anemia.

Um bando de tetéus, o mesmo quero-quero do Sul, passa pela canoa. Tajás ou cebolas-bravas, uma espécie de bromélia, forram a beira do igarapé. Manuel aponta para touceiras de palmeiras-açaí e para as jacitaras, um tipo de cipó muito usado para fazer peneira. A fruta está no cardápio dos macacos. As palmeiras de troncos finos, num trecho mais adiante, são conhecidas como marajás.

Manuel conta que tem 40 matapis espalhados pelas beiras deste igarapé. O matapi é um cilindro de taquara, com furos nas extremidades, a armadilha mais usada por aqui para pegar camarão, que entra no cilindro e não sai. Por dia, nesta época, o ribeirinho consegue recolher um litro de camarão por armadilha. Dentro, como isca, coloca babaçu com farelo.

Quanto mais se entra pelo igarapé, mais se veem árvores com raízes aéreas. As raízes, que chegam a 20 metros de altura, se formam como centopeias na mata do mangue.

*

Às seis da manhã, um vento forte, uma chuva intensa. Tudo escuro. *Chove nos campos de Cachoeira*, diz o título do livro do romancista Dalcídio Jurandir. Romance de título parecido acaba de surgir na nova literatura: *Chove sobre minha infância*, de Miguel Sanches Neto, no qual a imaginação entra em conflito com o meio rural, resgata o triângulo eterno — menino, água e memória.

O doutor Paulo Nunes, da Universidade da Amazônia, profundo conhecedor da obra de Jurandir, chamou a vasta bibliografia do autor de aquanarrativa e aquotexto. Os dramas existenciais e a psicologia envolvente dos livros de Juan Rulfo, Guimarães Rosa e Graciliano Ramos estão presentes no olhar do menino Alfredo, personagem frequente em boa parte dos livros de Jurandir. As páginas de seus livros, porém, não têm a secura do semiárido nordestino, do *El Llano* mexicano e do cerrado do norte de Minas Gerais, têm água, muita água, bastante água. A aspereza da vida, porém, preenche cada linha, cada frase.

Alfredo, o Miguilim de *Chove nos campos de Cachoeira*, usa um caroço de tucumã como uma bolinha mágica que muda o mundo, mais poderosa que a lâmpada de Aladim, segundo o autor. Por meio do caroço, o menino transforma o Brasil no maior dos países, e o Amazonas no rio mais navegado do planeta. Na imaginação do menino, o rio se torna ainda maior, adquirindo a beleza da entrada do Bósforo e do o golfo de Nápoles. As margens do rio deixam de ser tediosas. "E o Nilo? Não, não! Pois a sua bolinha ia fazer o Amazonas o mais comprido, o mais largo, o mais belo rio do mundo. Comprava ou mandava comprar grandes couraçados, centenas de submarinos, palácios e parques", escreve.

O caroço curava feridas das pernas e mudava, veja, o cenário de Marajó na triste época da cheia. A ilha ficava livre das inundações.

Tudo é água no romance. A água é mostrada para observar que um casamento se acabou, "foi por água abaixo". É a violência, a chuva forte que bate na janela. A água é o sonho de um menino que considerava um cajueiro mais professor que Proença, o mestre rigoroso da escola: "Tudo fazia para que Alfredo se encharcasse de sonhos, de imaginações." A água é a fúria e o desprezo da mulher amada: "E Irene bateu-lhe, cuspiu-lhe." A água que mostra o drama da mãe diante do medo da perda do filho, é o caso de dona Amélia. Ela sonhava em mandar Alfredo para Belém toda vez que começava a chover. A água que é a marca do rapaz vagabundo, de

Eutanázio que chega de madrugada, com roupas e sapatos encharcados, doença venérea no corpo, que depara com o pai revoltado.

A água das lágrimas que está no poema de Gonçalves Dias que o pai de Eutanázio gosta de recitar: "Pois choraste em presença da morte? Meu filho não és..."

A água das lágrimas é a memória que vem fresquinha, deliciosa, a lembrança da primeira transa. "As pernas nuas (de Clara) tinham a cor d'água que Alfredo gostava de ver no inverno, ao meio-dia, da janela de seu chalé."

A água aparece como símbolo do fim das relações, da angústia, da solidão. Um dilúvio que atemoriza, isola, machuca, violenta, mas não é definitivo. O temporal de toda cheia. Essa mesma água ilustra a redenção do ser humano, o arrependimento, o momento em que Eutanázio, jovem que gostava de imagens de chacinas e batalhas, aceita a derrota e, no leito de morte, reconhece a superioridade de um ser frágil, Irene, o grande amor, moça sem palavras, agora grávida. "Desejou passar a mão naquele ventre que crescia vagaroso como a enchente, com a chuva que estava caindo sobre os campos. Desejava beijá-lo. Estava vendo ali a criação, a Gênesis, a vida. Irene estava bela com a sua gravidez de terra inundada."

Numa primeira leitura, os textos de Dalcídio Jurandir limitam o uso da língua, com tanto abuso de verbos como "encharcar" e "molhar". Tudo encharca e molha, objetos e sentimentos. O leitor, então, entra num jogo de procurar a água em cada frase. A água alarga o cenário dos livros, dá vida a sentimentos, expande a visão do leitor. As coisas tornam-se maiores e a única ficção passa a ser o conceito de ilha — a água, na cheia, passa por cima de Marajó. Vira tudo água. A linguagem transborda.

*

No momento em que vivemos o deserto real, descrito em Matrix, o deserto de excesso de imagens ilusórias, viajar por Marajó é sentir o cheiro da palavra, o odor delas, perceber as letras molhadas. "Águas são muitas; infindas", como escreveu Pedro Vaz Caminha ao rei de Portugal.

É muita sorte encontrar a constatação de Italo Calvino de que "a imaginação é um lugar dentro do qual chove". Em *Seis propostas para o próximo milênio*, Calvino cita Dante, que na parte do purgatório da *Divina comédia* afirma que "chove dentro da alta fantasia".

Viajar para perceber as diferenças das águas, que mudam tanto como o humor de uma criança.

Alfredo, o Miguilim ribeirinho, brota como olho-d'água na mente do leitor. Como conhecer jamais o menino?, perguntou certa vez a escritora Clarice Lispector. É buscá-lo na memória, na memória, na memória.

*

A água caindo nos campos já alagados, afundando a terra. Mesmo com o dia clareando, a água não cessou. É a ditadura da água, como disse o padre Giovanni Gallo (1927-2003), um italiano de Turim nos sermões da Teologia da Libertação, proferidos nas cidades e vilas pobres de Marajó. Ele apresenta como sagradas as visagens, as feitiçarias condenadas durante séculos pelas autoridades religiosas da ilha. Um homem que rompeu com as regras impostas pela Visitação do Santo Ofício, que esteve uma única vez na Amazônia, entre 1763 e 1769, mais precisamente em Belém, para condenar a religião que surgia na selva, no contato de índios, brancos e negros.

Os igarapés, no entanto, que à noite estavam cheios, derramando no teso, como os ribeirinhos chamam os campos planos e verdes, agora têm pouca água. A maré vazou. Um filete de água serpenteia a planície, como se um terremoto fizesse um corte profundo na terra, formando um risco a se perder de vista.

De carroça carregada por búfalo se atravessa o teso, se chega aos bandos de guarás e tetéus. As garças-vaqueiras estão em cima dos búfalos, catando os insetos e fungos. A água encobre as pernas dos animais. Alguns campos têm água para encobrir o corpo dos búfalos até os chifres.

Resultado do cruzamento do cavalo pantaneiro com o árabe, os marajoaras estão por toda a parte do teso. São animais magros, amarronzados, com muita crina, que sobrevivem com facilidade nos campos alagados de Marajó. Suportam as caminhadas longas de Cachoeira do Arari a Soure, saem dos atoleiros, entram no mangal, como aqui é chamado a área de mangue, resistem aos ferimentos provocados pelas espécies espinhosas dos trechos de mata.

As planícies alagáveis do estuário, banhadas também pelo mar, não são estéreis. Por serem mais leves que as águas salgadas, as águas doces do rio ficam por cima e chegam com seus nutrientes nas várzeas com a pressão da maré.

Aqui é a Amazônia Costeira, região também descrita no romance *Chão dos lobos*, de Dalcídio Jurandir. "A revoada das garças anunciava o rabo da maré, o tralhoto espetava a cabeça na lama do mangal, para o mangue corriam os patos, cancã cantando fora da hora, cantando fora da hora..."

*

Amazonas, neste mês de maio e no início de junho, está nas praias de Marajó — deixando o mar afastado tanto na maré alta quanto na baixa.

Nesta época, porém, o rio continua banhando toda a ilha. Águas mansas e calmas. Não se vê o mar, embora Marajó esteja de frente para o oceano. Toda a água, de qualquer lugar que se olha, é barrenta, é doce. O rio continua soberano por aqui.

Na vazante, é difícil para o ribeirinho procurar alimento porque os igarapés, trilhas que levam aos peixes, aos camarões, aos caranguejos dos barrancos do mangue, estão secos. Nem búfalos nem cavalos marajoaras conseguem entrar mangal adentro em época de pouca água. Ali estão as armadilhas.

O vaqueiro é atento, quase mudo. Preto Juvêncio, de 101 anos, está bem vivo, homem que cresceu com o rebanho de toda a ilha, à medida que a cultura da vaquejada se desenvolvia, se alastrava. Tudo começou na fazenda Dunas, onde em 1895 chegaram do porto de Nantes os primeiros três búfalos, vindos do porto de Nantes.

Os rebanhos foram aumentando, invadindo o teso e áreas de florestas, igarapés e alagados, mantendo o poder de quem tinha poder, de famílias que conseguiram ainda à época de Pombal um quinhão de Marajó. Os búfalos se reproduziram tanto que foram parar nos quintais da gente pobre que servia aos fazendeiros. Ora era presente, ora era uma forma de o dono das terras se livrar de um animal que não crescia como outros, por um problema qualquer, para garantir a qualidade da carne e do leite. Esses búfalos passaram a puxar carroças de quem não tinha poder nem dinheiro, garantiram o leite gorduroso das crianças magricelas. Não receberam pedradas dos moleques mais atentados. Soltos nas ruas largas e sombreadas por mangueiras de Soure, ajudaram a dar vida às vilas e povoados pouco habitados. Hoje, os búfalos andam nas ruas como seres essenciais. As famílias descendentes dos primeiros portugueses não abrem suas casas, não modificam sua forma de sobreviver na ilha, seus modos de produção. Chegam a preferir, como fazem os donos da Casa do Sossego, uma antiga construção da época dos escravos, que o tempo e a água enegreçam as paredes e janelas e tombem o telhado. O tronco de açoite que ainda pode ser visto no quintal do Sossego pode resistir ao fim da velha casa.

O carimbó e o lundu, que Preto Juvêncio sabe dançar como poucos, saíram dos fundos das grandes fazendas, e acompanhando os búfalos magros chegaram aos quintais dos povoados e vilas da ilha. Os tambores são os mesmos de *Batuque*, o livro de poemas de Bruno de Menezes, publicado em 1939, leitura sugerida pelo crítico Benedito Nunes.

Rufa o batuque na cadência alucinante
— do jongo do samba na onda que banza.
Desnalgamentos bamboleios sapateios, cirandeios,
cabindas cantando lundus das cubatas.

Atualmente, essas danças deixaram a intimidade das famílias pobres e alcançaram as varandas e pátios dos hotéis que começam a ser instalados em Marajó.

— Nega qui tu tem?
— Maribondo Sinhá!
— Nega qui tu tem?
— Maribondo Sinhá!

A liberdade pode chegar nas frases em inglês que os adolescentes aprendem para recepcionar os franceses e italianos que aparecem nas fazendas que se transformam em hotéis. São pingos de liberdade. O conhecimento, a outra língua, os diálogos com outro tipo de gente, tão sofisticados ou até mais que os donos das fazendas e seus filhos que foram estudar em Belém.

*

Não há dúvida. Agora, em maio, as praias de Araruna e Barra Velha, voltadas para o oceano, são doces, barrentas. Águas do Amazonas e dos campos alagados de Marajó. Lá para a frente, em agosto ou setembro, as águas das praias ficam mais transparentes, salobras, salgadas, é o mar.

— O mar já está querendo no meio de junho — diz Maria Shirley Carvalho de Souza, 64 anos, dez filhos, 16 netos, um bisneto.

Shirley aponta para o rio e o mar.

— Olha lá os botos. Nesta época, com a maré assim, calma, eles ficam por aí, fazendo piruetas.

A mulher conta a história da Maré Cheirosa, uma mulher loira, branca, muito bonita.

— Os antigos dizem que ela era dos Estados Unidos, que apareceu aqui. Se embrenhou no mato e morreu. Às vezes aparece, é muito cheirosa. Quando é homem, ela leva para o mangal, ele se perde.

Shirley conta que o boto, neste lugar, também vira homem. Definitivamente, o rio banha todo este trecho de Marajó. O homem que surge nessas paragens é o mesmo sujeito de roupas brancas, afável e simpático, que encanta as mulheres.

— Foi agora, em janeiro. Eu passava por aquela ponte, por volta de seis da tarde. Ele estava lá, parado. Eu disse: "Bom-dia." Ele não respondeu. Ele estava com um saco de pesca nas costas. Era o boto. Imagina, quem ia pescar com a maré grande?

Às vezes, o homem estranho tem outra cor de pele:

— Outra vez, oito para as nove da noite, na Barra Velha. Vi um homem negro escorado na ponte. Falei com uma amiga: "Vamos passar. Fé em Deus e pé na tábua." Passamos rezando. Ele não se mexeu. Tem boto preto, manchado e branco. Mas esse negão não era boto, era visagem. Nessa ponte já morreu muita gente afogada.

Shirley conta ainda a história dos encantados do rio, como o rei Sebastião, que costuma deixar as profundezas para passar algumas horas com as pessoas nas praias do Pará. É o mesmo encantado que encarna nos pajés dos terreiros da Ilha de Lençóis, no Maranhão, de onde a lenda se espalhou, e de Belém. É o mesmo rei que, em 1578, morreu na batalha de Alcácer-Quibir, na norte da África, aos 24 anos, não deixando herdeiros. O espanhol Felipe II se apossou do trono de Portugal. A União Ibérica duraria 60 anos. A crença de parte dos portugueses no retorno de Sebastião para salvar a pátria se estenderia um pouco mais.

Historiadores julgaram e condenaram o jovem rei, classificando-o como um rapaz frágil, insensato, mimado, teimoso e fraco de espírito.

Nos seus cultos, os caboclos dessa região onde o rio está perto do fim têm outra imagem de Sebastião, uma figura grandiosa, um rei como poucos, que resolveu viver a guerra inventada por ele.

Com as mãos nos cabelos, Shirley diz nunca ter namorado um encantado ou um boto, mas conhece muitas mulheres que se engraçaram com esses seres. Enquanto caminha pelas areias, revela uma Amazônia onde vivos e mortos habitam nas mesmas margens, nas mesmas dificuldades.

É a "paz sofrida" descrita no romance *Pra lá do fim do mundo onde o rio acolhe os mortos*, de Plínio Valério. A versão amazônica do romance *Pedro Páramo* conta a história do homem que viaja para uma cidadezinha depois que a mãe, no leito de morte, lhe revela que lá vive seu pai. Francisco aos poucos vai perceber que está num mundo de mortos e, ao contrário do livro de Juan Rulfo, o pai não é gente, nunca foi. "Não se desafia um boto nunca", diz o personagem, angustiado. Ao contrário dos personagens humanos, o pai dele está vivo.

Shirley diz que há pessoas que gostam de água doce, outras de água salgada. Agora, na verdade, a água está querendo ficar salobra, meiota, nem doce nem salgada. É água boa para limpar o corpo das impurezas.

Nesta época em que o Amazonas estaciona em Marajó, os pescadores encontram pratiqueiras, bagres, cangatás, tamataranãs e camuris. De junho em diante, começam a aparecer as espécies de água salgada, os xaréus, as pescadas, os burijubas e os cações.

É por um trecho forrado de sementes do mangue e trazidas pelo mar que se caminha nas areias da praia. O sol está forte.

*

O barco *São Francisco IV* sai de Camará em direção a Belém às 15h. No horário marcado, só há lugar na parte de trás da embarcação, perto do motor que garantiria uma viagem a 30 quilômetros por hora. O barco tem três andares, banheiros uma lanchonete, cadeiras estofadas.

Depois de três horas de viagem, os passageiros veem a cidade de Belém. O sol do fim do dia ilumina as grandes torres, conferindo à capital um charme de metrópole. Após tanta água e tanta paisagem verde, a sensação é a de quem se aproxima de um tipo de oásis, onde há o conforto.

Logo que o barco entra no estirão em frente à cidade, o tempo vai se fechando, uma chuva começa a cair. O trajeto de 20 quilômetros até o cais das docas é feito debaixo de uma tempestade. Os passageiros fecham as lonas azuis da janelas para impedir a entrada de água. Relâmpagos e trovões. Quem estava nos bancos perto das janelas deixou seus assentos.

Os funcionários do barco dizem que são mais de 500 passageiros na embarcação. A capacidade é de 800 pessoas. As crianças choram, os adultos ficam impacientes, o televisor onde passavam os jogos do São Paulo com o Santos e do Botafogo com o Náutico é desligado. Bate um vento forte.

Enganou-se quem pensou que a angústia iria acabar quando o barco batesse nas boias do cais das docas. O piloto não consegue um ponto para atracar. Falta experiência, reclamam passageiros. A maré está baixa, alegam tripulantes. O barco balança, recua, volta, não sai do lugar e não atraca. A chuva aumenta, os relâmpagos tornam-se mais intensos. Belém desaparece na escuridão. Os guindastes parecem monstros a cada trovão, a cada relâmpago. Vê-se apenas guindastes e armazéns do porto. Só após uma hora de agonia os passageiros, essa gente simples das ilhas do Marajó, poderiam desembarcar na cidade. E quando os homens e mulheres conseguiram deixar o barco, a noite já era definitiva, Belém é apenas um labirinto de ruas e becos escuros, pontos de ônibus lotados, calçadas com poças de água. A chuva fina e prolongada encharca aos poucos as roupas e bagagens.

56

A menina do trem

O rio Parauapebas é um subafluente do Amazonas, deságua no Itacaiunas, que por sua vez cai no Tocantins, este sim um afluente do grande rio. É nas margens do Parauapebas que está a maior mina de minério da Terra, Carajás, controlada pela Vale.

Num primeiro olhar, a cidade que leva o nome do subafluente parece o interior rico de São Paulo. Outdoors com anúncios de novos empreendimentos imobiliários, prédios em construção, um centro movimentado à noite, com jovens circulando por bares com roupas de marca, motos e carros luxuosos. A garotada é filha de profissionais bem remunerados do sistema Carajás ou que prestam serviços na cidade.

Em 2008, a renda per capita de Parauapebas era de 1,7 mil reais, superior à registrada em Belém, que, no ano anterior, foi de 787 reais.

Basta sair do centro para descobrir uma cidade onde a maioria dos 170 mil moradores vive em quartos alugados, construídos nos fundos dos quintais ou em casebres em loteamentos irregulares.

Parauapebas é literalmente o fim da linha para quem deixa o interior miserável do Maranhão em busca de uma vida melhor. A cidade fica no final do trecho da estrada de ferro Carajás, construída pela Vale para transportar o minério de ferro até São Luís.

Toda madrugada, por volta das 2h, quando não há atrasos, a locomotiva despeja cerca de 300 imigrantes na estação ferroviária de Parauapebas.

— Eles vêm atraídos pela propaganda de riqueza de Parauapebas — comenta Edson Barbosa, do Conselho Tutelar, numa madrugada fria, logo após o desembarque de dezenas de maranhenses.

Uma comerciante que pede anonimato, relata ao Conselho Tutelar que vizinhas viajaram no trem da Vale para buscar meninas no Maranhão para serem usadas nos cabarés da Vila Palmares 1, em frente à estação ferroviária de Parauapebas.

A comerciante aponta uma casa de prostituição em que duas adolescentes estariam sendo exploradas. Em outra, uma mulher explorava a própria sobrinha.

Maria Alexandra Silva, presidente do Conselho Tutelar, conta que a exploração de crianças na área da estação começa cedo, às 19h. É o horário em que começam a chegar os donos de vans que vão fazer o transporte dos migrantes vindos no trem da madrugada. Os motoristas chegam cedo para ocupar os primeiros lugares na fila e fazer mais de uma viagem até o centro da cidade.

As crianças maranhenses não chegam a Parauapebas apenas nos vagões de passageiros. Meninos se arriscam em cima dos vagões abertos de minério, em viagens de até 18 horas.

Maria Alexandra diz que lutou e conseguiu que a Vale acabasse com o estacionamento de caminhões na portaria da mina de Carajás, no centro da cidade, principal local de exploração de crianças. Os caminhoneiros que esperavam a vez para entrar em Carajás violentavam as meninas.

— Entrei em contato com a Vale. Você sabe, toda empresa faz tudo para preservar o nome. Ficaram de dar retorno e, depois de um mês, não obtive retorno. Aí voltei a pressionar e eles colocaram os caminhões num estacionamento interno, sem acesso de crianças.

Foi numa locomotiva da Vale que uma garota de 15 anos, explorada sexualmente, chegou há 10 anos a Parauapebas com a família, vinda do Maranhão. Passava de uma da manhã quando a menina do trem e uma amiga de 14 anos estavam numa rua do Centro.

A menina do trem mora com dois irmãos adultos num barraco de madeira na periferia da cidade. Os irmãos trabalham numa empreiteira. A mãe adotiva morreu. O pai foi embora, deixando-a com os irmãos. Sorridente, olhar meigo e bem-humorada, a menina do trem nega, num primeiro momento, que faça programas com adultos. Diz que sai à noite para encontrar amigos. Um dos irmãos conta, porém, que a menina não obedece, fica na rua das 19h às 5h.

Minutos depois, na entrevista acompanhada por Maria Alexandra Silva, a menina confirma que sai com adultos.

— Nesta noite passei em frente ao Safares (prostíbulo da cidade) e uma mulher gritou: "Vem para cá, aí na rua você sai de graça, não ganha nada." Eu cobro 50 reais por programa mesmo na rua.

Maria Alexandra avalia que o tamanho reduzido das moradias agrava o problema dos abusos dentro de casa. Famílias de até dez pessoas costumam dividir um quarto de 20 metros quadrados. De 100 casos, em média, de denúncias de agressão contra crianças que chegam ao Conselho Tutelar por mês, a maioria é por abusos praticados por pessoas da própria família.

Ao comentar o problema da exploração sexual de crianças em Parauapebas, o presidente da Vale, Roger Agnelli, diz que não se pode confundir o papel do governo municipal com o das empresas, responsabilizando o prefeito de Parauapebas, Darci Lermen, pela baixa qualidade de vida na cidade. Agnelli disse que a empresa faz elevados investimentos na área social na região e paga fortunas em impostos e royalties.

— Está muito fácil, hoje, para algumas autoridades, jogar o problema no colo do governo do Estado ou da iniciativa privada. Eles têm que olhar para eles mesmos. Onde estamos não faltam recursos para os municípios. O que falta é seriedade no trato da coisa pública. Em Parauapebas, o prefeito claramente gosta de discurso, mas fazer não faz. Esse é o ponto. No discurso é campeão. Não olha o desenvolvimento social a longo prazo, não faz parcerias e não respeita o próximo.

57

Marrocos

Da capital paraense a Macapá, do outro lado da ilha de Marajó, são 574 quilômetros. Os estreitos, furos e canais do caminho são protegidos das correntes e marés do oceano pela ilha. Pode vir daí, dizem estudiosos, a origem tupi do nome Marajó, Mbara-yó, a barreira do mar.

No estreito de Breves, crianças em pequenos botes se aproximam das balsas cargueiras que transportam automóveis e caminhões. As crianças vendem picolé, frutas da terra e, em alguns casos, o próprio corpo. Neste comércio infame, uma criança recebe, em troca, dinheiro ou mercadorias como, por exemplo, um galão de óleo diesel. Esta exploração sexual tem sido denunciada na imprensa pelos bispos de Marajó.

O percurso entre Belém e Macapá foi a etapa final da viagem das 340 famílias que em 1770 tiveram de fugir da cidade portuguesa de Mazagão, no Marrocos, e foram se instalar com seus escravos em um ponto da selva situado a 50 quilômetros da capital amapaense. A africana Mazagão, construída em 1513 pelos portugueses como entreposto comercial, era alvo constante de ataques de mouros. Foi numa batalha no século XVI que desapareceu o rei português dom Sebastião. No século XVIII, depois de muitas derrotas para os muçulmanos, o rei dom José acata sugestão do marquês de

Pombal e transfere a cidade para a beira do Amazonas, no Amapá, chamada pelos nativos de "terra que acaba", mas também de "sítio da chuva". O lugar onde, segundo os antigos, o ano começa duas vezes, uma, em março, outra, em setembro — os dois meses em que os raios do sol incidem diretamente sobre a linha imaginária do equador, e os dias têm a mesma duração que a noite, fenômeno que aumenta o nível do rio. É o equinócio das águas.

Com a transferência das famílias portuguesas do Marrocos para o Amapá, o monarca resolve dois problemas: na África, evita desperdício de dinheiro nas guerras com os mouros e, no Brasil, fortalece a presença portuguesa na entrada do grande rio. Depois de três anos na capital do Pará, as 340 famílias se mudam para a margem do rio Mutuacá, no Amapá, onde instalam a Nova Mazagão.

Em 1783, a cidade é atacada por uma epidemia desconhecida, que alguns historiadores identificam como cólera. A rainha Maria I autoriza os moradores a se mudarem para uma nova área. A cidade é transferida para um terreno a um quilômetro dali, onde permanece até o início do século XX.

Em 1922, Mazagão muda de novo, desta vez para a beira do rio Beija-flor, a 30 quilômetros da terceira cidade. É a quarta mudança.

No local onde existira a primeira cidade, ainda no Marrocos, surgiu outra, com o nome de El Jadida. A segunda cidade, já no Brasil, virou ruína. A terceira se chama agora Mazagão Velho. E a quarta, Mazagão Novo.

Mazagão Velho está a cinco quilômetros do rio Amazonas. Para se chegar até a cidade é preciso enfrentar um bom trecho de estrada de chão e atravessar em balsa o rio Matapi, em ponte de madeira o Anauerapucu e em outra balsa o Vila Nova.

Após 27 quilômetros a partir de Macapá, na ponte do Anauerapucu, cai uma chuva fina. Um povoado se estende pelo barranco do rio. Em seguida, surge um trecho de floresta; depois, uma área extensa de pasto de búfalos.

A chuva aumenta na chegada a Mazagão Novo, a 33 quilômetros de Macapá. O acesso a Mazagão Velho é uma estrada de piçarra (cascalho e barro). À beira da estrada, se alinham taperebazeiros, as árvores do taperebá, uma fruta pequena, no formato de um cajá, azeda. Castanheiras-do-pará, com sua imponência, se destacam na vegetação dos campos, tomados também por seringueiras e palmeiras amazônicas, como o açaizeiro e o tucumã, de troncos finos, e a bacaba, mais encorpada. As bacabas estão com cachos de coquinhos. A fruta dá um suco cor de café com leite.

A árvore tão alta quanto a castanheira na margem esquerda da estrada é uma sapucaia, com suas cascas cobertas de ouriços.

Depois de rodar 35 quilômetros pela estrada de piçarra, chega-se a Mazagão Velho. O povoado é hoje um vilarejo bem cuidado e organizado. Ruelas são separadas por extensos gramados. As casas, limpas e pintadas de branco, e palmeiras-açaí se enfileiram à beira de um riacho.

Perto de Mazagão velho, um homem de bicicleta vem ao nosso encontro pela estrada de terra. Paramos para conversar com ele. É Gregório Ramos, 65 anos. Ele atende nosso pedido e volta para nos mostrar a velha Mazagão, os sítios arqueológicos.

No cemitério, ele abre um pequeno portão, depois a porta da capela. Ali estão 43 urnas de vidro com fragmentos de ossos dos antigos moradores vindos da África. Depois, Gregório nos leva até as ruínas da primeira igreja.

— Quando eu era moleque, a igreja ainda tinha parede em pé. Meus avós contavam que aqui era a sede da cidade. O pessoal foi depois para perto do rio. Sou de 1943. Em 1922 trocaram a sede para Mazagão Novo. Achavam que o rio lá era mais largo e precisavam estar preparados para o progresso, para os grandes barcos, mas eles nunca apareceram. As pessoas chamam a cidade também de Mazaganope.

Pela base da igreja que ainda existe se vê que a parede da frente tinha um metro de espessura. Era feita de pedra, areia e cal. Palmeiras tucumã e mucajá rodeiam as ruínas.

— Ouvi dizer que isto aqui tem 233 anos. Acho que tem mais, diz Gregório.

Ele viveu nas ruínas. Com uma baladeira, espécie de estilingue feito com liga de borracha de sola de sapato amarrada num pedaço de pau, caçava bicudos. Nestes mesmos ladrilhos do piso da igreja que ainda resistem, ele jogava pião feito de esponja, um tipo de madeira mole, fácil de esculpir. Também fazia pião com o buçu, caroço do buçuzeiro, uma árvore nativa.

Calado, olhos brilhantes, sempre olhando para baixo, só de vez em quando ele encara você. Mas o brilho de seus olhos compensa a timidez. A voz é firme quando fala do passado. Ele se agita, balança o corpo ao lembrar do tempo de menino, quando corria e saltava com muita agilidade.

Foi num ataque de mouros próximo à primeira possessão de Mazagão, no norte da África, que o poeta Luís de Camões perdeu uma vista. Na obra *Os Lusíadas*, a grande epopeia dos feitos portugueses, ele descreve a água como símbolo do desafio, da violência e da adversidade e afirmou que o conhecimento se adquire com a vivência

> Não se aprende, Senhor, na fantasia
> Sonhando, imaginando ou estudando,
> Senão vendo, tratando e pelejando.

Jorge Luis Borges, numa conversa com o amigo Adolfo Bioy Casares, comentou que chegara a pensar que Camões era um dos piores poetas do mundo. "Eu creio que a gente confunde a simpatia por Portugal, a simpatia pelos países menores e fracassados, com os méritos de

Camões", afirmou. A declaração está registrada em *Borges*, diário escrito por Casares e organizado por Daniel Martino. Na interpretação de Borges, as musas de Camões não eram mulheres, eram a metáfora da fama e da glória.

Doze anos antes, porém, o autor de *História universal da infâmia* dedicava um texto ao autor de *Os Lusíadas*. No poema "A Luís de Camões", publicado em *O fazedor*, Borges diz que, no mágico deserto, a flor de Portugal se havia perdido. Num poema anterior, no mesmo livro, o argentino lembrava que seus próprios antecedentes, "Os Borges" — título de um poema — são filhos da gente que "forçou as muralhas do Oriente", os portugueses.

58

Maria Barriga

Desde 1777, a luta entre cristãos, os portugueses, e muçulmanos, os mouros, é lembrada durante a festa de São Tiago, em Mazagão Velho.

As primeiras cinco festas foram organizadas na primeira Mazagão edificada no Amapá pelos portugueses procedentes do Marrocos. A grande festeira da cidade é dona Maria Barriga, de 86 anos, que mora numa casa de madeira na ruela do único colégio local.

— É uma bênção tirar foto dela — diz Deuzarina dos Santos, a Deuze, sua sobrinha, apontando a casa de Maria, organizadora da festa que simula a luta entre cristãos e mouros. Ela está na varanda.

— Nasci, me criei, me casei, me enviuvei e estou aqui.

O nome completo dela é Maria Joaquina dos Santos. Por força da tradição é o mesmo da mãe, da avó, da bisavó e foi o da primeira mulher da família trazida do Marrocos como escrava. E, claro, a única filha se chama Maria Joaquina dos Santos.

Maria foi durante muitos anos a principal parteira da cidade. Mas esta não é a origem de seu apelido, que vem do sobrenome do pai, Pedro Barriga dos Santos, neto de uma escrava. Este sobrenome ela não recebeu ao nascer, porque isso quebraria o costume da repetição dos nomes das mulheres.

— Mazagão era grande e ficou pequenininha. O pessoal foi embora, porque lá, na beira do rio Beija-flor, havia mais acesso — explica Maria.

Ela casou aos 30 anos com Manoel Carvalho da Silva, que trabalhava como carpinteiro, pescador, roceiro, carroceiro e seringueiro.

Perdeu a conta de quantos meninos e meninas ajudou a trazer ao mundo desde que fez o primeiro parto, aos 20 anos.

— Não marquei, foram muitos, peguei muita criança. Não aprendi com ninguém. Não tinha outra parteira, então virei parteira. A gente tinha todo cuidado. Ficava com a mulher até oito dias depois do nascimento da criança. Aí, entregava para o marido. Hoje em dia, não tem mais isso. O médico manda embora logo depois que nasce. É tudo moderno.

Levanta as mãos para o alto:

— Graças a Deus, nada aconteceu, nunca tive problema com parto, nunca perdi uma criança, nunca perdi uma mulher. Eu dava para a mãe uma garrafada, arruda, salva-de-marajó, alecrim e alfazema. Ela tomava no parto, eu dava aquele copinho. Depois de nascer a criança, a mulher tomava mingau de farinha. Eu dava banho no menino com casca do mato, verônica, que é um cipó que fica igual sangue, e ventosa, uma casca cheirosa. Fui parteira até os 70 anos, quando enviuvei.

Cuida das roupas das imagens de santos de Mazagão Velho.

— Tudo o que eu quero eu peço. Só quem ajuda a gente é Deus e Nossa Senhora. Rezo para os santos, para as almas. Nossa Senhora da Conceição só não veste roupa vermelha. O roxo que vocês olham é a cor das roupas da Semana Santa. Na Páscoa, é tudo branco.

Lembra pouco da infância em Mazagão.

— A gente não tinha juízo — diz, olhando para os tambores de marabaixo, usados na parte profana das festas.

— Eu dançava muito marabaixo.

É o ritmo do encontro, no Amapá, entre o negro — que nada tinha a ver com a guerra de mouros e cristãos no continente africano —, brancos e índios. É o ritmo suave e ao mesmo tempo intenso dos tambores, descrito por Raul Bopp no poema "Marabaxo", do livro *Urucungo*, de 1932:

Bum Qui-ti-bum Qui-ti-bum Bum-bum
(...)
Ai Sinhá, cumé teu nome?
Meu Sinhô não tenho nome.
Me chamo chita riscado
Camisa daquele home.

Maria Barriga fala do tempo:

— Mudam os anos, vai mudando a cabeça da gente. A gente vira velho e volta a ser criança. Não fica mais nada guardado na cabeça, por isso não lembro mais de versos do marabaixo como antes.

Dois guarda-roupas na sala estão repletos de vestes dos santos. Maria Barriga mostra um vestido azul, usado na imagem de Nossa Senhora da Assunção na festa que acontece de 4 a 15 de agosto.

É como se a fé preservasse nela a alegria dos tempos de marabaixo, Maria olha sorrindo para as roupas coloridas.

Imagens de santos ocupam a sala da casa — uma Nossa Senhora da Piedade com Cristo Morto, uma Sagrada Família, uma Nossa Senhora do Perpétuo Socorro, um Menino Jesus, uma Nossa Senhora de Fátima, São Brás, Nossa Senhora do Bom Parto, Nossa Senhora do Amparo. Nas paredes, calendários com as figuras de João Paulo II, de Santa Maria, de Santa Luzia, de Cristo, de Santa Terezinha do Menino Jesus.

Chega uma bisneta de Maria Barriga, a menina Bianca, de 4 anos, filha do neto Rondinelli, de 26, com uma moça chamada Betânia, de 22. A menina se aproxima de Maria Barriga. As duas posam para a foto — Maria com olhar sereno, os olhos negros e brilhantes da menina fixos nela. A foto das duas lembra um quadro de uma santa que não está na parede: Santa Ana com Maria.

59

Mar abaixo

Macapá localiza-se a 6.850 quilômetros das nascentes do Amazonas. O rio ainda corre uns 150 quilômetros a partir da cidade até o encontro com o Atlântico, nas ilhas do arquipélago do Bailique. É a única capital brasileira à beira do rio. De fato, Manaus fica à margem do rio Negro; e Belém está na beira do rio Pará, que nem todos consideram um braço do Amazonas.

A cidade foi batizada de Adelantado de Nueva Andaluzia pelo rei Carlos da Espanha em 1544. Os portugueses optaram pelo nome de uma palmeira nativa, Macapá. Na outra margem do Amazonas, fica a ilha de Marajó, a mais de 20 quilômetros, difícil de ser ver a partir do cais de Macapá.

O rio, neste trecho, tem extensão de mar, ondas de mar, força de mar — muito diferente do aspecto que apresenta mais acima, entre Letícia e Manaus. Lá, menos largo e com águas quase paradas, descendo lentamente e sem cachoeiras, o rio parece mais altivo, imponente, forte, dominando tudo sozinho. Aqui, a arrebentação das ondas nas ribanceiras e a força e o estrondo das águas nos troncos e nos barcos parados nas margens parecem superar em muito a grandeza do Amazonas de trechos anteriores. O rio em frente a Macapá é sacudido pela força do mar e pulsa de acordo com o movimento do oceano, embora este ainda esteja longe. É um rio violento, mas não por força própria.

Quem vem de tão longe, das nascentes, rumo à foz tem a sensação semelhante à do menino no instante em que deixa a infância e encara a adolescência, como, por exemplo, ao perceber que o pai não é tão forte. Talvez só um rio consiga esconder a fraqueza na violência e na fúria.

O rio e tudo à sua margem têm cara, jeito e nome de mar. A balsa que transporta carros e gente para Marajó chama-se *A Invencível.* Na ruela de acesso ao cais de Nossa Senhora do Perpétuo Socorro — antigo Cais das Mulheres — destaca-se o letreiro do mercadinho Beira Mar. O barco Flor do Mar está à espera de passageiros. Muitos peixes vendidos nas bancas foram capturados no mar aberto, como cação, pescada-amarela, guriruba, arraia-grande e piraíba, que chega a pesar 300 quilos. Mesmo pagando mais, o pessoal prefere peixe de rio, peixes nobres como a pescada branca, o dourado, o pequeno, o filhote, o surubim malhado e o aracu, uma espécie média com escamas.

Nas bancas da beira do rio, vendedores oferecem graviolas, cupuaçus, goiabas, abóboras, milho assado na brasa, espetinho de carne. Em meio ao tumulto e à gritaria do mercado, as pessoas parecem nem se dar conta de que ele fica em frente ao esgoto da cidade.

As ondas quebram ao longo de toda orla. As águas chegam até o calçadão onde estão as mesas de plástico das barraquinhas de música eletrônica. Nos bares Maresias, Vou Vivendo e Rola um Papo, paramos para comer uma porção de aipim frito e tomar uma cerveja. Saber que o mar está próximo nos dá a sensação de que a viagem está próxima do fim.

Dois jovens pulam no rio. Tiago Vicente de Sena, 18 anos, segura uma ripa para o outro, Dwemerson Castro Marques, 19 anos, saltar por cima, caindo de cabeça na água. Em seguida, é a vez de Tiago se jogar no rio. Braço estendido, ele segura a ripa na vertical enquanto mergulha, para mostrar a profundidade do local: todo o corpo dele, de um metro e setenta, e um metro de ripa ficam submersos.

*

No calçadão do cais há uma grande quantidade de bicicletas. São de pessoas simples que vêm de longe, da periferia, para tomar banho no rio. Com elas não se misturam os homens, mulheres e crianças da classe média, que chegam em seus carros potentes e suas motos novas e estacionam na rampa de Santa Inês, que dá acesso direto à agua. Usam baldes plásticos para lavar as supermáquinas e se molhar. Alguns mergulham no rio, mas é um mergulho rápido, como se estivessem envergonhados de aproveitar o mesmo sol e o mesmo rio dos pobres.

Melhor fariam se preocupando com o desleixo que toma conta de vários trechos do rio: os montes de garrafas plásticas e pedaços de isopor que boiam ali perto, as incontáveis bocas de esgoto que lançam dejetos na água, os aterros de entulho jogado por caminhões do próprio poder público, a destruição da vegetação das margens.

*

Foi aqui em Macapá que o poderoso senador José Sarney, um ex-presidente da República, usou o recurso da censura para tirar do ar o blog de uma jornalista bem-humorada que lhe fazia oposição durante a campanha eleitoral de 2006. Natural do Maranhão, Sarney se candidata pelo Amapá desde que deixou a Presidência, em 1990.

Alcilene Cavalcante, mulher, que diz ter "entre 36 e 45 anos", de Macapá, divulga em seu blog, o *Repiquete*, fotos antigas da cidade, imagens dos filhos no parque, poemas repassados por amigos, shows musicais nos bares e boates.

Uma foto de um muro da cidade com a caricatura de Sarney e a inscrição "Xô!", divulgada pela blogueira, irritou o comando de campanha dele.

A pedido da coligação de Sarney, a Justiça do Amapá retirou da internet o blog de Alcilene. Ela postou um comunicado aos seus leitores:

Acabei de tirar do ar o post com "a foto" do muro pintado. Recebi a notificação com a liminar concedida pelo TRE-AP ao processo 435/2006, movido pela coligação "União pelo Amapá" de Waldez Góes e José Sarney, contra "este importante veículo de comunicação que é o meu blog." Se eu não tirasse a foto do ar, pagaria multa de 2 mil reais por dia.

Internautas de Macapá e do resto do mundo formaram uma corrente de apoio a Alcilene e multiplicaram cópias da foto do "Xô!" na blogosfera. Mais de 50 mil blogs formaram um rio de solidariedade à blogueira. "Continue assim, mandando fogo neles", disse Nani. "Podem censurar o blog, mas não podem proibir-me de usar a camiseta do Xô Sarney", escreveu Nilza. "Viva a imbecilidade! Viva a idiotização da mídia! Viva a eleição comprada!", ironizou Brasinha. De Portugal, Gonçalo comparou o tempo presente ao período da ditadura militar. FP reclamou que Sarney transformou o Amapá num curral. Kátia convidou o "pessoal" a participar da carreata do "Xô". Delcídio, de Mato Grosso do Sul, lamentou estar longe e não poder participar da carreata. Carlos, do Rio de Janeiro, criticou os livros de Sarney: "Ninguém de bom gosto é capaz de ler seus livros medíocres". Um anônimo fez referências ao livro *Marimbondos de fogo*, escrito pelo senador: "Xô, Marimbondo". Caio, de Belo Horizonte, foi mais espirituoso. Ele mandou beijos, orientou a blogueira a lutar na Justiça e disse que "simplesmente é divertido e sempre uma honra ser censurado".

A campanha do "Xô!" foi tão intensa que Sarney pela primeira vez foi obrigado a fazer corpo a corpo pelas ruas e mercados de peixes. Uma militante do movimento negro, Cristina Almeida, ameaçou o reinado do senador. Sarney, aos 76 anos, teve de ir às comunidades pobres de Macapá pedir votos e dançar marabaixo com os eleitores.

60

O deserto

As letras tristes do marabaixo que Sarney teve de suportar para ganhar a eleição fluíram no poema "Macapá", publicado no livro *Urucungo*, de Raul Bopp. O texto fala do canto dos pássaros que não existem mais na floresta, das almas assustadas e da fé:

Quando a fogueira se apaga
Vultos escorrem devorados nas sombras
Enche-se então a noite mole
de vivos de carne mordida fungando
Quem passa ao pé da fortaleza
diz que é assombração da lua nova...

A fortaleza descrita no poema pode ser a que deu origem à cidade, bem na beira do rio. É a grande façanha dos portugueses. A Fortaleza São José é a maior construção militar lusitana, símbolo do maior feito português de todos os tempos: a preservação de seu poder na Amazônia.

Iniciada em 1764, a obra foi edificada com mãos escravas e livres. A obra de Pombal tinha de ter a originalidade italiana. O arquiteto Enrico Galluzzi idealizou uma fortaleza em forma de tartaruga. À época da construção, morreu dom José I. E o marquês foi perdendo poder. Galluzzi enlouqueceria e sofreria sucessivas malárias. Com medo de que o projeto caísse em mãos estranhas, os portugueses invadiram a casa do arquiteto e levaram todos os desenhos e todas as planilhas.

Em 1782, o complexo de 84 mil metros quadrados estava pronto. As quatro pontas da fortaleza receberam nomes de santos. São Pedro e Madre de Deus são voltados para o rio. Nossa Senhora da Conceição e São José para o centro de Macapá. Oito pessoas eram responsáveis, em caso de guerra, por cada um dos 15 canhões que tinham poder de alcançar o alvo numa distância de até 6 mil metros. Os canhões apontados para o interior e para o rio nunca foram usados no período colonial. A imponência pode ter desanimado invasores de subir o curso do rio.

O tempo não destruiu o paiol de pólvora, a enfermaria, a capela, a casa dos oficiais, a casa de máquinas, o alojamento dos soldados, a casa do comandante, o armazém de munição e a casa do cirurgião.

Do lado de fora, alguém riscou nas pedras da construção: "Jesus, a fortaleza". Um pouco mais afastado, outro vândalo escreveu: "Paulinha, a fortaleza".

É possível mesmo que a imponência do forte tenha amedrontado o inimigo. Assim, o rio das margens habitadas por milhares de etnias americanas ficou em mãos portuguesas. Uma boa parte do trecho percorrido pela expedição de Pedro Teixeira, que subiu o rio de Belém a Quito, no século XVII, com mais de mil homens, deixava de ser domínio da Espanha, contrariando o Tratado de Tordesilhas, de 1494. Pelo acordo desrespeitado por Teixeira, Portugal tinha direito ao que fosse encontrado só até 370 léguas das ilhas de Cabo Verde, cerca de 1.770 quilômetros. A linha do tratado cortava a ilha de Marajó ao meio, dando aos espanhóis todo o controle do rio.

A França não chegaria à margem esquerda do Amazonas, limitando-se a uma possessão na selva, a Guiana, ainda hoje uma colônia que o bom-mocismo dos franceses trata de "território ultramarino". A Holanda e a Inglaterra também se contentariam com pedaços da Amazônia Caribenha. Portugal cercou a foz, pôs marcos até Tabatinga, espalhou fortes e a fama da resistência, tornando o português a língua de uma faixa de mais de 3 mil quilômetros das margens esquerda e direita do Amazonas, além do estuário e suas ilhas. A Espanha, com o extermínio do império inca, impôs o castelhano, mais depressa que em seu próprio território, em toda a região das nascentes do rio e na selva peruana. Espanha e Portugal se ligavam, por meio da religião católica no Novo Mundo. O rio não seria um rio do mundo, da humanidade, nem possessão de um único país independente da Europa. O rio seria uma Ibéria reconstruída nos Andes, na selva, sobre ruínas de civilizações avançadas ou pobres, boa parte delas extinta ou transformada, sobre terreiros de tribos que viraram nômades, e ainda completada com as cores da África, algo que foi interrompido na Espanha com a expulsão dos mouros. Nações duplicadas e transformadas ao longo de 7 mil quilômetros de rio, o rio da Ibéria refeita, um rio unicamente ibero-americano. Uma nova Ibéria tão dividida quanto a antiga.

A grandiosidade do rio não ligaria as nações que se tornaram independentes na América do Sul ao longo do século XIX. Peru e Brasil não estariam ligados, séculos depois da chegada dos europeus, com pontes e estradas. Também não haveria ligação com os demais países da bacia amazônica — a Bolívia, a Colômbia, o Equador, a Guiana, o Suriname e a Venezuela, além do território da Guiana Francesa. A religião e o rio não transformariam sozinhos o continente numa única nação. Tão semelhantes, o português e o espanhol seriam marcas de um mundo dividido.

*

A casa do músico fica no centro de Macapá, a poucos quilômetros da fortaleza. Entra-se numa rua, em outra. Passa-se por uma praça, um beco. Logo se chega à residência do violeiro Nonato Leal, de 80 anos.

Todas as manhãs, ele passa nos dedos óleo de andiroba e sebo-de-holanda, a gordura do carneiro.

— Quando vocês chegaram, eu fazia exercício para não endurecer as articulações.

Era criança em Vigia, cidade construída no século XVII na baía de Marajó, no Pará, quando aprendeu a tocar banjo, violino e uma infinidade de instrumentos musicais. O pai, um coletor público, deixava os instrumentos num canto da sala. Nonato aprendeu sozinho a tocá-los. A grande paixão viria na adolescência, o violão.

Há mais de 50 anos, ele vive numa casa a poucos metros do rio. O máximo que fez inspirado na região foi uma música sobre as andorinhas que costumam dormir nos postes da rua, próxima da casa dele.

Não sabe bem explicar por que nunca compôs uma música para falar do rio, da floresta, de Macapá, o mundo que tanto ama e que o fascina.

Conta que Dilermando Reis, Chopin e a bossa nova o inspiraram mais que o rio. Prefere buscar um detalhe desconhecido na música de Pixinguinha, de Sebastião Tapajós. Acha que seu jeito de tocar e compor não coincidem com a paixão pelas águas do Amazonas nem pela selva que rodeia a cidade.

Ele assistia a um filme na televisão, no começo dos anos 1970, quando teve a ideia da música que mudaria sua vida. "Lamento de beduíno" descreve o percurso de uma caravana no Saara, os dias quentes e as noites frias do deserto.

Foram 15 anos de trabalho para tentar chegar à música. Numa tarde de mormaço ele concluiu que a música estava pronta.

Nonato puxa o violão, põe os dedos nas cordas mais graves e põe a caravana para andar pelo deserto. Nos primeiros minutos, os dedos tocam apenas as notas mi, lá e ré, as cordas grossas. Após certo tempo, uma parada, e agora as notas sol, si e mi, das cordas finas. Os dedos voltam às cordas graves. A música remete às cantigas antigas da península ibérica, as mais remotas tradições mouras.

O ritmo volta a ficar forte, a caravana se mantém em movimento durante o dia quente e na noite de frio intenso.

— Em Macapá faz calor sempre — diz, num raro momento em que tira os olhos do corpo do violão.

Quando menos se espera, Nonato tira os dedos das cordas, ajeita o violão no colo e transforma o corpo do instrumento, a parte inferior da boca, num objeto de percussão. O violão erudito e os movimentos da mão direita do músico relembram os instrumentos e sons mais primitivos dos beduínos, de um deserto tão distante.

Nonato começou a tocar violino aos 10 anos num palco do cinema Chimbau, de Vigia.

— Meu pai era instrumentista, coletor federal e tocava violão. Mas nunca me ensinou. Apenas deixava os instrumentos à disposição dos filhos, num canto da sala.

Depois, o garoto se interessou pelo bandolim, banjo e viola. Chegou ao cavaquinho. Aos 20 anos, em 1947, se mudou para Belém, a cidade dos artistas do rio. Com Aloízio Beviláqua aprendeu a tocar violão clássico.

— Quando vi aquele moço tocar, fiquei louco. Me apaixonei pelo violão e larguei todos aqueles instrumentos que meu pai deixava no canto da sala da nossa casa. Até hoje toco violão, estou aprendendo, não vou deixar mais.

Entrou para o conjunto vocal Soberanos do Ritmo. Com o grupo, viajou para o Rio de Janeiro, onde ficou dois anos. Eram oito pessoas, oito temperamentos diferentes. Não deu certo.

— Para abrir as portas há sempre barreiras. Ganhei dez na apresentação no programa de jurados do Renato Murce. Conheci Ângela Maria, Ataulfo Alves, Emilinha Borba.

Nonato voltou para Belém na época do Círio de Nazaré. Ficou na cidade por um tempo. Em 1952, um irmão o chamou para conhecer Macapá.

— Vim passar uma fase, uma maré, como diz o caboclo, e nesta maré estou aqui. A terra da gente é onde a gente vive bem. Me adaptei.

O motivo é que o homem não pode ficar sem mulher. E conheci Paraci. Constituí família, nasceram seis filhos.

Em Macapá, passou a trabalhar na Rádio Difusora. Fazia o Programa do Guri pela manhã e, aos sábados, um programa de auditório.

— Sempre fiz música quando estava meio agoniado. Nos momentos, assim, de apreensão, chateação.

A música regional não teve influência na música dele, avalia. Ouvia discos de Dilermando Reis para se inspirar.

— Fazia música em cima daquela música. Não há palavras nem música para dizer o que a gente sente aqui. Isso influencia no proceder do homem. Sabe quantas vezes eu quis morar no Rio ou São Paulo? Nenhuma. Aqui, a música fica mais suave, é uma sensibilidade.

A partir das 18h os pássaros chegam às ruas próximas da casa dele.

— Nunca fiz música sobre o rio. Talvez minha música seja diferente. Faço muita música instrumental. A única música que fiz sobre esta beleza que Deus dá para gente foi "Andorinhas da Cândido Mendes", que fala dos pássaros de uma rua aqui perto.

Gosta de falar da menina dos olhos:

— Lembro que ia a caravana, aquele bando de beduínos. Quando a caravana se aproximava do oásis eu notava que havia um aumento de velocidade do camelo e dos beduínos. Quando chegava, o camelo se ajoelhava, o cara saía, tomava aquela água. A música vai, acelera e para. Fica parada até prosseguir de novo. O primordial da música é o passo do camelo.

Toca as notas graves levemente. Agora, toca as mesmas notas com força. O ritmo acelera, acelera. Quem o assiste espera aquele momento do jazz, o clímax. Mais uma pausa, intercalada pelas notas mais fracas. Depois do ritmo suave e bom das mil e uma noites vem uma música semelhante a um fado, uma melancolia. Agora, toca notas mais graves com mais intensidade, quase violência. Por fim, transforma o violão num tambor de marabaixo, descontraído, porém com uma religiosidade no ar. Até desaparecer a caravana.

É um apaixonado pela Espanha e por Portugal, pela cultura deixada pelos mouros na península ibérica. Com os dedos no violão, produz som de castanholas. Lembra a tristeza do fado, o mistério das Arábias, uma mistura de ritmos e tempos.

Ele nos acompanha até a Fortaleza de São José.

Neste porão onde foram trancados inimigos do rei, das ditaduras Vargas e militar, Nonato posa com os dedos no violão. A caravana percorre as celas solitárias, faz eco no corredor, escapa pelas grades.

61

Futebol

É possível ver o rio do verão e do inverno, na baixa e na alta, em apenas um dia. Por pressão da maré, as águas do Amazonas em Macapá vazam e, oito horas depois, voltam a subir e inundam as margens, um movimento que, nos trechos mais acima do rio, depende das chuvas e leva seis meses para se realizar.

Às 10h, mergulhões, pássaros negros e compridos, usam as traves de futebol, cercadas de água, como poleiros, fincadas numa parte do rio mais perto da margem. Quatro horas depois, as águas começam a baixar. Mais duas horas, o rio se afasta. Uma praia e um campo de futebol se formam nas areias escuras e na lama.

Às 16h30, um menino e dois adultos descem a escada do píer com uma bola. Antes de chegarem ao local das traves, agora uma área de lama e poças, outras pessoas descem a mesma escada correndo. Os mergulhões seguem o movimento das águas e vão embora. Em menos de meia hora, nove jogadores brincam com a bola.

E antes que a bola saia do campo, numa bicuda de um jogador afoito em estrear a armação de madeira que deixou de ser poleiro, voltando a ser uma trave de futebol, o menino vai para escanteio. É jogo de adulto, está claro, sem café com leite. Enquanto os jogadores sujam os calções na lama escura, o menino senta na margem do campo e brinca sozinho com a lama, perto das touceiras de junco, um capim usado na fabricação de esteiras e colchões.

— Vai, caralho! — grita um jogador para um colega de equipe.

— Manda.

O outro não joga a bola.

— Que caralho.

— Toca, caralho.

— Vai, caralho.

— Joga, caralho.

— Chuta, caralho!

— Rouba, caralho.

— Aqui, caralho.

— Caralho. — É gol.

— Volta, caralho.

— Volta.

— Caralho. — Mais um gol, um a um.

— Refresca a cuca, caralho.

— Ca-ra-lho.

— Caaaralho.

— Marca, caralho.

— Chega de frescura, caralho.

— Toca, toca, toca.

— Toca, caralho.

— Isso, caralho! — Outro gol, a virada.

— Sou foda, caralho.

— Vamos, caralho.

— Pega, caralho.

— Tá vendo, caralho?

— Não vi, caralho.

— Viu, sim, caralho.

— Deixa, caralho.

— Caralho, porra.

Um jogador cai de barriga na lama preta, que há pouco era leito do rio; se levanta, corre no rumo da bola, e no meio do campo cabeceia a bola, recuperando-a do adversário. Avança, avança, dribla um, dribla outro, o goleiro do outro time grita — o óbvio, a palavra caralho — para pedir que os homens da equipe recuem, ajudem na proteção. Um coro para o atacante chutar a bola e sair para marcar. Um zagueiro atende ao pedido do amigo goleiro e joga o corpo sobre o corpo do atacante, que não chega a se desequilibrar, mas não consegue acertar. A bola vai para fora, justamente na direção do menino.

O menino tem a chance de, pela primeira vez desde o início da vazante, dar um chute na bola. Pode ocupar a posição que lhe sobrou, a de gandula. Futebol é jogo democrático, onde todos têm função. Então, as atenções de quem está em campo ou esperando a vez para jogar, das pessoas no píer que acompanham a partida, voltam-se para o menino. Ele respira, respira, é a chance de chutar a bola que ajeitou com as mãos e colocou numa rampinha de areia, feita de improviso com o pé direito. Demonstra ansiedade e nervosismo para repor a bola. Chuta com o mesmo pé direito, e cai no chão, como se tivesse um adversário perto dele, apenas para prolongar as atenções. A bola segue como um cometa, com seu cauda de lama para o campo, e junto dela os olhares das pessoas.

— Caralho — diz baixo o menino, realizado.

62

Quatro tempestades

Uma confusão está armada no porto de Santana, tradicional área de pesca do estuário do Amazonas. Os donos de catraias de passageiros reclamam da mineradora MMX, que opera na área. Para atender a interesses privados, agentes públicos interditaram a construção de um píer para catraias, porque fica perto da mineradora. Venceram o poder e a influência do dono da empresa, o bilionário Eike Batista.

Atualmente, todos os barcos de passageiros têm de disputar entre si e com embarcações pesqueiras o espaço do cais antigo — de apenas quatro metros de comprimento por um de largura.

— Agora há pouco não consegui embarcar uma passageira idosa por causa do tumulto no cais — reclama Antônio Bahia, 51 anos.

Dono de uma catraia com motor de 11 cavalos e com capacidade para dez passageiros, ele diz que o serviço não paga as contas no final do mês. Cobra 1,50 real por passageiro até a Ilha de Santana.

— Para onde vocês querem ir?

— Até onde tiver água do Amazonas.

— É no Bailique.

— Fica longe?

— Pelo menos 14 horas numa catraia.

— As condições são boas?

— As piores possíveis. É quase mar aberto. Meu barco não chega lá. As ondas arrebentariam a proa e dividiriam o casco em duas partes.

Bahia explica que sua embarcação não suporta as maresias fortes e as arrebentações até o Bailique. Sugere procurarmos outro dono de barco.

Umas cinquenta pessoas, curiosas, nos rodeiam. Um sujeito de chapéu, segurando um menino, se aproxima:

— Eu levo.

— Você escutou a conversa?

— Eu levo.

— Faz sempre essa viagem?

— Não, mas meu barco aguenta. Eu levo.

— Conhece o trecho até o Bailique?

— Já estive lá.

— O seu barco aguenta?

— Aguenta.

Ele diz que se chama Jeová Gomes da Costa, tem 34 anos, e é conhecido como Bigode. Mostra o barco, chamado *Séculos*, de 13 metros de comprimento, 2,80 de largura e 95 centímetros de altura. O motor — 18 de reversor, um cavalo, 1.800 RPMs. Foi construído há dois anos por um cunhado de Jeová. Deve durar mais oito anos.

Celso Júnior diz que não gostou do jeito do barqueiro. Mesmo assim, marcamos encontro com ele para as 5h, na rampa de Santa Inês, em Macapá.

O Bailique fica a cerca de 150 quilômetros de Macapá, uma viagem de 14 horas no barco de Jeová. É o último pedaço de terra antes de o rio virar mar.

À tarde, jornalistas da cidade nos recomendam procurar uma lancha voadeira. Avisam que o barco de Jeová não suportará a força das águas do Bailique. O preço do aluguel de uma voadeira está fora da nossa realidade. Restam apenas duas opções: ir na catraia até o Bailique, assumindo os riscos, ou encerrar a viagem antes, diante da fortaleza de São José, de onde se avista o rio seguindo em direção ao mar. Os moradores dizem mesmo que a foz é em frente à cidade. Mais um ponto de vista.

A ideia é terminar o livro onde o rio termina. Se o rio fosse uma criança, seria possível aproveitar a receita de Mark Twain, registrada no romance *Tom Sawyer*. "Aquele que escreve a história de uma criança termina-a onde achar melhor."

O jornalista espanhol Javier Reverte, por exemplo, optou por encerrar *El río de la desolación* — uma viagem pelo Amazonas — com um longo relato dos dias em que enfrentou a malária. O livro, em mais de 300 páginas, repete as velhas visões em relação às comunidades tradicionais e defende a tese de que a Amazônia não é um paraíso, e sim um espaço hostil ao ser humano.

Conforme combinado, chegamos ao cais de Santa Inês às 5h. Sob as luminárias da beira do rio, as pequenas bolas de açaí brilham nos cestos que os homens descarregam no porto. A feira de frutas e pescados de Marajó e de outras ilhas da região começa daqui a pouco.

"Deus Seja Louvado", diz uma inscrição na parte de dentro do *Séculos*.

— Pronto para ir até onde tem água doce?

— Pronto — diz Jeová.

Ele trouxe Joelson, um jovem de 22 anos, para ajudá-lo.

A catraia passa diante da fortaleza de São José, da estátua do santo em pleno rio, da cidade. Jeová abastece o barco no Cais das Mulheres. Pelo acerto, pagamos o combustível: são 240 reais. Compramos também água, biscoitos, macarrão, latas de presuntada e sardinha.

Vamos pelo canal ocidental do Amazonas, ao qual os espanhóis deram o nome de Rio de Felipe em homenagem ao rei da Espanha.

A embarcação passa junto ao manguezal, o último de Macapá a jusante. Começa a cair uma chuva fina. A maré — o mar avança pelo rio — não está a favor. É o início do nosso encontro com a pororoca. No estuário, as ondas podem atingir quatro metros. A catraia terá de vencê-las.

Após uma hora de viagem, o dia começa a clarear. Não demora para a chuva engrossar. Em poucos minutos, o vento, a neblina e as águas encobrem a vegetação das margens. O barqueiro abaixa as lonas azuis das laterais da catraia para proteger as mochilas e os equipamentos.

Às 8h, o céu escurece, vem uma tempestade. As ondas jogam a água morna do rio para dentro do barco, a chuva fria vem em seguida. Uma onda, duas, três, muitas. A força da água arrebentando no casco da catraia deixa calados e sérios Jeová e Joelson.

O barco sacode com violência, os jatos de água na proa causam medo e sensação de impotência. Um barco um pouco menor que o nosso passa ao lado. Olhá-lo é aumentar o temor: ele desaparece atrás das ondas, reaparece, desaparece de novo, num movimento que lembra o de uma ave marítima em busca de tainha nas águas. E seus passageiros e tripulantes com certeza veem o nosso barco sofrer os mesmos solavancos.

Celso comenta que ainda temos 11 horas de viagem pela frente. De repente, ele se cala, se inclina para fora do barco e começa a vomitar.

Jeová, em silêncio, toma uma decisão que deixa claro o extremo perigo: dirige a catraia no rumo da copa de uma árvore com tronco submerso, um pé de jaranduba, espécie frondosa da beira do rio. Joelson joga a corda na galharia e prende a embarcação. A profundidade aqui é de 4 metros, mede Jeová mergulhando uma corda com um peso amarrado na extremidade. Da jaranduba até a margem esquerda do rio é um quilômetro. A outra margem, mais distante, é invisível, por causa da largura do rio.

O barco, mesmo amarrado à jaranduba, balança com muita força. Temos condições de chegar ao Bailique? Por uma hora esperamos o fim da tempestade. Lá longe, no estirão, no mar quase aberto, o céu está claro. O canal principal até o arquipélago tem profundidade de 5 a 10 metros, bem menos que o canal da parte central da Amazônia, que varia de 15 a 40 metros. O acúmulo de sedimentos trazidos dos Andes torna o estuário mais raso que outras partes do rio.

Penso em desistir, interromper aqui a viagem e voltar a Macapá, mas fico à espera de que Celso me faça essa proposta. Mais tarde, ele me contaria que esperava o mesmo de mim. Ainda chove, e as ondas são fortes quando Jeová, sem esperar por nossa decisão, desamarra a corda, solta o barco e liga o motor. É como se não houvesse mais possibilidade de voltar atrás. Estamos a caminho do arquipélago.

Mais meia hora, e as ondas começam a perder a intensidade. Às 10h30, na margem direita, surge a ilha das Pedreiras. O céu se abre de vez, o sol aparece. O rio sem ondas vira um espelho sem fim. Plantas aquáticas e pequenos troncos e galhos se espalham sobre as águas. Aqui você não enxerga mais as terras das margens. O rio é rio apenas por ter água barrenta, doce, água de rio. A ilha, agora, é apenas um risco verde escuro, ao fundo.

Um frio, uma sensação boa. Não há chuva. A ilha fica para trás. Agora, o vento não sopra, as águas estão calmas. Há um grande silêncio. É sinal de pororoca — o encontro das águas do Amazonas com as do mar —, diz o barqueiro.

O céu se fecha novamente. Os primeiros pingos de chuva estilhaçam o brilho das águas. Um novo temporal.

— É mais uma alma para enfrentar — diz Jeová. Ele afirma que uma tempestade é, na verdade, a manifestação de uma alma.

Temporal. Um galho bate no motor, com estrondo. Não foi nada, mas o medo é grande. É hora de desistir. O rio tem seu limite. Certamente, o homem também tem o seu. Nossa vontade é uma só: atingir um ponto qualquer de terra firme, que marque o exato momento do fim da viagem.

A catraia prossegue, no meio da tempestade, afastada da margem esquerda e longe, muito longe da margem direita, outra vez subindo e descendo as ondas. O barulho seco do casco contra a água, como se estivesse batendo numa superfície de pedra, dá a sensação de que o barco vai se partir. Pergunto a Jeová se, por segurança, não é melhor navegar mais próximo da margem esquerda. O barqueiro explica que lá o rio está mais revolto. É preciso navegar sobre a área mais funda do rio, embora distante do apoio da terra firme. Caso contrário, o barco não consegue a velocidade necessária para não ser engolido pelas ondas. A tempestade continua.

O vento agora vem da direita, muito forte. O barco rompe as ondas de frente, é arrastado por elas, mergulha nos seus intervalos. E nós, marinheiros de primeira viagem, trememos diante da morte e de repente nos surpreendemos repetindo, como um mantra, a frase inscrita na parede interna da catraia: "Deus seja louvado! Deus seja louvado!"

Duas horas depois, acaba o temporal. Mas uma terceira tempestade surge como continuação da anterior. Só que agora, com a experiência adquirida, nosso temor é menor. Estamos conscientes de que, em caso de naufrágio, podemos, graças aos coletes salva-vidas, deixar que as águas nos levem para as margens.

O sol desaparece de vez. As ondas, no entanto, não são tão grandes como antes. O frio é intenso. Quando esta tempestade termina, nuvens escuras à esquerda indicam que surgirá um quarto temporal antes que cheguemos ao Bailique.

— Esse temporal tem hora certa de acontecer. Daqui a uma hora — prevê Jeová.

Sinto arrependimento pela decisão temerária de fazermos um trajeto tão perigoso num barco tão pequeno. Mas sinto também uma tranquilidade e a certeza de que é possível chegarmos ao arquipélago. O barco não é o ideal. Era o possível, levando-se em conta nosso pouco dinheiro. Mas, no balanço final, valeu a pena.

Antes que dê tempo de terminar de organizar essas ideias, volta a soprar um vento forte, e começa outra tormenta. Como um cavalo doido, o barco pula sem parar. Os dois tambores de óleo diesel escorregam de um lado para o outro no piso da catraia. Tenho que segurar os tambores com as pernas, enquanto Joelson, com uma lata, retira água de dentro da embarcação. Celso vomita novamente.

Cada batida de onda na proa é um barulho medonho. Os jorros de água parecem ser ainda mais fortes que nos três primeiros temporais. O barqueiro tira um cigarro úmido do bolso e tenta inutilmente acendê-lo.

No meio do nada, o barqueiro decide lançar âncora e desligar o motor. A chuva é tão intensa que parece não haver distinção entre águas das nuvens e águas do rio. Jeová espera o temporal diminuir. Desta vez, não há copa de árvore para amarrar o barco.

O barqueiro religa o motor. A catraia fura uma sequência de ondas, o casco de novo batendo contra a água como se fosse uma laje. O frio, intenso, aumenta com as roupas e os calçados ensopados. Com os dedos enregelados, temos que ajudar na tarefa de retirar água de dentro da embarcação. Jeová, agora, não quer parar, apesar da chuva forte. Uma quantidade maior de água é jogada pelas ondas e pelo vento para dentro do barco.

O temporal continua. De longe se avista um trecho da margem, o verde, as casas. A simples expectativa de que o temporal vai acabar reduz as tensões.

— Hora de sufoco, porrada de estralar, o barco só ia para trás — ouço Jeová dizer, mais tarde, para um pescador do Bailique.

Às 16h30, vemos luzes acesas num trecho da margem ainda distante. Uma andorinha-do-mar surge na altura da popa, e logo outra. As duas seguem a catraia. Seus pios são tão estridentes que podemos ouvi-los, apesar do estrondo do motor do barco e do barulho das ondas, que ainda batem forte contra o casco.

À medida que nos aproximamos do arquipélago, as ondas perdem força e tamanho, viram banzeiros. O rio se acalma. As palmeiras-açaí e a vegetação flutuante perto da margem da ilha são de diferentes tonalidades de verde. Depois de tudo, restaram uma tonteira, um zunido nos ouvidos e uma dor de cabeça. Os mais antigos dizem que Bailique quer dizer ilhas que bailam, terras que se movem, águas que jogam as terras de um lado para o outro.

63

Mar

As oito ilhas do Bailique são as últimas porções de terra banhadas pelo rio, a quase 7 mil quilômetros de distância das nascentes nos Andes. O arquipélago fica numa ponta do grande Delta do Amazonas, um estuário de 340 quilômetros de boca.

O *Séculos* entra num canal, entre uma ilha e outra do arquipélago. A primeira parada é a comunidade de Itamatatuba, aonde chegamos no final da tarde. Pescadores que estavam no cais demonstram surpresa com a chegada do nosso barco. Dizem não acreditar que uma embarcação tão pequena fez o trajeto de Macapá até aqui.

As dezenas de casas de madeira, elevadas a pelo menos 2 metros do chão, são interligadas por pontes e travessas. Todo o povoado fica, nesta época de cheia, por cima da água. Os galinheiros, banheiros e hortas também são suspensos. Um motor de energia garante luz até as 23h.

A pedido de Jeová, uma moradora prepara um macarrão com sardinha comprados em Macapá. É o jantar.

Numa casa espaçosa da comunidade mora a professora Itaciara Leonor Pereira Isacksson, 38 anos, alva e alta como as mulheres descritas na crônica de Carvajal. "Estas mujeres son muy blancas y altas, y tienen muy largo el cabello y entrenzado y revuelto a la cabeza", relatou o frei dominicano.

Filha de mãe brasileira e pai estrangeiro, um sueco que chegou ao Amapá ainda criança, Itaciara morava na cidade de Ferreira Gomes antes de se mudar para o Bailique. Na ilha, vende chopp, como chamam aqui o sacolé, o chup-chup, para incrementar o salário de professora pago pelo governo.

— O único problema aqui é a maresia — diz.

As maresias, as ondas altas que dificultam a chegada e a saída na maré contra, que trazem enjoos, vômitos e pânicos, são as mesmas que ajudam a tornar mais longínquas as ilhas do continente, onde Itaciara deixou uma vida para trás. As ondas lhe permitem o isolamento, uma barreira natural que a protege do passado, de seus espectros, das imagens congeladas que lhe trazem dissabores.

— Queria me afastar, ter outra vida, viver longe da cidade onde casei e fui infeliz, queria estar longe da personagem que eu era.

É essa distância, que também é física, que a liberta de uma servidão, conta, a afasta de amigos que ocupam cargos importantes nos órgãos públicos de Ferreira Gomes, que devolve a ela, creio, uma identidade não amapaense ou sueca, mas de alguém disposto a se sensibilizar pelas coisas simples, tornadas banais e sem necessidade de registros.

A distância, proposta na arte e na vida por Benedito Nunes, a faz enxergar com lupa o microcosmo do dia a dia, os detalhes insignificantes.

Ela chegou ao Bailique para lecionar, primeiro na comunidade de Jaburuzinho, depois Andiroba e finalmente Itamatatuba. No arquipélago conheceu José de Paula Guedes, 44, construtor de casas. Casaram-se há três anos. A casa em que moram tem o assoalho de anani, paredes e estrutura de pau-mulato, andiroba e pracuba, madeiras nobres. Nos meses de junho e julho ele está na mata, colhendo açaí. Vende uma saca ou 20 cachos por 40 reais. A renda é complementada com a pesca de piramutabas, filhotes e dourados.

Itaciara aprendeu nas escolas de madeira da beira do rio que existia outro tipo de criança, uma criança da civilização da água. Peixinhos, como gosta de dizer, da terra firme. Por falta de costume, sempre esquecem as sandálias de dedo debaixo das carteiras quando termina a aula.

A maioria nunca saiu do Bailique, só ouve falar de Macapá, uma vila grande, com carros e aviões. Há pouco um helicóptero do serviço de saúde pousou em Itamatatuba. As aulas tiveram de ser interrompidas.

— Não teve quem segurasse os meninos dentro das salas. Teve criança que passou mal, de tanta emoção. Eles se jogaram da janela, correram, caíram na terra, para ver o helicóptero. A vida deles é no rio. Uns pescam para ajudar os pais, outros ficam na água na brincadeira. As redações que fazem descrevem o rio. Muitos desenham barcos, canoas, as casas da comunidade. Quando o tema é livre, escrevem sobre o rio. A gente percebe que muitos têm uma imaginação grande. É só eu pedir para escreverem sobre as férias que os meninos falam de viagens para São Paulo, para o Rio de Janeiro. Pergunto o que eles fizeram nessas cidades. Eles só riem.

Em Jaburuzinho, Itaciara sofreu um acidente no rio. A canoa em que viajava com duas estudantes virou. A bolsa, as canetas e papéis caíram na água.

— Muitos meninos apareceram para me ajudar, me salvaram. Os estudantes costumam levar até uma hora para chegar à escola. Há dois anos duas crianças voltavam da escola, no Jacaré, quando uma onda bateu forte e virou a canoa. Elas morreram.

A professora diz que aprende com as crianças das ilhas. São meninos e meninas que estão sempre dispostos, que se encantam com a simples mudança de tempo, um movimento no cais ou uma música.

Itaciara também diz que, no Bailique, aprendeu a ter alegria com mais facilidade. É como a mulher que aparece no romance *Barrabás*, do escritor Pär Fabian Lagerkvist. Uma mulher que encontra motivos nas coisas mais simples do dia a dia para demonstrar um grande prazer de viver, e que de certa forma acredita no milagre da vida.

Foram ainda as crianças que ensinaram a ela o significado da palavra "banzeiro" — a pequena onda. Onde vivia antes de chegar ao Bailique, "banzo" é a melancolia, a insatisfação e a tristeza, como diz João Ribeiro em *A influência do negro no Brasil*. O Bailique balança homens, bichos e também palavras.

*

De Itamatatuba seguimos por um canal entre ilhas, protegido do mar, em direção à Macedônia, um povoado do arquipélago, mais próximo do lugar exato onde o rio termina. Pela descrição do barqueiro, nem ciganos e sábios alquimistas costumam aparecer por lá.

A viagem por um espelho de água, sem ondas, é agradável e tranquila. O único incômodo é estar com as roupas e calçados encharcados. Durante o percurso, Jeová conta que, aos 16 anos, ganhou um relógio de *Seculus* uma tia. Tempos depois, jogava uma rede quando perdeu o relógio. Ficou dias desolado. Comprou outros relógios, mas nunca esqueceu o presente. Só mais tarde, ao comprar o primeiro barco, pôs o nome da marca do relógio.

Vivia com a família no interior do Amapá. A mãe lavadeira, cansada da vida que levava com o marido, pôs os quatro filhos num barco de passageiros e se mudou para Santana. Jeová começou a trabalhar cedo. Garoto de beira de rio, ficava horas olhando os pilotos atracarem as embarcações.

— Sou agora um dos melhores, me orgulho de ser.

As conversas regadas a cachaça no cais dos pescadores e pilotos seriam úteis para o menino curioso, sempre perto, com ouvidos atentos.

— Vento, lua, tudo. Tem de conhecer o vento, tem de conhecer a lua. Isso é o melhor relógio. É uma lua, mas são quatro. Cheia, nova, quarto crescente, quarto minguante.

Lembra do "sufoco mais feio" desde que começou a pilotar. Viajava à noite pelo rio quando uma tora entrou por baixo do barco, que ficou por cima do tronco, sem rumo. Desceu quilômetros até conseguir ser resgatado por um outro barco.

*

Na Macedônia, fica a Escola Bosque, um projeto considerado inovador desenvolvido pelo ex-governador João Capiberibe. A escola, na beira do canal, ensina a partir da experiência ribeirinha. Depois que Capiberibe deixou o governo, a escola entrou em decadência. O atual governador, Waldez Goés, do grupo político do senador José Sarney, cortou verbas. Muitas salas estão fechadas. Tudo porque o idealizador do espaço é um adversário político.

Tentamos conversar com professores e estudantes sobre os dias difíceis da escola. Um telefonema de uma autoridade de Macapá impediu que continuássemos a visita. Constrangida, uma funcionária pediu desculpas por ter de pedir que nos retirássemos. E, de certa forma, nos apresentou ao Brasil do coronel Sarney.

*

Passamos a noite na vila, num sobrado de madeira da família de Joelson. Ratos incomodam no quarto oferecido gentilmente pelo rapaz num segundo piso. A sensação de tirar a bota encharcada, no entanto, compensa qualquer outro problema.

*

Mais de 700 pessoas vivem no arquipélago, formado pelas ilhas Bailique, Brigue, Faustino, Meio, Curuá, Franco, Marinho e Parazinho. Os moradores trabalham na construção de barcos, na pesca de cação no mar, do tamuatá nos igarapés e do camarão na maré alta, na extração de palmito e açaí e na coleta de mel. Ainda comercializa o grude, uma bexiga de um peixe chamado gurijuba, usado no preparo de colas finas, como o superbonder, e até na indústria da cerveja.

O dourado, como os brasileiros chamam o peixe de primeira classe da bacia amazônica, o *zúngaro-dorado*, dos peruanos, ou *plateado*, dos colombianos, começa a viagem a partir do estuário. Em dois anos, a espécie chega próximo aos Andes, percorrendo pelo menos 5 mil quilômetros. Todo o estuário, onde morre o rio, é a área escolhida pela espécie para se desenvolver. A desova ocorre no Peru. Nenhum outro peixe conhece tão bem o rio.

Os ecologistas Ronaldo Barthem e Michael Goulding, em *Un ecosistema inesperado*, estudo sobre a pesca na bacia amazônica, propõem um tratado de proteção das espécies migratórias, como o dourado. Eles descrevem que o peixe, de carne tão apreciada, alimenta-se de plantas e organismos de uma série de hábitats diferentes e de outras espécies menores que também fazem a longa viagem.

Os peixes migratórios do rio dependem, segundo os ecologistas, das planícies inundáveis, que chegam a 4.600 quilômetros quadrados do oceano até a região de Pucallpa. Dependem também dos milhões de ilhas flutuantes e do bosque marinho, ao longo de todo o estuário, que vai da Guiana Francesa ao Nordeste brasileiro. São esses locais que garantem a alimentação das espécies, a reprodução e o crescimento delas.

*

Em 1.500, Vicente Pinzón navegou pelos canais de Bailique. Por isso, aqui é a Pinzônia, descreve Carlota Carvalho, professora de história e literatura, no clássico *O Sertão*, de 1924. De espírito aventureiro e crítico, ela esteve no Bailique em 1887, acompanhada apenas por um irmão. Eles foram nomeados professores do arquipélago.

No livro, Carlota descreve uma viagem pela história do Brasil e afirma que nossa história é uma "inversão completa da realidade", contestando o heroísmo de personagens históricos.

A obra não causou impacto. O livro lançado em 1924 pela Editora de Obras Científicas e Literárias, no Rio de Janeiro, foi proibido de entrar nas bibliotecas escolares. Só em 2000 o livro teria uma segunda edição pela Ética.

Na obra, Carlota registra que o termo Bailique vem do "eterno" balanço do barco e comenta a emoção de passar pelas "ilhas de fora" e ver pela primeira vez o oceano. Também escreve sobre a pororoca do encontro das águas do rio Araguari com o mar, seus estrondos, sua violência.

A escritora chama o "grande rio" Amazonas de Maranhão. "Os autóctones atribuíam o fenômeno pororoca à briga de entidades poderosas, gênios do mar ou coisa equivalente. *Mará nhan* — briga de água."

Ela recorre a escritos de José Coelho da Gama, o barão de Marajó, autor de *As regiões amazônicas*, para afirmar que a pororoca, ao contrário do que disse Wallace, não ocorria simplesmente por causa do encontro das águas do rio com a maré. "Se assim fosse, o fenômeno se produziria em toda parte que houvesse foz de rio. A pororoca é incompreensível."

Ao analisar a origem etimológica da palavra pororoca, a escritora diz que poderia ser um aportuguesamento de *poroc-poroc*, que exprimia na língua indígena o ato de arrebentar tudo, ou a junção de *poroc*, de arrancar, e *oca*, a casa.

64

Águas secas

O tempo está nublado; as águas, paradas. O *Séculos* deixa a Macedônia rumo à ilha do Parazinho, a do farol, a última, segundo os moradores da comunidade, banhada pelo rio. Lá, o Amazonas termina.

Falam em 15 minutos até o local exato onde está o farol e a casa do faroleiro, um certo Dinilzo, que planta uma roça de subsistência e vive afastado da família e dos conhecidos. Celso diz imaginar a fotografia do último morador do rio.

Só depois de duas horas de navegação, enfrentando algumas marolas e um sol que escapa por entre as nuvens, você avista a ilha. A ideia do barqueiro era desembarcar na praia em frente à casa do faroleiro, mas a maré está baixa. Seguimos até uma das pontas da ilha. É preciso tirar os calçados e caminhar com água até o joelho para se chegar às areias secas.

A praia é tomada de mururés, flores roxas que o rio deposita nas areias. À frente, com a maré baixa, uma floresta de arbustos secos e sem folhas, troncos tombados, pedaços de troncos apoiados por resistentes raízes, que subsistem às enchentes, ninhos sem pássaros nas árvores retorcidas. Um deserto de areia e poças de água.

Distante da margem, um navio petroleiro solta uma fumaça negra, que contrasta com o cenário embranquecido, o céu cheio de nuvens claras, as águas tomadas pelos ventos. Lá, a água ainda é apenas salobra. Em mais dois dias de catraia se alcança o mar.

Fabrício Alves, engenheiro da Agência Nacional de Águas, com quem conversamos antes de fazer a viagem, observa que, em função do volume, o rio aumenta por ano um quilômetro, ocupando um espaço do mar. O rio cresceu 30 quilômetros nos últimos 30 anos e, ele calcula, que o rio joga em um dia a mesma quantidade de água que o Tâmisa joga em um ano no mar.

O Amazonas tem vazão média de 209 mil metros cúbicos de água por segundo. O segundo rio em vazão, o Congo, tem 42 mil metros cúbicos por segundo. O Amazonas é cinco vezes mais volumoso. O Nilo é grande em comprimento, mas a vazão está em torno de 2,5 mil metros cúbicos por segundo, quase 70 vezes menor que o Amazonas em vazão.

*

Numa pequena ilha que se avista daqui da praia do Farol, os arbustos parecem estar mais escuros. Bate um vento, e tudo se move na ilha. São gaivotas, milhares de gaivotas. O silêncio é substituído pelo rufar de asas, a ilha escura se move.

Retornamos ao barco. Ao chegar, o *Séculos* está em cima da areia, longe da água. A maré baixou. Agora, vai ser necessário esperar a enchente para continuar o percurso até o farol. Reinaldo Santos Neves diz em *A longa viagem* que o percurso termina quando se enxerga a popa e a proa de um barco.

*

Três horas depois, um vento forte sopra. É vento de enchente, diz Jeová. A água chega ao casco, quase de uma vez. O barqueiro, então, conduz a catraia para um igarapé da ilha. Recomeça a busca do farol e do último morador do Amazonas.

Jeová classifica quatro situações das águas do rio. A reponta, quando a água está baixa, parada, "água seca"; a enchente, o período de cinco horas em que o mar pressiona e o rio se avoluma, o oceano invade o espaço do rio; a preamar, o momento de acomodação das águas, que voltam a ficar paradas, não enchem nem vazam; e, por último, a vazante, o rio vaza, segue em direção ao mar. Nessa região da foz, as praias são formadas na reponta.

Continuamos a viagem rumo ao farol da ilha do Parazinho, lugar onde o rio acaba. O caminho até lá é um riacho estreito, de 4 metros de largura. A água está baixa, na reponta. O barco vai devagar por causa do nível da água e da galharia nas margens. Agora para. É preciso esperar mais meia hora para começar a enchente. Cardumes de um peixe fino e transparente com olhos para fora da água nadam rente à superfície. É o tralhoto ou "quatro-olhos", uma espécie com a retina bipartida, que, segundo alguns, enxerga debaixo e por cima da água ao mesmo tempo, sempre atenta a seus predadores.

— O tralhoto gosta desse tipo de água, quentinha e um pouco salobra — diz Jeová.

O estranho peixe indica que o rio não é apenas rio por aqui.

O barulho que vem das margens, de animais correndo atabalhoados pela vegetação rasteira e espinhosa, é dos lagartos que vivem na ilha, informa o barqueiro. Um camaleão, como chamam por aqui a espécie, passa em disparada pela lama da margem, encorpado, com sua cauda esverdeada e cinzenta de cerca de um metro.

As águas sobem, mas não o suficiente para dar condições de navegação. O jeito é fazer a pé, como nas nascentes nos Andes, o restante do trajeto até o último trecho de terra banhado pelo Amazonas.

A lama encobre as canelas. Temos de andar agachados, quase rastejando, por entre cipós e aturiás, espécies espinhosas, que dão uma semente parecida com a do cajueiro. Aranhas e pequenos caranguejos estão por toda a parte. O melhor caminho é, então, o leito do igarapé, pisando nas pedras. Mais camaleões correm por entre os galhos e troncos apodrecidos e raízes aéreas e contorcidas. Em seguida, a vegetação se abre. De longe se avista uma clareira, mais à frente uma casa.

A casa está fechada. No quintal, tanques de filhotes de tartaruga-da-amazônia. As folhas nos tanques indicam que alguém tratou das espécies faz poucos dias. Adiante, a 50 metros, o farol da ilha. Joelson alerta que o farol está infestado de cabas, abelha ferroenta que causa intensas dores no corpo. É preciso arriscar e enfrentar as "vespas terríveis", que costumam ferroar os olhos, descritas no estudo sobre o rio do padre João Daniel no século XVIII.

Do alto se avista o rio se aproximando do mar. O rio descendo, o mar esperando. O mar subindo, o rio também. As ilhas do Bailique, a barra do canal Gurijuba, a vegetação da ilha, a última porção de terra, ou a primeira, banhada pelo rio. O Amazonas nasce, morre, surge, desaparece.

Por satélite é possível a fotografia do ponto exato em que as águas barrentas do rio perdem espaço para o mar. São 90 milhões de toneladas de sedimentos lançados no mar pelo rio em um mês. É como jogar um Pão de Açúcar, o famoso cartão-postal do Rio de Janeiro, nas águas salgadas. Os sedimentos são adubo para plantios de arroz nas Guianas, a quase 2 mil quilômetros, e alimento dos caranguejos das ilhas do Maranhão e do Piauí. As águas do rio passam pelo Caribe, chegam ao sul da Flórida, se dispersam. "Então mar é o que a gente tem saudade?", pergunta Miguilim, o menino da novela de Guimarães Rosa.

*

Na volta a Macapá, Joelson diz a Jeová que precisa ficar no Bailique. A maré a favor e o tempo vão ajudar o retorno. Ainda passaremos a noite de ventos gelados em redes e no chão do *Séculos*, que ficará ancorado no cais da Itamatatuba.

Navegar por essas águas é perceber que quatro possíveis capítulos — isto é, a origem, o desenvolvimento no encontro com outros cursos, a relação com a luz e o desaparecimento — se misturam e se repetem.

A morte pode estar na próxima curva, como uma fatalidade, uma consequência. A vida, não, está no agora.

"Viver é o que importa." A frase é dita por Roberto Bolaño em *Os detetives selvagens*, livro que fala de escritores e prostitutas, personagens reais e fictícios.

Não podíamos esquecer a história do caçador de antas do romance *Chuva branca*, do amazonense Paulo Jacob, que se perde na mata depois de um aguaceiro, e leva o leitor para o interior da floresta. Personagem e leitor se distanciam da civilização a cada página, transformam-se aos poucos em bichos e aceitam conversar com os mortos, as únicas companhias na solidão completa.

"Tudo acaba mas o que te escrevo continua", diz no livro *Água viva* Clarice Lispector, que veio menina de uma aldeia das terras ucranianas ocupadas nos tempos mais remotos pelos lendários sármatas, descendentes das guerreiras derrotadas pelos gregos, as amazonas.

No retorno a Macapá , Celso e eu, dois marinheiros de primeira viagem, substuímos Joelson como ajudantes do barqueiro, conduzindo o *Séculos* rumo ao porto de Santana.

*

Ainda antes de partirmos, do Bailique para Macapá, ribeirinhos informam que o faroleiro Dinilzo não mora mais na distante ilha do Parazinho. As pequenas tartarugas nos tanques são criadas por outro homem, que vai à ilha vez ou outra limpar e fazer pequenos reparos na torre.

Há pouco tempo Dinilzo foi encontrado perto da base do farol. Estava estirado na terra, sem vida. Pelo jeito, um ataque fulminante de coração. Ninguém levantou outras hipóteses, tamanho o isolamento da ilha.

O relato de quem encontrou o corpo nas areias do Parazinho e dos que viram o homem ser transportado, encoberto por um lençol numa canoa, pelas águas calmas, no canal entre uma ilha e outra do Bailique, foi tão dramático, que sua morte se tornou assunto recorrente entre os moradores do arquipélago.

Era um dia de intenso mormaço e com ventos fortes soprando água e espalhando um cheiro semelhante ao do sal. Morte morrida, morte como parte de uma experiência, morte para definir e estabelecer o que é a vida. O faroleiro morreu onde as águas do Amazonas se incorporam à imensidão do oceano, onde acaba o curso do rio, mas não o rio, onde começa a piracema, reinício da vida.

Bibliografia

ACUÑA, Christoval de. *Nuevo descubrimiento del gran rio de las Amazonas.* Madri: Imprenta de Juan Cayetano García, 1891.

———. *Novo descobrimento do grande rio das Amazonas.* Rio de Janeiro: Agir, 1994.

ADALBERTO, Príncipe da Prússia. *Brasil: Amazonas e Xingu.* Belo Horizonte: Itatiaia, 1977.

ANDRADE, Mário de. *Macunaíma.* Rio de Janeiro/São Paulo: O Globo/Folha, 2008.

———. *O turista aprendiz.* Belo Horizonte: Itatiaia, 2002.

ARGUEDAS. *Os rios profundos.* São Paulo: Círculo do Livro, sem data.

ASSIS, Machado de. *Relíquias de casa velha.* Rio de Janeiro: Nova Aguilar, 1997.

AVÉ-LALLEMANT, Robert. *No rio Amazonas (1859).* Belo Horizonte: Itatiaia, 1980.

AYRES, José Márcio. *As matas de Várzea do Mamirauá.* Belém: Sociedade Civil Mamirauá, 2006.

BAÇA, José Mejía. *El hombre del Marañon.* Lima: Consejo Nacional de Ciencia y Tecnologia, 1988.

BARBOSA, Maria de Nazaré. *Soure, pedaço do Marajó.* Soure: edição do autor, 1997.

BARTES, Henry Walter. *Um naturalista no rio Amazonas.* Belo Horizonte: Itatiaia, 1979.

BARTHEM, Ronaldo, & GOULDING, Michael. *Un ecosistema inesperado, la Amazonía revelada por la pesca.* Lima: Asociación para la Conservación de la Cuenca Amazónica, 2007.

BARTHEM, Ronaldo & FERREIRA, Efrem. *Atlas of the Amazon.* Washington e Londres: Smithsonian Books, 2003.

BASTOS, Abguar. *A pantofagia ou as práticas alimentares na selva.* São Paulo/Brasília: Editora Nacional; INL, 1987.

BAZE, Abrahim. *Ferreira de Castro, um imigrante português na Amazônia.* Manaus: Valer, 2005.

BENCHIMOL, Samuel. *Eretz Amazônia — Os judeus na Amazônia.* Manaus: Mimo, 1998.

BIOY CASARES, Adolfo. *A invenção de Morel.* São Paulo: Cosac Naify, 2006.

BOLAÑO, Roberto. *Os detetives selvagens.* São Paulo: Companhia das Letras, 2006.

BRAGA, Rubem. *200 crônicas escolhidas.* Rio de Janeiro: Record, 2002.

CABRAL, Astrid. *Visgo da terra.* Manaus: Valer, 2005.

CAMÕES, Luís de. *Os Lusíadas.* São Paulo: Nova Cultural, 2003.

CALVINO, Ítalo. *Seis propostas para o próximo milênio.* São Paulo: Companhia das Letras, 2008.

CARVAJAL, Frei Gaspar de. *Relatório do novo descobrimento do famoso rio grande descoberto pelo capitão Francisco de Orellana.* São Paulo/Brasília: Scritta/Embaixada da Espanha, 1992.

CARVALHO, Carlota. *O Sertão.* Imperatriz: Ética, 2000.

CASCUDO, Luís da Câmara. *Em memória de Stradelli.* Manaus: Valer, 2000.

CUNHA, Euclides da. *Um paraíso perdido.* Brasília: Senado Federal, 2000.

———. *Os Sertões.* São Paulo: Nova Cultural, 2003.

CUNHA, Quintino. *Pelo Solimões.* Manaus: Valer, 1999.

DANIEL, João. *Tesouro descoberto no Máximo Rio Amazonas.* Volumes 1 e 2. Rio de Janeiro: Contraponto, 2004.

DIAS, Gonçalves. *Gonçalves Dias na Amazônia. Relatórios e diários de viagem.* Rio de Janeiro: Academia Brasileira de Letras, 2002.

DURAND, Javier Dávila. *Parque de Reserva.* Colección La Fronda. Iquitos: Kametsa Ediciones, 2005.

———. *Poemas de amor para no jubilarse.* Colección La Fronda. Iquitos: Kametsa Ediciones, 2005.

ERTHAL, Regina. *O suicídio tikúna no Alto Solimões: uma expressão de conflitos.* Caderno de Saúde Pública, volume 17, número 2, março/abril de 2001. Rio de Janeiro: Fundação Oswaldo Cruz.

FRANCO, Eimar. *O Tapajós que eu vi (Memórias).* Santarém: Instituto Cultural Boanerges Sena, 1998.

GODOY, José Eduardo P. de. *Naus no Brasil Colônia.* Brasília: Senado Federal, 2007.

HATOUM, Milton. *Órfãos do Eldorado.* São Paulo: Companhia das Letras, 2008.

———. *Dois irmãos.* São Paulo: Companhia das Letras, 2008.

———. *Cinzas do Norte.* São Paulo: Companhia das Letras, 2008.

HELFERICH, Gerard. *O Cosmos de Humboldt.* Rio de Janeiro: Objetiva, 2005.

HESSE, Hermann. *Sidarta.* São Paulo: Folha de S.Paulo, 2003.

INSTITUTO CULTURAL BANCO SANTOS. *O tesouro dos mapas.* A Cartografia na Formação do Brasil. São Paulo, 2002.

JACOB, Paulo. *Andirá.* Manaus: Universidade Federal do Amazonas, 2003.

———. *Chuva branca.* Rio de Janeiro: Nórdica, 1981.

———. *Dicionário da língua popular da Amazônia.* Rio de Janeiro/Brasília: Cátedra/INL, 1985.

———. *Um pedaço de lua caía na mata.* Rio de Janeiro: Nórdica, 1990.

JURANDIR, Dalcídio. *Chove nos campos de Cachoeira.* Rio de Janeiro: Cátedra, 1976.

———. *Chão dos lobos.* Rio de Janeiro: Record, 1976.

LANA, Fabiano Sabino de. *Riobaldo agarra sua morte e Outros ensaios contingentes.* São Paulo: Annablue, 2009.

LIMA, Barreto. *Triste fim de Policarpo Quaresma.* São Paulo: Ática, 1995.

LISPECTOR, Clarice. *Água viva.* Rio de Janeiro: Rocco, 1998.

———. *A hora da estrela.* Rio de Janeiro: Rocco, 1998.

———. *A paixão segundo GH.* Rio de Janeiro: Rocco, 1998.

———. *De corpo inteiro.* Rio de Janeiro: Artenova, 1975.

LLOSA, Mario Vargas. *A linguagem da paixão.* São Paulo: Arx, 2002.

———. *Cartas a um jovem escritor.* São Paulo: Alegro, 2006.

———. *Pantaleón e as visitadoras.* Rio de Janeiro/São Paulo: O Globo/Folha, 2003.

———. *Lituma en los Andes.* Buenos Aires: La Nacion, 2001.

LUDWIG, Emil. *O Nilo.* Porto Alegre: Editora Globo, 1946.

MARANHÃO, Haroldo. *Os anões.* Rio de Janeiro: Marco Zero, 1983.

MÁRQUEZ, Gabriel García. *Viver para contar.* Rio de Janeiro: Record, 2003.

———. *Cem anos de solidão.* Lisboa: Dom Quixote, 2005.

MEDINA, José Toríbio. *Historia del descubrimiento del rio Amazonas* (Edição facsímile). Sevilha: 1894.

MEIRA, Sílvio. *Os náufragos do Carnapijó.* Rio de Janeiro: José Olympio, 1977.

MELLO, Thiago. *Faz escuro mas eu canto.* Rio de Janeiro: Civilização Brasileira, 1985.

———. *Mormaço na floresta.* Rio de Janeiro: Civilização Brasileira, 1983.

MONTEIRO, Benedicto. *O minossauro.* Belém: Cejupo/Gernasa, 1990.

———. *O homem rio.* Belém: Editora Amazônia, 2008.

MORAIS, Raimundo. *Na planície amazônica.* Brasília: Senado Federal, 2000.

NETO, Miguel Sanches. *Chove sobre minha infância.* Rio de Janeiro: Record, 2000.

NEVES, Reinaldo Santos. *A longa viagem*. Rio de Janeiro: Bertrand Brasil, 2006.

NUNES, Benedito. *Hermenêutica e poesia, o pensamento poético*. Belo Horizonte: UFMG, 2007.

———. *Heidegger & Ser e tempo*. Rio de Janeiro: Jorge Zahar, 2002.

NUNES, Benedito & HATOUM, Milton. *Crônica de duas cidades — Belém e Manaus*. Belém: Secult, 2006.

PAULS, Alan. *História do pranto*. São Paulo: Cosac Naify, 2008.

PEREIRA, Franz Kroüter. *Painel de lendas & mitos da Amazônia*. Belém: e-book, 2001.

PIGLIA, Ricardo. *O último leitor*. São Paulo: Companhia das Letras, 2008.

PINTO, Vitor Gomes. *Guerra nos Andes*. Brasília: Editora Plano, 2002.

PRIORI, Mary Del, & GOMES, Flávio. *Os senhores dos rios*. Rio de Janeiro: Editora Campus, 2003.

RANGEL, Alberto. *A bacia do mar doce*. Manaus: Governo do Estado do Amazonas, 2000.

RAYNAL, Guillaume-Thomas François. *O estabelecimento dos portugueses no Brasil*. Brasília: Editora UnB, 1998.

ROSA, Guimarães. *Grande sertão: veredas*. Rio de Janeiro: Nova Fronteira, 2001.

———. *Manuelzão e Miguilim*. Rio de Janeiro: Nova Fronteira, 2001.

———. *Primeiras histórias*. Rio de Janeiro: Nova Fronteira, 2001.

RULFO, Juan. *Pedro Páramo*. Madri: Cátedra, 1983.

SANTOS, Corcino Medeiros dos. *Amazônia, conquista e desequílibro do ecossistema*. Brasília: Thesaurus, 1998.

SARNEY, José, & COSTA, Pedro. *Amapá: a terra onde o Brasil começa*. Brasília: Senado Federal, 1999.

SOUSA, Inglês de. *Contos amazônicos*. São Paulo: Martin Claret, 2006.

———. *O missionário*. São Paulo: Ática, 1987.

SOUZA, Márcio. *Galvez Imperador do Acre*. Rio de Janeiro: Civilização Brasileira, 1980.

TABUCCHI, Antonio. *Donna di Porto Pim*. Palermo: Sellerio Editore, 2006.

URE, John. *Invasores do amazonas*. Rio de Janeiro: Record, 1986.

VALÉRIO, Plínio. *Pra lá do fim do mundo onde o rio acolhe os mortos*. Manaus: Vitória-Régia, 1996.

VON MARTIUS, Karl F. P. *Natureza, doenças, medicina e remédios dos índios brasileiros*. São Paulo: Companhia Editora Nacional, 1979.

WALLACE, Alfred Russel. *Viagens pelos rios Amazonas e Negro*. Belo Horizonte: Itatiaia, 1979.

WOOLF, Virginia. *Rumo ao farol*. Rio de Janeiro/São Paulo: O Globo/Folha de S.Paulo, 2003.

Este livro foi composto na tipologia Minion-Regular,
em corpo 11,5/17,2, e impresso em papel off-white 80 g/m²
no Sistema Cameron da Divisão Gráfica
da Distribuidora Record.